D1634328

COLLECTION FOLIO

Marcel Proust

A la recherche du temps perdu

IV

Le côté de Guermantes

**

Gallimard

Le texte de la présente édition
est conforme au texte de l'édition de la Pléiade,
revu et établi sur les manuscrits autographes
par Pierre Clarac et André Ferré.

CHAPITRE PREMIER

Maladie de ma grand'mère.
Maladie de Bergotte.
Le duc et le médecin.
Déclin de ma grand'mère.
Sa mort.

Nous retraversâmes l'avenue Gabriel, au milieu de la foule des promeneurs. Je fis asseoir ma grand'-mère sur un banc et j'allai chercher un fiacre. Elle, au cœur de qui je me plaçais toujours pour juger la personne la plus insignifiante, elle m'était maintenant fermée, elle était devenue une partie du monde extérieur, et plus qu'à de simples passants, j'étais forcé de lui taire ce que je pensais de son état, de lui taire mon inquiétude. Je n'aurais pu lui en parler avec plus de confiance qu'à une étrangère. Elle venait de me restituer les pensées, les chagrins que depuis mon enfance je lui avais confiés pour toujours. Elle n'était pas morte encore. J'étais déjà seul. Et même ces allusions qu'elle avait faites aux Guermantes, à Molière, à nos conversations sur le petit noyau, prenaient un air sans appui, sans cause, fantastique, parce qu'elles sortaient de ce même être qui, demain peut-être, n'existerait plus, pour lequel elles n'auraient plus aucun sens, de ce néant — incapable de les concevoir — que ma grand'mère serait bientôt.

— Monsieur, je ne dis pas, mais vous n'avez pas pris de rendez-vous avec moi, vous n'avez pas de numéro. D'ailleurs, ce n'est pas mon jour de consultation. Vous devez avoir votre médecin. Je ne peux pas me substituer, à moins qu'il ne me fasse appeler en consultation. C'est une question de déontologie...

Au moment où je faisais signe à un fiacre, j'avais rencontré le fameux professeur E..., presque ami de mon père et de mon grand-père, en tous cas en relations avec eux, lequel demeurait avenue Gabriel, et, pris d'une inspiration subite, je l'avais arrêté au moment où il rentrait, pensant qu'il serait peut-être d'un excellent conseil pour ma grand'mère. Mais, pressé, après avoir pris ses lettres, il voulait m'éconduire, et je ne pus lui parler qu'en montant avec lui dans l'ascenseur, dont il me pria de le laisser manœuvrer les boutons, c'était chez lui une manie.

— Mais, Monsieur, je ne demande pas que vous receviez ma grand'mère, vous comprendrez après ce que je veux vous dire, elle est peu en état, je vous demande au contraire de passer d'ici une demi-heure chez nous, où elle sera rentrée.

— Passer chez vous? mais, Monsieur, vous n'y pensez pas. Je dîne chez le ministre du Commerce, il faut que je fasse une visite avant, je vais m'habiller tout de suite; pour comble de malheur mon habit a été déchiré et l'autre n'a pas de boutonnière pour passer les décorations. Je vous en prie, faites-moi le plaisir de ne pas toucher les boutons de l'ascenseur, vous ne savez pas le manœuvrer, il faut être prudent en tout. Cette boutonnière va me retarder encore.

Enfin, par amitié pour les vôtres, si votre grand'mère vient tout de suite, je la recevrai. Mais je vous préviens que je n'aurai qu'un quart d'heure bien juste à lui donner.

J'étais reparti aussitôt, n'étant même pas sorti de l'ascenseur que le professeur E... avait mis lui-même en marche pour me faire descendre, non sans me regarder avec méfiance.

Nous disons bien que l'heure de la mort est incertaine, mais quand nous disons cela, nous nous représentons cette heure comme située dans un espace vague et lointain, nous ne pensons pas qu'elle ait un rapport quelconque avec la journée déjà commencée et puisse signifier que la mort — ou sa première prise de possession partielle de nous, après laquelle elle ne nous lâchera plus — pourra se produire dans cet après-midi même, si peu incertain, cet après-midi où l'emploi de toutes les heures est réglé d'avance. On tient à sa promenade pour avoir dans un mois le total de bon air nécessaire, on a hésité sur le choix d'un manteau à emporter, du cocher à appeler, on est en fiacre, la journée est tout entière devant vous, courte, parce qu'on veut être rentré à temps pour recevoir une amie ; on voudrait qu'il fît aussi beau le lendemain ; et on ne se doute pas que la mort, qui cheminait en vous dans un autre plan, au milieu d'une impénétrable obscurité, a choisi précisément ce jour-là pour entrer en scène, dans quelques minutes, à peu près à l'instant où la voiture atteindra les Champs-Élysées. Peut-être ceux que hante d'habitude l'effroi de la singularité particulière à la mort, trouveront-ils quelque chose de rassurant à ce genre de mort-là — à ce genre de premier contact avec la mort — parce qu'elle y revêt une apparence connue, familière, quotidienne. Un bon déjeuner l'a précédée, et la même sortie que font des gens bien portants. Un retour en voiture découverte se superpose à sa première atteinte ; si malade que fût ma grand'mère, en somme plusieurs personnes auraient pu dire qu'à six heures, quand nous revînmes des Champs-Élysées, elles l'avaient saluée, passant en voiture découverte par un temps superbe. Legrandin, qui se dirigeait vers la place de la Concorde, nous donna un coup de chapeau, en s'arrêtant, l'air étonné. Moi qui n'étais pas encore détaché de la vie, je demandai à ma grand'mère si elle lui avait répondu, lui rappelant qu'il était susceptible. Ma grand'mère, me trouvant sans doute bien léger, leva sa main en l'air comme pour dire : « Qu'est-ce que cela fait ? cela n'a aucune importance. »

Oui, on aurait pu dire tout à l'heure, pendant que je cherchais un fiacre, que ma grand'mère était assise sur un banc, avenue Gabriel, qu'un peu après elle avait passé en voiture découverte. Mais eût-ce été bien vrai ? Le banc, lui, pour qu'il se tienne dans une avenue — bien qu'il soit soumis aussi à certaines conditions d'équilibre — n'a pas besoin d'énergie. Mais pour qu'un être vivant soit stable, même appuyé sur un banc ou dans une voiture, il faut une tension de forces que nous ne percevons pas, d'habitude, plus que nous ne percevons (parce qu'elle s'exerce dans tous les sens) la pression atmosphérique. Peut-être si on faisait le vide en nous et qu'on nous laissât supporter la pression de l'air, sentirions-nous, pendant l'instant qui précéderait notre destruction, le poids terrible que rien ne neutraliserait plus. De même, quand les abîmes de la maladie et de la mort s'ouvrent en nous et que nous n'avons plus rien à opposer au tumulte avec lequel le monde et notre propre corps se ruent sur nous, alors soutenir même la pensée de nos muscles, même le frisson qui dévaste nos moelles, alors, même nous tenir immobile dans ce que nous croyons d'habitude n'être rien que la simple position négative d'une chose, exige, si l'on veut que la tête reste droite et le regard calme, de l'énergie vitale, et devient l'objet d'une lutte épuisante.

Et si Legrandin nous avait regardés de cet air étonné, c'est qu'à lui comme à ceux qui passaient alors, dans le fiacre où ma grand'mère semblait assise sur la banquette, elle était apparue sombrant, glissant à l'abîme, se retenant désespérément aux coussins qui pouvaient à peine retenir son corps précipité, les cheveux en désordre, l'œil égaré, incapable de plus faire face à l'assaut des images que ne réussissait plus à porter sa prunelle. Elle était apparue, bien qu'à côté de moi, plongée dans ce monde inconnu au sein duquel elle avait déjà reçu les coups dont elle portait les traces quand je l'avais vue tout à l'heure aux Champ-Élysées, son chapeau, son visage, son manteau dérangés par la main de l'ange invisible avec lequel elle avait lutté.

J'ai pensé, depuis, que ce moment de son attaque n'avait pas dû surprendre entièrement ma grand'-mère, que peut-être même elle l'avait prévu longtemps d'avance, avait vécu dans son attente. Sans doute, elle n'avait pas su quand ce moment fatal viendrait, incertaine, pareille aux amants qu'un doute du même genre porte tour à tour à fonder des espoirs déraisonnables et des soupçons injustifiés sur la fidélité de leur maîtresse. Mais il est rare que ces grandes maladies, telles que celle qui venait enfin de la frapper en plein visage, n'élisent pas pendant longtemps domicile chez le malade avant de le tuer, et durant cette période ne se fassent pas assez vite, comme un voisin ou un locataire « liant », connaître de lui. C'est une terrible connaissance, moins par les souffrances qu'elle cause que par l'étrange nouveauté des restrictions définitives qu'elle impose à la vie. On se voit mourir, dans ce cas, non pas à l'instant même de la mort, mais des mois, quelquefois des années auparavant, depuis qu'elle est hideusement venue habiter chez nous. La malade fait la connaissance de l'Étranger qu'elle entend aller et venir dans son cerveau. Certes elle ne le connaît pas de vue, mais des bruits qu'elle l'entend régulièrement faire elle déduit ses habitudes. Est-ce un malfaiteur? Un matin, elle ne l'entend plus. Il est parti. Ah! si c'était pour toujours! Le soir, il est revenu. Quels sont ses desseins? Le médecin consultant, soumis à la question, comme une maîtresse adorée, répond par des serments tel jour crus, tel jour mis en doute. Au reste, plutôt que celui de la maîtresse, le médecin joue le rôle des serviteurs interrogés. Il ne sont que des tiers. Celle que nous pressons, dont nous soupçonnons qu'elle est sur le point de nous trahir, c'est la vie elle-même, et malgré que nous ne la sentions plus la même, nous croyons encore en elle, nous demeurons en tous cas dans le doute jusqu'au jour qu'elle nous a enfin abandonnés.

Je mis ma grand'mère dans l'ascenseur du professeur E..., et au bout d'un instant il vint à nous et nous fit passer dans son cabinet. Mais là, si pressé qu'il fût, son air rogue changea, tant les habitudes sont fortes, et il avait celle d'être aimable, voire enjoué, avec ses malades. Comme il savait ma grand'-mère très lettrée et qu'il l'était aussi, il se mit à lui citer pendant deux ou trois minutes de beaux vers sur l'Été radieux qu'il faisait. Il l'avait assise dans un fauteuil, lui à contre-jour, de manière à bien la voir. Son examen fut minutieux, nécessita même que je sortisse un instant. Il le continua encore, puis ayant fini, se mit, bien que le quart d'heure touchât à sa fin, à refaire quelques citations à ma grand'mère. Il lui adressa même quelques plaisanteries assez fines, que j'eusse préféré entendre un autre jour, mais qui me rassurèrent complètement par le ton amusé du docteur. Je me rappelai alors que M. Fallières, président du Sénat, avait eu, il y avait nombre d'années, une fausse attaque et qu'au désespoir de ses concurrents, il s'était mis trois jours après à reprendre ses fonctions et préparait, disait-on, une candidature plus ou moins lointaine à la présidence de la République. Ma confiance en un prompt rétablissement de ma grand'mère fut d'autant plus complète que, au moment où je me rappelais l'exemple de M. Fallières, je fus tiré de la pensée de ce rapprochement par un franc éclat de rire qui termina une plaisanterie du professeur E... Sur quoi il tira sa montre, fronça fiévreusement le sourcil en voyant qu'il était en retard de cinq minutes, et tout en nous disant adieu sonna pour qu'on apportât immédiatement son habit. Je laissai ma grand'mère passer devant, refermai la porte et demandai la vérité au savant.

— Votre grand'mère est perdue, me dit-il. C'est une attaque provoquée par l'urémie. En soi, l'urémie n'est pas fatalement un mal mortel, mais le cas me paraît désespéré. Je n'ai pas besoin de vous dire que j'espère me tromper. Du reste, avec Cottard, vous êtes en excellentes mains. Excusez-moi, me dit-il en voyant entrer une femme de chambre qui portait sur le bras l'habit noir du professeur. Vous savez que je dîne chez le Ministre du Commerce, j'ai une visite à faire avant. Ah! la vie n'est pas que roses, comme on le croit à votre âge.

Et il me tendit gracieusement la main. J'avais refermé la porte et un valet nous guidait dans l'antichambre, ma grand'mère et moi, quand nous entendîmes de grands cris de colère. La femme de chambre avait oublié de percer la boutonnière pour les décorations. Cela allait demander encore dix minutes. Le professeur tempêtait toujours pendant que je regardais sur le palier ma grand'mère qui était perdue. Chaque personne est bien seule. Nous repartîmes vers la maison.

Le soleil déclinait ; il enflammait un interminable mur que notre fiacre avait à longer avant d'arriver à la rue que nous habitions, mur sur lequel l'ombre, projetée par le couchant, du cheval et de la voiture, se détachait en noir sur le fond rougeâtre, comme un char funèbre dans une terre cuite de Pompéi. Enfin nous arrivâmes. Je fis asseoir la malade en bas de l'escalier dans le vestibule, et je montai prévenir ma mère. Je lui dis que ma grand'mère rentrait un peu souffrante, ayant eu un étourdissement. Dès mes premiers mots, le visage de ma mère atteignit au paroxysme d'un désespoir pourtant déjà si résigné, que je compris que depuis bien des années elle le tenait tout prêt en elle pour un jour incertain et final. Elle ne me demanda rien ; il semblait, de même que la méchanceté aime à exagérer les souffrances des autres, que par tendresse elle ne voulût pas admettre que sa mère fût très atteinte, surtout d'une maladie qui peut toucher à l'intelligence. Maman frissonnait, son visage pleurait sans larmes, elle courut dire qu'on allât chercher le médecin, mais comme Françoise demandait qui était malade, elle ne put répondre, sa voix s'arrêta dans sa gorge. Elle descendit en courant avec moi, effaçant de sa figure le sanglot qui la plissait. Ma grand'mère attendait en bas sur le canapé du vestibule, mais dès qu'elle nous entendit, se redressa, se tint debout, fit à maman des signes gais de la main. Je lui avais enveloppé à demi la tête avec une mantille en dentelle blanche, lui disant que c'était pour qu'elle n'eût pas froid dans l'escalier. Je ne voulais pas que ma mère remarquât trop l'altération du visage, la déviation de la bouche ; ma précaution était inutile : ma mère s'approcha de grand'mère, embrassa sa main comme celle de son Dieu, la soutint, la souleva jusqu'à l'ascenseur, avec des précautions infinies où il y avait, avec la peur d'être maladroite et de lui faire mal, l'humilité de qui se sent indigne de toucher ce qu'il connaît de plus précieux, mais pas une fois elle ne leva les yeux et ne regarda le visage de la malade. Peut-être fut-ce pour que celle-ci ne s'attristât pas en pensant que sa vue avait pu inquiéter sa fille. Peut-être par crainte d'une douleur trop forte qu'elle n'osa pas affronter. Peut-être par respect, parce qu'elle ne croyait pas qu'il lui fût permis sans impiété de constater la trace de quelque affaiblissement intellectuel dans le visage vénéré. Peut-être pour mieux garder plus tard intacte l'image du vrai visage de sa mère, rayonnant d'esprit et de bonté. Ainsi montèrent-elles l'une à côté de l'autre, ma grand'mère à demi cachée dans sa mantille, ma mère détournant les yeux.

Pendant ce temps il y avait une personne qui ne quittait pas des siens ce qui pouvait se deviner des traits modifiés de ma grand'mère que sa fille n'osait pas voir, une personne qui attachait sur eux un regard ébahi, indiscret et de mauvais augure : c'était Françoise. Non qu'elle n'aimât sincèrement ma grand'-mère (même elle avait été déçue et presque scandalisée par la froideur de maman qu'elle aurait voulu voir se jeter en pleurant dans les bras de sa mère), mais elle avait un certain penchant à envisager toujours le pire, elle avait gardé de son enfance deux particularités qui sembleraient devoir s'exclure, mais qui, quand elles sont assemblées, se fortifient : le manque d'éducation des gens du peuple qui ne cherchent pas à dissimuler l'impression, voire l'effroi douloureux causé en eux par la vue d'un changement physique qu'il serait plus délicat de ne pas paraître remarquer, et la rudesse insensible de la paysanne qui arrache les ailes des libellules avant qu'elle ait l'occasion de tordre le cou aux poulets et manque de la pudeur qui lui ferait cacher l'intérêt qu'elle éprouve à voir la chair qui souffre.

Quand, grâce aux soins parfaits de Françoise, ma grand'mère fut couchée, elle se rendit compte qu'elle parlait beaucoup plus facilement, le petit déchirement ou encombrement d'un vaisseau qu'avait produit l'urémie avait sans doute été très léger. Alors elle voulut ne pas faire faute à maman, l'assister dans les instants les plus cruels que celle-ci eût encore traversés.

— Hé bien! ma fille, lui dit-elle, en lui prenant la main, et en gardant l'autre devant sa bouche pour donner cette cause apparente à la légère difficulté qu'elle avait encore à prononcer certains mots, voilà comme tu plains ta mère! tu as l'air de croire que ce n'est pas désagréable, une indigestion!

Alors pour la première fois les yeux de ma mère se posèrent passionnément sur ceux de ma grand'mère, ne voulant pas voir le reste de son visage, et elle dit, commençant la liste de ces faux serments que nous ne pouvons pas tenir :

— Maman, tu seras bientôt guérie, c'est ta fille qui s'y engage.

Et enfermant son amour le plus fort, toute sa volonté que sa mère guérît, dans un baiser à qui elle les confia et qu'elle accompagna de sa pensée, de tout son être jusqu'au bord de ses lèvres, elle alla le déposer humblement, pieusement sur le front adoré.

Ma grand'mère se plaignait d'une espèce d'alluvion de couvertures qui se faisait tout le temps du même côté sur sa jambe gauche et qu'elle ne pouvait pas arriver à soulever. Mais elle ne se rendait pas compte qu'elle en était elle-même la cause (de sorte que chaque jour elle accusa injustement Françoise de mal « retaper » son lit). Par un mouvement convulsif, elle rejetait de ce côté tout le flot de ces écumantes couvertures de fine laine qui s'y amoncelaient comme les sables dans une baie bien vite transformée en grève (si on n'y construit une digue) par les apports successifs du flux.

Ma mère et moi (de qui le mensonge était d'avance percé à jour par Françoise, perspicace et offensante), nous ne voulions même pas dire que ma grand'mère fût très malade, comme si cela eût pu faire plaisir aux ennemis que d'ailleurs elle n'avait pas, et s'il eût été plus affectueux de trouver qu'elle n'allait pas si mal que ça, en somme par le même sentiment instinctif qui m'avait fait supposer qu'Andrée plaignait trop Albertine pour l'aimer beaucoup. Les mêmes phénomènes se reproduisent des particuliers à la masse, dans les grandes crises. Dans une guerre celui qui n'aime pas son pays n'en dit pas de mal, mais le croit perdu, le plaint, voit les choses en noir.

Françoise nous rendait un service infini par sa faculté de se passer de sommeil, de faire les besognes les plus dures. Et si, étant allée se coucher après plusieurs nuits passées debout, on était obligé de l'appeler un quart d'heure après qu'elle s'était endormie, elle était si heureuse de pouvoir faire des choses pénibles comme si elles eussent été les plus simples du monde que, loin de rechigner, elle montrait sur son visage de la satisfaction et de la modestie. Seulement quand arrivait l'heure de la messe, et l'heure du premier déjeuner, ma grand'mère eût-elle été agonisante, Françoise se fût éclipsée à temps pour ne pas être en retard. Elle ne pouvait ni ne voulait être suppléée par son jeune valet de pied. Certes elle avait apporté de Combray une idée très haute des devoirs de chacun envers nous ; elle n'eût pas toléré qu'un de nos gens nous « manquât ». Cela avait fait d'elle une si noble, si impérieuse, si efficace éducatrice, qu'il n'y avait jamais eu chez nous de domestiques si corrompus qui n'eussent vite modifié, épuré leur conception de la vie jusqu'à ne plus toucher le « sou du franc » et à se précipiter — si peu serviables qu'ils eussent été jusqu'alors — pour me prendre des mains et ne pas me laisser me fatiguer à porter le moindre paquet. Mais, à Combray aussi, Françoise avait contracté — et importé à Paris — l'habitude de ne pouvoir supporter une aide quelconque dans son travail. Se voir prêter un concours lui semblait recevoir une avanie, et des domestiques sont restés des semaines sans obtenir d'elle une réponse à leur salut matinal, sont même partis en vacances sans qu'elle leur dît adieu et qu'ils devinassent pourquoi, en réalité pour la seule raison qu'ils avaient voulu faire un peu de sa besogne, un jour qu'elle était souffrante. Et en ce moment où ma grand'mère était si mal, la besogne de Françoise lui semblait particulièrement sienne. Elle ne voulait pas, elle la titulaire, se laisser chiper son rôle dans ces jours de gala. Aussi son jeune valet de pied, écarté par elle, ne savait que faire, et non content d'avoir, à l'exemple de Victor, pris mon papier dans mon bureau, il s'était mis, de plus, à emporter des volumes de vers de ma bibliothèque. Il les lisait, une bonne moitié de la journée, par admiration pour les poètes qui les avaient composés, mais aussi afin, pendant l'autre partie de son temps, d'émailler de citations les lettres qu'il écrivait à ses amis de village. Certes, il pensait ainsi les éblouir. Mais, comme il avait peu de suite dans les idées, il s'était formé celle-ci que ces poèmes, trouvés dans ma bibliothèque, étaient chose connue de tout le monde et à quoi il est courant de se reporter. Si bien qu'écrivant à ces paysans dont il escomptait la stupéfaction, il entremêlait ses propres réflexions de vers de Lamartine, comme il eût dit : qui vivra verra, ou même : bonjour.

A cause des souffrances de ma grand'mère on lui permit la morphine. Malheureusement si celle-ci les calmait, elle augmentait aussi la dose d'albumine. Les coups que nous destinions au mal qui s'était installé en grand'mère portaient toujours à faux ; c'était elle, c'était son pauvre corps interposé qui les recevait, sans qu'elle se plaignît qu'avec un faible gémissement. Et les douleurs que nous lui causions n'étaient pas compensées par un bien que nous ne pouvions lui faire. Le mal féroce que nous aurions voulu exterminer, c'est à peine si nous l'avions frôlé, nous ne faisions que l'exaspérer davantage, hâtant peut-être l'heure où la captive serait dévorée. Les jours où la dose d'albumine avait été trop forte, Cottard après une hésitation refusait la morphine. Chez cet homme si insignifiant, si commun, il y avait, dans ces courts moments où il délibérait, où les dangers d'un traitement et d'un autre se disputaient en lui jusqu'à ce qu'il s'arrêtât à l'un, la sorte de grandeur d'un général qui, vulgaire dans le reste de la vie, émeut par sa décision au moment où le sort de la patrie se joue, quand après avoir hésité un instant, il conclut par ce qui militairement est le plus sage et dit : « Faites face à l'Est. » Médicalement, si peu d'espoir qu'il y eût de mettre un terme à cette crise d'urémie, il ne fallait pas fatiguer le rein. Mais, d'autre part, quand ma grand'mère n'avait pas de morphine, ses douleurs devenaient intolérables ; elle recommençait perpétuellement un certain mouvement qui lui était difficile à accomplir sans gémir : pour une grande part, la souffrance est une sorte de besoin de l'organisme de prendre conscience d'un état nouveau qui l'inquiète, de rendre la sensibilité adéquate à cet état. On peut discerner cette origine de la douleur dans le cas d'incommodités qui n'en sont pas pour tout le monde. Dans une chambre remplie d'une fumée à l'odeur pénétrante, deux hommes grossiers entreront et vaqueront à leurs affaires ; un troisième, d'organisation plus fine, trahira un trouble incessant. Ses narines ne cesseront de renifler anxieusement l'odeur qu'il devrait, semble-t-il, essayer de ne pas sentir et qu'il cherchera chaque fois à faire adhérer, par une connaissance plus exacte, à son odorat incommodé. De là vient sans doute qu'une vive préoccupation empêche de se plaindre d'une rage de dents. Quand ma grand'mère souffrait ainsi, la sueur coulait sur son grand front mauve, y collant les mèches blanches, et si elle croyait que nous n'étions pas dans la chambre, elle poussait des cris : « Ah! c'est affreux! » mais si elle apercevait ma mère, aussitôt elle employait toute son énergie à effacer de son visage les traces de douleur, ou, au contraire, répétait les mêmes plaintes en les accompagnant d'explications qui donnaient rétrospectivement un autre sens à celles que ma mère avait pu entendre :

— Ah! ma fille, c'est affreux, rester couchée par ce beau soleil quand on voudrait aller se promener, je pleure de rage contre vos prescriptions.

Mais elle ne pouvait empêcher le gémissement de ses regards, la sueur de son front, le sursaut convulsif, aussitôt réprimé, de ses membres.

— Je n'ai pas mal, je me plains parce que je suis mal couchée, je me sens les cheveux en désordre, j'ai mal au cœur, je me suis cognée contre le mur.

Et ma mère, au pied du lit, rivée à cette souffrance comme si, à force de percer de son regard ce front douloureux, ce corps qui recelait le mal, elle eût dû finir par l'atteindre et l'emporter, ma mère disait :

— Non, ma petite maman, nous ne te laisserons pas souffrir comme ça, on va trouver quelque chose, prends patience une seconde, me permets-tu de t'embrasser sans que tu aies à bouger ?

Et penchée sur le lit, les jambes fléchissantes, à demi agenouillée, comme si, à force d'humilité, elle avait plus de chance de faire exaucer le don passionné d'elle-même, elle inclinait vers ma grand'mère toute sa vie dans son visage comme dans un ciboire qu'elle lui tendait, décoré en reliefs de fossettes et de plissements si passionnés, si désolés et si doux qu'on ne savait pas s'ils y étaient creusés par le ciseau d'un baiser, d'un sanglot ou d'un sourire. Ma grand'mère essayait, elle aussi, de tendre vers maman son visage. Il avait tellement changé que sans doute, si elle eût eu la force de sortir, on ne l'eût reconnue qu'à la plume de son chapeau. Ses traits, comme dans des séances de modelage, semblaient s'appliquer, dans un effort qui la détournait de tout le reste, à se conformer à certain modèle que nous ne connaissions pas. Ce travail du statuaire touchait à sa fin et, si la figure de ma grand'mère avait diminué, elle avait également durci. Les veines qui la traversaient semblaient celles, non pas du marbre, mais d'une pierre plus rugueuse. Toujours penchée en avant par la difficulté de respirer, en même temps que repliée sur elle-même par la fatigue, sa figure fruste, réduite, atrocement expressive, semblait, dans une sculpture primitive presque préhistorique, la figure rude, violâtre, rousse, désespérée de quelque sauvage gardienne de tombeau. Mais toute l'œuvre n'était pas accomplie. Ensuite, il faudrait la briser, et puis, dans ce tombeau — qu'on avait si péniblement gardé, avec cette dure contraction — descendre.

Dans un de ces moments où, selon l'expression populaire, on ne sait plus à quel saint se vouer, comme ma grand'mère toussait et éternuait beaucoup, on suivit le conseil d'un parent qui affirmait qu'avec le spécialiste X... on était hors d'affaire en trois jours. Les gens du monde disent cela de leur médecin, et on les croit comme Françoise croyait les réclames des journaux. Le spécialiste vint avec sa trousse chargée de tous les rhumes de ses clients, comme l'outre d'Éole. Ma grand'mère refusa net de se laisser examiner. Et nous, gênés pour ce praticien qui s'était dérangé inutilement, nous déférâmes au désir qu'il exprima de visiter nos nez respectifs, lesquels pourtant n'avaient rien. Il prétendait que si, et que migraine ou colique, maladie de cœur ou diabète, c'est une maladie du nez mal comprise. A chacun de nous il dit : « Voilà un petit cornet que je serais bien aise de revoir. N'attendez pas trop. Avec quelques pointes de feu je vous débarrasserai. » Certes nous pensions à tout autre chose. Pourtant nous nous demandâmes : « Mais débarrasser de quoi ? » Bref tous nos nez étaient malades ; il ne se trompa qu'en mettant la chose au présent. Car dès le lendemain son examen et son pansement provisoire avaient accompli leur effet. Chacun de nous eut son catarrhe. Et comme il rencontrait dans la rue mon père secoué par des quintes, il sourit à l'idée qu'un ignorant pût croire le mal dû à son intervention. Il nous avait examinés au moment où nous étions déjà malades.

La maladie de ma grand'mère donna lieu à diverses personnes de manifester un excès ou une insuffisance de sympathie qui nous surprirent tout autant que le genre de hasard par lequel les unes ou les autres nous découvraient des chaînons de circonstances, ou même d'amitiés, que nous n'eussions pas soupçonnées. Et les marques d'intérêt données par les personnes qui venaient sans cesse prendre des nouvelles nous révélaient la gravité d'un mal que jusque-là nous n'avions pas assez isolé, séparé des mille impressions douloureuses ressenties auprès de ma grand'mère. Prévenues par dépêche, ses sœurs ne quittèrent pas Combray. Elles avaient découvert un artiste qui leur donnait des séances d'excellente musique de chambre, dans l'audition de laquelle elles pensaient trouver, mieux qu'au chevet de la malade, un recueillement, une élévation douloureuse, desquels la forme ne laissa pas de paraître insolite. Mme Sazerat écrivit à maman, mais comme une personne dont des fiançailles brusquement rompues (la rupture était le dreyfusisme) nous ont à jamais séparés. En revanche Bergotte vint passer tous les jours plusieurs heures avec moi.

Il avait toujours aimé à venir se fixer pendant quelque temps dans une même maison où il n'eût pas de frais à faire. Mais autrefois c'était pour y parler sans être interrompu, maintenant pour garder longuement le silence sans qu'on lui demandât de parler. Car il était très malade : les uns disaient d'albuminurie, comme ma grand'mère ; selon d'autres il avait une tumeur. Il allait en s'affaiblissant ; c'est avec difficulté qu'il montait notre escalier, avec une plus grande encore qu'il le descendait. Bien qu'appuyé à la rampe, il trébuchait souvent, et je crois qu'il serait resté chez lui s'il n'avait pas craint de perdre entièrement l'habitude, la possibilité de sortir, lui l' « homme à barbiche » que j'avais connu alerte, il n'y avait pas si longtemps. Il n'y voyait plus goutte, et sa parole même s'embarrassait souvent.

Mais en même temps, tout au contraire, la somme de ses œuvres, connues seulement des lettrés à l'époque où Mme Swann patronnait leurs timides efforts de dissémination, maintenant grandies et fortes aux yeux de tous, avait pris dans le grand public une extraordinaire puissance d'expansion. Sans doute il arrive que c'est après sa mort seulement qu'un écrivain devient célèbre. Mais c'était en vie encore et durant son lent acheminement vers la mort non encore atteinte, qu'il assistait à celui de ses œuvres vers la Renommée. Un auteur mort est du moins illustre sans fatigue. Le rayonnement de son nom s'arrête à la pierre de sa tombe. Dans la surdité du sommeil éternel, il n'est pas importuné par la Gloire. Mais pour Bergotte l'antithèse n'était pas entièrement achevée. Il existait encore assez pour souffrir du tumulte. Il remuait encore, bien que péniblement, tandis que ses œuvres, bondissantes comme des filles qu'on aime mais dont l'impétueuse jeunesse et les bruyants plaisirs vous fatiguent, entraînaient chaque jour jusqu'au pied de son lit des admirateurs nouveaux.

Les visites qu'il nous faisait maintenant venaient pour moi quelques années trop tard, car je ne l'admirais plus autant. Ce qui n'est pas en contradiction avec ce grandissement de sa renommée. Une œuvre est rarement tout à fait comprise et victorieuse, sans que celle d'un autre écrivain, obscure encore, n'ait commencé, auprès de quelques esprits plus difficiles, de substituer un nouveau culte à celui qui a presque fini de s'imposer. Dans les livres de Bergotte, que je relisais souvent, ses phrases étaient aussi claires devant mes yeux que mes propres idées, les meubles dans ma chambre et les voitures dans la rue. Toutes choses s'y voyaient aisément, sinon telles qu'on les avait toujours vues, du moins telles qu'on avait l'habitude de les voir maintenant. Or un nouvel écrivain avait commencé à publier des œuvres où les rapports entre les choses étaient si différents de ceux qui les liaient pour moi que je ne comprenais presque rien de ce qu'il écrivait. Il disait par exemple : « Les tuyaux d'arrosage admiraient le bel entretien des routes » (et cela c'était facile, je glissais le long de ces routes) « qui partaient toutes les cinq minutes de Briand et de Claudel ». Alors je ne comprenais plus parce que j'avais attendu un nom de ville et qu'il m'était donné un nom de personne. Seulement je sentais que ce n'était pas la phrase qui était mal faite, mais moi pas assez fort et agile pour aller jusqu'au bout. Je reprenais mon élan, m'aidais des pieds et des mains pour arriver à l'endroit d'où je verrais les rapports nouveaux entre les choses. Chaque fois, parvenu à peu près à la moitié de la phrase, je retombais, comme plus tard au régiment dans l'exercice appelé portique. Je n'en avais pas moins pour le nouvel écrivain l'admiration d'un enfant gauche et à qui on donne zéro pour la gymnastique, devant un autre enfant plus adroit. Dès lors j'admirai moins Bergotte dont la limpidité me parut de l'insuffisance. Il y eut un temps où on reconnaissait bien les choses quand c'était Fromentin qui les peignait et où on ne les reconnaissait plus quand c'était Renoir.

Les gens de goût nous disent aujourd'hui que Renoir est un grand peintre du XVIIIᵉ siècle. Mais en disant cela ils oublient le Temps et qu'il en a fallu beaucoup, même en plein XIXᵉ, pour que Renoir fût salué grand artiste. Pour réussir à être ainsi reconnus, le peintre original, l'artiste original procèdent à la façon des oculistes. Le traitement par leur peinture, par leur prose, n'est pas toujours agréable. Quand il est terminé, le praticien nous dit : Maintenant regardez. Et voici que le monde (qui n'a pas été créé une fois, mais aussi souvent qu'un artiste original est survenu) nous apparaît entièrement différent de l'ancien, mais parfaitement clair. Des femmes passent dans la rue, différentes de celles d'autrefois, puisque ce sont des Renoir, ces Renoir où nous nous refusions jadis à voir des femmes. Les voitures aussi sont des Renoir, et l'eau, et le ciel : nous avons envie de nous promener dans la forêt pareille à celle qui, le premier jour, nous semblait tout excepté une forêt, et par exemple une tapisserie aux nuances nombreuses mais où manquaient justement les nuances propres aux forêts. Tel est l'univers nouveau et périssable qui vient d'être créé. Il durera jusqu'à la prochaine catastrophe géologique que déchaîneront un nouveau peintre ou un nouvel écrivain originaux.

Celui qui avait remplacé pour moi Bergotte me lassait non par l'incohérence mais par la nouveauté, parfaitement cohérente, de rapports que je n'avais pas l'habitude de suivre. Le point, toujours le même, où je me sentais retomber, indiquait l'identité de chaque tour de force à faire. Du reste, quand une fois sur mille je pouvais suivre l'écrivain jusqu'au bout de sa phrase, ce que je voyais était toujours d'une drôlerie, d'une vérité, d'un charme, pareils à ceux que j'avais trouvés jadis dans la lecture de Bergotte, mais plus délicieux. Je songeais qu'il n'y avait pas tant d'années qu'un même renouvellement du monde, pareil à celui que j'attendais de son successeur, c'était Bergotte qui me l'avait apporté. Et j'arrivais à me demander s'il y avait quelque vérité en cette distinction que nous faisons toujours entre l'art, qui n'est pas plus avancé qu'au temps d'Homère, et la science aux progrès continus. Peut-être l'art ressemblait-il au contraire en cela à la science ; chaque nouvel écrivain original me semblait en progrès sur celui qui l'avait précédé ; et qui me disait que dans vingt ans, quand je saurais accompagner sans fatigue le nouveau d'aujourd'hui, un autre ne surviendrait pas devant qui l'actuel filerait rejoindre Bergotte ?

Je parlai à ce dernier du nouvel écrivain. Il me dégoûta de lui moins en m'assurant que son art était rugueux, facile et vide, qu'en me racontant l'avoir vu, ressemblant, au point de s'y méprendre à Bloch. Cette image se profila désormais sur les pages écrites et je ne me crus plus astreint à la peine de le comprendre. Si Bergotte m'avait mal parlé de lui, c'était moins, je crois, par jalousie de son succès que par ignorance de son œuvre. Il ne lisait presque rien. Déjà la plus grande partie de sa pensée avait passé de son cerveau dans ses livres. Il était amaigri comme s'il avait été opéré d'eux. Son instinct reproducteur ne l'induisait plus à l'activité, maintenant qu'il avait produit au-dehors presque tout ce qu'il pensait. Il menait la vie végétative d'un convalescent, d'une accouchée ; ses beaux yeux restaient immobiles, vaguement éblouis, comme les yeux d'un homme étendu au bord de la mer qui dans une vague rêverie regarde seulement chaque petit flot. D'ailleurs, si j'avais moins d'intérêt à causer avec lui que je n'aurais eu jadis, de cela je n'éprouvais pas de remords. Il était tellement homme d'habitude que les plus simples comme les plus luxueuses, une fois qu'il les avaient prises, lui devenaient indispensables pendant un certain temps. Je ne sais ce qui le fit venir une première fois, mais ensuite chaque jour ce fut pour la raison qu'il était venu la veille. Il arrivait à la maison comme il fût allé au café, pour qu'on ne lui parlât pas, pour qu'il pût — bien rarement — parler, de sorte qu'on n'aurait pu en somme trouver un signe qu'il fût ému de notre chagrin ou prît plaisir à causer avec moi, si l'on avait voulu induire quelque chose d'une telle assiduité. Mais elle n'était pas indifférente à ma mère, sensible à tout ce qui pouvait être considéré comme un hommage à sa malade. Et tous les jours elle me disait : « Surtout n'oublie pas de bien le remercier. »

Nous eûmes — discrète attention de femme, comme le goûter que nous sert entre deux séances de pose la compagne d'un peintre — supplément à titre gracieux de celles que nous faisait son mari, la visite de Mme Cottard. Elle venait nous offrir sa « camériste » ; si nous aimions mieux le service d'un homme, allait se « mettre en campagne » ; et, devant nos refus, nous dit qu'elle espérait du moins que ce n'était pas là de notre part une « défaite », mot qui dans son monde signifie un faux prétexte pour ne pas accepter une invitation. Elle nous assura que le professeur, qui ne parlait jamais chez lui de ses malades, était aussi triste que s'il s'était agi d'elle-même. On verra plus tard que même si cela eût été vrai, cela eût été à la fois bien peu et beaucoup, de la part du plus infidèle et plus reconnaissant des maris.

Des offres aussi utiles, et infiniment plus touchantes par la manière (qui était un mélange de la plus haute intelligence, du plus grand cœur, et d'un rare bonheur d'expression), me furent adressées par le grand-duc héritier de Luxembourg. Je l'avais connu à Balbec où il était venu voir une de ses tantes, la princesse de Luxembourg, alors qu'il n'était encore que comte de Nassau. Il avait épousé quelques mois après la ravissante fille d'une autre princesse de Luxembourg, excessivement riche parce qu'elle était la fille unique d'un prince à qui appartenait une immense affaire de farines. Sur quoi le grand-duc de Luxembourg, qui n'avait pas d'enfants et qui adorait son neveu Nassau, avait fait approuver par la Chambre qu'il fût déclaré grand-duc héritier. Comme dans tous les mariages de ce genre, l'origine de la fortune est l'obstacle, comme elle est aussi la cause efficiente. Je me rappelais ce comte de Nassau comme un des plus remarquables jeunes gens que j'aie rencontrés, déjà dévoré alors d'un sombre et éclatant amour pour sa fiancée. Je fus très touché des lettres qu'il ne cessa de m'écrire pendant la maladie de ma grand'mère, et maman elle-même, émue, reprenait tristement un mot de sa mère : Sévigné n'aurait pas mieux dit.

Le sixième jour, maman, pour obéir aux prières de grand'mère, dut la quitter un moment et faire semblant d'aller se reposer. J'aurais voulu, pour que ma grand'mère s'endormît, que Françoise restât sans bouger. Malgré mes supplications, elle sortit de la chambre ; elle aimait ma grand'mère ; avec sa clairvoyance et son pessimisme elle la jugeait perdue. Elle aurait donc voulu lui donner tous les soins possibles. Mais on venait de dire qu'il y avait un ouvrier électricien, très ancien dans sa maison, beau-frère de son patron, estimé dans notre immeuble où il venait travailler depuis de longues années, et surtout de Jupien. On avait commandé cet ouvrier avant que ma grand'mère tombât malade. Il me semblait qu'on eût pu le faire repartir ou le laisser attendre. Mais le protocole de Françoise ne le permettait pas, elle aurait manqué de délicatesse envers ce brave homme, l'état de ma grand'mère ne comptait plus. Quand au bout d'un quart d'heure, exaspéré, j'allai la chercher à la cuisine, je la trouvai causant avec lui sur le « carré » de l'escalier de service, dont la porte était ouverte, procédé qui avait l'avantage de permettre, si l'un de nous arrivait, de faire semblant qu'on allait se quitter, mais l'inconvénient d'envoyer d'affreux courants d'air. Françoise quitta donc l'ouvrier, non sans lui avoir encore crié quelques compliments, qu'elle avait oubliés, pour sa femme et son beau-frère. Souci caractéristique de Combray, de ne pas manquer à la délicatesse, que Françoise portait jusque dans la politique extérieure. Les niais s'imaginent que les grosses dimensions des phénomènes sociaux sont une excellente occasion de pénétrer plus avant dans l'âme humaine ; ils devraient au contraire comprendre que c'est en descendant en profondeur dans une individualité qu'ils auraient chance de comprendre ces phénomènes. Françoise avait mille fois répété au jardinier de Combray que la guerre est le plus insensé des crimes et que rien ne vaut, sinon vivre. Or, quand éclata la guerre russo-japonaise, elle était gênée, vis-à-vis du czar, que nous ne nous fussions pas mis en guerre pour aider « les pauvres Russes » « puisqu'on est alliancé » disait-elle. Elle ne trouvait pas cela délicat envers Nicolas II qui avait toujours eu « de si bonnes paroles pour nous » ; c'était un effet du même code qui l'eût empêchée de refuser de Jupien un petit verre dont elle savait qu'il allait « contrarier sa digestion », et qui faisait que, si près de la mort de ma grand'mère, la même malhonnêteté dont elle jugeait coupable la France restée neutre à l'égard du Japon, elle eût cru la commettre en n'allant pas s'excuser elle-même auprès de ce bon ouvrier électricien qui avait pris tant de dérangement.

Nous fûmes heureusement très vite débarrassés de la fille de Françoise qui eut à s'absenter plusieurs semaines. Aux conseils habituels qu'on donnait à

Combray à la famille d'un malade : « Vous n'avez pas essayé d'un petit voyage, le changement d'air, retrouver l'appétit, etc. » elle avait ajouté l'idée presque unique qu'elle s'était spécialement forgée et qu'aussi elle répétait chaque fois qu'on la voyait, sans se lasser, et comme pour l'enfoncer dans la tête des autres : « Elle aurait dû se soigner *radicalement* dès le début. » Elle ne préconisait pas un genre de cure plutôt qu'un autre, pourvu que cette cure fût *radicale.* Quant à Françoise, elle voyait qu'on donnait peu de médicaments à ma grand'mère. Comme, selon elle, ils ne servent qu'à vous abîmer l'estomac, elle en était heureuse, mais plus encore humiliée. Elle avait dans le Midi des cousins — riches relativement — dont la fille, tombée malade en pleine adolescence, était morte à vingt-trois ans ; pendant ces quelques années le père et la mère s'étaient ruinés en remèdes, en docteurs différents, en pérégrinations d'une « station » thermale à une autre, jusqu'au décès. Or cela paraissait à Françoise, pour ces parents-là, une espèce de luxe, comme s'ils avaient eu des chevaux de courses, un château. Eux-mêmes, si affligés qu'ils fussent, tiraient une certaine vanité de tant de dépenses. Ils n'avaient plus rien, ni surtout le bien le plus précieux, leur enfant, mais ils aimaient à répéter qu'ils avaient fait pour elle autant et plus que les gens les plus riches. Les rayons ultra-violets, à l'action desquels on avait, plusieurs fois par jour, pendant des mois, soumis la malheureuse, les flattaient particulièrement. Le père, enorgueilli dans sa douleur par une espèce de gloire, en arrivait quelquefois à parler de sa fille comme d'une étoile de l'Opéra pour laquelle il se fût ruiné. Françoise n'était pas insensible à tant de mise en scène ; celle qui entourait la maladie de ma grand'mère lui semblait un peu pauvre, bonne pour une maladie sur un petit théâtre de province.

Il y eut un moment où les troubles de l'urémie se portèrent sur les yeux de ma grand'mère. Pendant quelques jours, elle ne vit plus du tout. Ses yeux n'étaient nullement ceux d'une aveugle et restaient les mêmes. Et je compris seulement qu'elle ne voyait pas, à l'étrangeté d'un certain sourire d'accueil qu'elle avait dès qu'on ouvrait la porte, jusqu'à ce qu'on lui eût pris la main pour lui dire bonjour, sourire qui commençait trop tôt et restait stéréotypé sur ses lèvres, fixe, mais toujours de face et tâchant à être vu de partout, parce qu'il n'avait plus l'aide du regard pour le régler, lui indiquer le moment, la direction, le mettre au point, le faire varier au fur et à mesure du changement de place ou d'expression de la personne qui venait d'entrer ; parce qu'il restait seul, sans un sourire des yeux qui eût détourné un peu de lui l'attention du visiteur, et prenait par là, dans sa gaucherie, une importance excessive, donnant l'impression d'une amabilité exagérée. Puis la vue revint complètement et des yeux le mal nomade passa aux oreilles. Pendant quelques jours, ma grand'mère fut sourde. Et comme elle avait peur d'être surprise par l'entrée soudaine de quelqu'un qu'elle n'aurait pas entendu venir, à tout moment (bien que couchée du côté du mur) elle détournait brusquement la tête vers la porte. Mais le mouvement de son cou était maladroit, car on ne se fait pas en quelques jours à cette transposition, sinon de regarder les bruits, du moins d'écouter avec les yeux. Enfin les douleurs diminuèrent, mais l'embarras de la parole augmenta. On était obligé de faire répéter à ma grand'mère à peu près tout ce qu'elle disait.

Maintenant ma grand'mère, sentant qu'on ne la

comprenait plus, renonçait à prononcer un seul mot et restait immobile. Quand elle m'apercevait, elle avait une sorte de sursaut comme ceux qui tout d'un coup manquent d'air, elle voulait me parler, mais n'articulait que des sons inintelligibles. Alors, domptée par son impuissance même, elle laissait retomber sa tête, s'allongeait à plat sur le lit, le visage grave, de marbre, les mains immobiles sur le drap, ou s'occupant d'une action toute matérielle comme de s'essuyer les doigts avec son mouchoir. Elle ne voulait pas penser. Puis elle commença à avoir une agitation constante. Elle désirait sans cesse se lever. Mais on l'empêchait, autant qu'on pouvait, de le faire, de peur qu'elle ne se rendît compte de sa paralysie. Un jour qu'on l'avait laissée un instant seule, je la trouvai, debout, en chemise de nuit, qui essayait d'ouvrir la fenêtre.

A Balbec, un jour où on avait sauvé malgré elle une veuve qui s'était jetée à l'eau, elle m'avait dit (mue peut-être par un de ces pressentiments que nous lisons parfois dans le mystère, si obscur pourtant, de notre vie organique, mais où il semble que se reflète l'avenir) qu'elle ne connaissait pas cruauté pareille à celle d'arracher une désespérée à la mort qu'elle a voulue et de la rendre à son martyre.

Nous n'eûmes que le temps de saisir ma grand'mère, elle soutint contre ma mère une lutte presque brutale, puis vaincue, rassise de force dans un fauteuil, elle cessa de vouloir, de regretter, son visage redevint impassible et elle se mit à enlever soigneusement les poils de fourrure qu'avait laissés sur sa chemise de nuit un manteau qu'on avait jeté sur elle.

Son regard changea tout à fait, souvent inquiet, plaintif, hagard, ce n'était plus son regard d'autrefois, c'était le regard maussade d'une vieille femme qui radote.

A force de lui demander si elle ne désirait pas être coiffée, Françoise finit par se persuader que la demande venait de ma grand'mère. Elle apporta des brosses, des peignes, de l'eau de Cologne, un peignoir. Elle disait : « Cela ne peut pas fatiguer madame Amédée, que je la peigne ; si faible qu'on soit on peut toujours être peignée. » C'est-à-dire, on n'est jamais trop faible pour qu'une autre personne ne puisse, en ce qui la concerne, vous peigner. Mais quand j'entrai dans la chambre, je vis entre les mains cruelles de Françoise, ravie comme si elle était en train de rendre la santé à ma grand'mère, sous l'éplorement d'une vieille chevelure qui n'avait pas la force de supporter le contact du peigne, une tête qui, incapable de garder la pose qu'on lui donnait, s'écroulait dans un tourbillon incessant où l'épuisement des forces alternait avec la douleur. Je sentis que le moment où Françoise allait avoir terminé s'approchait et je n'osai pas le hâter en lui disant : « C'est assez », de peur qu'elle ne me désobéît. Mais en revanche je me précipitai quand, pour que ma grand'mère vît si elle se trouvait bien coiffée, Françoise, innocemment féroce, approcha une glace. Je fus d'abord heureux d'avoir pu l'arracher à temps de ses mains, avant que ma grand'mère, de qui on avait soigneusement éloigné tout miroir, eût aperçu par mégarde une image d'elle-même qu'elle ne pouvait se figurer. Mais, hélas! quand, un instant après, je me penchai vers elle pour baiser ce beau front qu'on avait tant fatigué, elle me regarda d'un air étonné, méfiant, scandalisé : elle ne m'avait pas reconnu.

Selon notre médecin c'était un symptôme que la congestion du cerveau augmentait. Il fallait le dégager.

Cottard hésitait. Françoise espéra un instant qu'on mettrait des ventouses « clarifiées ». Elle en chercha les effets dans mon dictionnaire mais ne put les trouver. Eût-elle bien dit « scarifiées » au lieu de « clarifiées » qu'elle n'eût pas trouvé davantage cet adjectif, car elle ne le cherchait pas plus à la lettre *c* qu'à la lettre *s* ; elle disait en effet « clarifiées » mais écrivait (et par conséquent croyait que c'était écrit) « esclarifié ». Cottard, ce qui la déçut, donna, sans beaucoup d'espoir, la préférence aux sangsues. Quand quelques heures après, j'entrai chez ma grand'mère, attachés à sa nuque, à ses tempes, à ses oreilles, les petits serpents noirs se tordaient dans sa chevelure ensanglantée, comme dans celle de Méduse. Mais dans son visage pâle et pacifié, entièrement immobile, je vis grands ouverts, lumineux et calmes, ses beaux yeux d'autrefois (peut-être encore plus surchargés d'intelligence qu'ils n'étaient avant sa maladie, parce que, comme elle ne pouvait pas parler, ne devait pas bouger, c'est à ses yeux seuls qu'elle confiait sa pensée, la pensée qui peut renaître comme par génération spontanée grâce à quelques gouttes de sang qu'on tire), ses yeux, doux et liquides comme de l'huile, sur lesquels le feu rallumé qui brûlait éclairait devant la malade l'univers reconquis. Son calme n'était plus la sagesse du désespoir mais de l'espérance. Elle comprenait qu'elle allait mieux, voulait être prudente, ne pas remuer, et me fit seulement le don d'un beau sourire pour que je susse qu'elle se sentait mieux, et me pressa légèrement la main.

Je savais quel dégoût ma grand'mère avait de voir certaines bêtes, à plus forte raison d'être touchée par elles. Je savais que c'était en considération d'une utilité supérieure qu'elle supportait les sangsues. Aussi Françoise m'exaspérait-elle en lui répétant avec ces petits rires qu'on a avec un enfant qu'on veut faire jouer : « Oh! les petites bébêtes qui courent sur Madame. » C'était, de plus, traiter notre malade sans respect, comme si elle était tombée en enfance. Mais ma grand'mère, dont la figure avait pris la calme bravoure d'un stoïcien, n'avait même pas l'air d'entendre.

Hélas! aussitôt les sangsues retirées, la congestion reprit, de plus en plus grave. Je fus surpris qu'à ce moment où ma grand'mère était si mal, Françoise disparût à tout moment. C'est qu'elle s'était commandé une toilette de deuil et ne voulait pas faire attendre la couturière. Dans la vie de la plupart des femmes, tout, même le plus grand chagrin, aboutit à une question d'essayage.

Quelques jours plus tard, comme je dormais, ma mère vint m'appeler au milieu de la nuit. Avec les douces attentions que, dans les grandes circonstances, les gens qu'une profonde douleur accable témoignent fût-ce aux petits ennuis des autres :

— Pardonne-moi de venir troubler ton sommeil, me dit-elle.

— Je ne dormais pas, répondis-je en m'éveillant.

Je le disais de bonne foi. La grande modification qu'amène en nous le réveil est moins de nous introduire dans la vie claire de la conscience que de nous faire perdre le souvenir de la lumière un peu plus tamisée où reposait notre intelligence, comme au fond opalin des eaux. Les pensées à demi voilées sur lesquelles nous voguions il y a un instant encore, entraînaient en nous un mouvement parfaitement suffisant pour que nous ayons pu les désigner sous le nom de veille. Mais les réveils trouvent alors une interférence de mémoire. Peu après, nous les qualifions sommeil parce que nous ne nous les rappelons plus. Et quand luit cette brillante étoile qui, à l'instant du réveil, éclaire derrière le dormeur son sommeil tout entier, elle lui fait croire pendant quelques secondes que c'était non du sommeil, mais de la veille ; étoile filante à vrai dire, qui emporte avec sa lumière l'existence mensongère, mais les aspects aussi du songe, et permet seulement à celui qui s'éveille de se dire : « J'ai dormi. »

D'une voix si douce qu'elle semblait craindre de me faire mal, ma mère me demanda si cela ne me fatiguerait pas trop de me lever, et me caressant les mains :

— Mon pauvre petit, ce n'est plus maintenant que sur ton papa et sur ta maman que tu pourras compter.

Nous entrâmes dans la chambre. Courbée en demi-cercle sur le lit, un autre être que ma grand'-mère, une espèce de bête qui se serait affublée de ses cheveux et couchée dans ses draps, haletait, geignait, de ses convulsions secouait les couvertures. Les paupières étaient closes et c'est parce qu'elles fermaient mal plutôt que parce qu'elles s'ouvraient qu'elles laissaient voir un coin de prunelle, voilé, chassieux, reflétant l'obscurité d'une vision organique et d'une souffrance interne. Toute cette agitation ne s'adressait pas à nous qu'elle ne voyait pas, ni ne connaissait. Mais si ce n'était plus qu'une bête qui remuait là, ma grand'mère où était-elle ? On reconnaissait pourtant la forme de son nez, sans proportion maintenant avec le reste de la figure, mais au coin duquel un grain de beauté restait attaché, sa main qui écartait les couvertures d'un geste qui eût autrefois signifié que ses couvertures la gênaient et qui maintenant ne signifiait rien.

Maman me demanda d'aller chercher un peu d'eau

et de vinaigre pour imbiber le front de grand'mère. C'était la seule chose qui la rafraîchissait, croyait maman qui la voyait essayer d'écarter ses cheveux. Mais on me fit signe par la porte de venir. La nouvelle que ma grand'mère était à toute extrémité s'était immédiatement répandue dans la maison. Un de ces « extras » qu'on fait venir dans les périodes exceptionnelles pour soulager la fatigue des domestiques, ce qui fait que les agonies ont quelque chose des fêtes, venait d'ouvrir au duc de Guermantes, lequel, resté dans l'antichambre, me demandait ; je ne pus lui échapper.

— Je viens, mon cher Monsieur, d'apprendre ces nouvelles macabres. Je voudrais en signe de sympathie serrer la main à Monsieur votre père.

Je m'excusai sur la difficulté de le déranger en ce moment. M. de Guermantes tombait comme au moment où on part en voyage. Mais il sentait tellement l'importance de la politesse qu'il nous faisait, que cela lui cachait le reste et qu'il voulait absolument entrer au salon. En général, il avait l'habitude de tenir à l'accomplissement entier des formalités dont il avait décidé d'honorer quelqu'un, et il s'occupait peu que les malles fussent faites ou le cercueil prêt.

— Avez-vous fait venir Dieulafoy ? Ah! c'est une grave erreur. Et si vous me l'aviez demandé, il serait venu pour moi, il ne me refuse rien, bien qu'il ait refusé à la duchesse de Chartres. Vous voyez, je me mets carrément au-dessus d'une princesse du sang. D'ailleurs devant la mort nous sommes tous égaux, ajouta-t-il, non pour me persuader que ma grand'mère devenait son égale, mais ayant peut-être senti qu'une conversation prolongée relativement à son pouvoir sur Dieulafoy et à sa prééminence sur la duchesse de Chartres ne serait pas de très bon goût.

Son conseil du reste ne m'étonnait pas. Je savais que, chez les Guermantes, on citait toujours le nom de Dieulafoy (avec un peu plus de respect seulement) comme celui d'un « fournisseur » sans rival. Et la vieille duchesse de Mortemart, née Guermantes (il est impossible de comprendre pourquoi dès qu'il s'agit d'une duchesse on dit presque toujours : « la vieille duchesse de » ou tout au contraire, d'un air fin et Watteau, si elle est jeune la « petite duchesse de ») préconisait presque mécaniquement, en clignant de l'œil, dans les cas graves « Dieulafoy, Dieulafoy » comme, si on avait besoin d'un glacier, « Poiré Blanche » ou pour des petits fours « Rebattet, Rebattet ». Mais j'ignorais que mon père venait précisément de faire demander Dieulafoy.

A ce moment ma mère, qui attendait avec impatience des ballons d'oxygène qui devaient rendre plus aisée la respiration de ma grand'mère, entra elle-même dans l'antichambre où elle ne savait guère trouver M. de Guermantes. J'aurais voulu le cacher n'importe où. Mais persuadé que rien n'était plus essentiel, ne pouvait d'ailleurs la flatter davantage et n'était plus indispensable à maintenir sa réputation de parfait gentilhomme, il me prit violemment par le bras et malgré que je me défendisse comme contre un viol par des : « Monsieur, Monsieur, Monsieur » répétés, il m'entraîna vers maman en me disant : « Voulez-vous me faire le grand honneur de me présenter à Madame votre *mère* ? » en déraillant un peu sur le mot mère. Et il trouvait tellement que l'honneur était pour elle qu'il ne pouvait s'empêcher de sourire tout en faisant une figure de circonstance. Je ne pus faire autrement que de le nommer, ce qui déclencha aussitôt de sa part des courbettes, des entrechats, et il allait commencer la cérémonie complète du salut. Il pensait même entrer en conversation, mais ma mère, noyée dans sa douleur, me dit de venir vite, et ne répondit même pas aux phrases de M. de Guermantes qui, s'attendant à être reçu en visite et se trouvant au contraire laissé seul dans l'antichambre, eût fini par sortir si, au même moment, il n'avait vu entrer Saint-Loup arrivé le matin même à Paris et accouru aux nouvelles. « Ah! elle est bien bonne! » s'écria joyeusement le duc en attrapant son neveu par un bouton qu'il faillit arracher, sans se soucier de la présence de ma mère qui retraversait l'antichambre. Saint-Loup n'était pas, je crois, malgré son sincère chagrin, autrement fâché d'éviter de me voir, étant donné ses dispositions pour moi. Il partit, entraîné par son oncle qui, ayant quelque chose de très important à lui dire et ayant failli pour cela partir à Doncières, ne pouvait pas en croire sa joie d'avoir pu économiser un tel dérangement. « Ah! si on m'avait dit que je n'avais qu'à traverser la cour et que je te trouverais ici, j'aurais cru à une vaste blague. Comme dirait ton camarade M. Bloch, c'est assez farce. » Et tout en s'éloignant avec Robert, qu'il tenait par l'épaule : « C'est égal, répétait-il, on voit bien que je viens de toucher de la corde de pendu ou tout comme ; j'ai une sacrée veine. » Ce n'est pas que le duc de Guermantes fût mal élevé, au contraire. Mais il était de ces hommes incapables de se mettre à la place des autres, de ces hommes ressemblant en cela à la plupart des médecins et aux croque-morts, et qui, après avoir pris une figure de circonstance et dit : « Ce sont des instants très pénibles », vous avoir au besoin embrassé et conseillé le repos, ne considèrent plus une agonie ou un enterrement que comme une réunion mondaine plus ou moins restreinte où, avec une jovialité comprimée un moment, ils cherchent des yeux la personne à qui ils peuvent parler de leurs petites affaires, demander de les présenter à une autre ou « offrir une place » dans leur voiture pour les « ramener ». Le duc de Guermantes, tout en se félicitant du « bon vent » qui l'avait poussé vers son neveu, resta si étonné de l'accueil, pourtant si naturel, de ma mère, qu'il déclara plus tard qu'elle était aussi désagréable que mon père était poli, qu'elle avait des « absences » pendant lesquelles elle semblait même ne pas entendre les choses qu'on lui disait et qu'à son avis elle n'était pas dans son assiette et peut-être même n'avait pas toute sa tête à elle. Il voulut bien cependant, à ce qu'on me dit, mettre cela en partie sur le compte des « circonstances » et déclarer que ma mère lui avait paru très « affectée » par cet événement. Mais il avait encore dans les jambes tout le reste des saluts et révérences à reculons qu'on l'avait empêché de mener à leur fin et se rendait d'ailleurs si peu compte de ce que c'était que le chagrin de maman, qu'il demanda, la veille de l'enterrement, si je n'essayais pas de la distraire.

Un beau-frère de ma grand'mère, qui était religieux, et que je ne connaissais pas, télégraphia en Autriche où était le chef de son ordre, et ayant, par faveur exceptionnelle, obtenu l'autorisation, vint ce jour-là. Accablé de tristesse, il lisait à côté du lit des textes de prières et de méditations sans cependant détacher ses yeux en vrille de la malade. A un moment où ma grand'mère était sans connaissance, la vue de la tristesse de ce prêtre me fit mal, et je le regardai. Il parut surpris de ma pitié et il se produisit alors quelque chose de singulier. Il joignit ses mains sur sa figure comme un homme absorbé dans une méditation douloureuse, mais, comprenant que j'allais détourner de lui les yeux, je vis qu'il avait laissé un petit écart entre ses doigts. Et, au moment où mes regards le quittaient, j'aperçus son œil aigu qui avait profité de cet abri de ses mains pour observer si ma douleur était sincère. Il était embusqué là comme dans l'ombre d'un confessionnal. Il s'aperçut que je le voyais et aussitôt clôtura hermétiquement le grillage qu'il avait laissé entr'ouvert. Je l'ai revu plus tard, et jamais entre nous il ne fut question de cette minute. Il fut tacitement convenu que je n'avais pas remarqué qu'il m'épiait. Chez le prêtre comme chez l'aliéniste, il y a toujours quelque chose du juge d'instruction. D'ailleurs quel est l'ami, si cher soit-il, dans le passé, commun avec le nôtre, de qui il n'y ait pas de ces minutes dont nous ne trouvions plus commode de nous persuader qu'il a dû les oublier ?

Le médecin fit une piqûre de morphine et pour rendre la respiration moins pénible demanda des ballons d'oxygène. Ma mère, le docteur, la sœur les tenaient dans leurs mains ; dès que l'un était fini, on leur en passait un autre. J'étais sorti un moment de la chambre. Quand je rentrai, je me trouvai comme devant un miracle. Accompagnée en sourdine par un murmure incessant, ma grand'mère semblait nous adresser un long chant heureux qui remplissait la chambre, rapide et musical. Je compris bientôt qu'il n'était guère moins inconscient, qu'il était aussi purement mécanique, que le râle de tout à l'heure. Peut-être reflétait-il dans une faible mesure quelque bien-être apporté par la morphine. Il résultait surtout, l'air ne passant plus tout à fait de la même façon dans les bronches, d'un changement de registre de la respiration. Dégagé par la double action de l'oxygène et de la morphine, le souffle de ma grand'mère ne peinait plus, ne geignait plus, mais vif, léger, glissait, patineur, vers le fluide délicieux. Peut-être à l'haleine, insensible comme celle du vent dans la flûte d'un roseau, se mêlait-il dans ce chant quelques-uns de ces soupirs plus humains qui, libérés à l'approche de la mort, font croire à des impressions de souffrance ou de bonheur chez ceux qui déjà ne sentent plus, et venaient ajouter un accent plus mélodieux, mais sans changer son rythme, à cette longue phrase qui s'élevait, montait encore, puis retombait pour s'élancer de nouveau de la poitrine allégée, à la poursuite de l'oxygène. Puis, parvenu si haut, prolongé avec tant de force, ce chant, mêlé d'un murmure de supplication dans la volupté, semblait à certains moments s'arrêter tout à fait comme une source s'épuise.

Françoise, quand elle avait un grand chagrin, éprouvait le besoin si inutile, mais ne possédait pas l'art si simple, de l'exprimer. Jugeant ma grand-mère tout à fait perdue, c'était ses impressions à elle, Françoise, qu'elle tenait à nous faire connaître. Et elle ne savait que répéter : « Cela me fait quelque chose », du même ton dont elle disait, quand elle avait pris trop de soupe aux choux : « J'ai comme un poids sur l'estomac », ce qui dans les deux cas était plus naturel qu'elle ne semblait le croire. Si faiblement traduit, son chagrin n'en était pas moins très grand, aggravé d'ailleurs par l'ennui que sa fille, retenue à Combray (que la jeune Parisienne appelait maintenant dédaigneusement la « cambrousse » et où elle se sentait devenir « pétrousse »), ne pût vraisemblablement revenir pour la cérémonie mortuaire que Françoise sentait devoir être quelque chose de superbe. Sachant que nous nous épanchions peu, elle avait à tout hasard convoqué d'avance Jupien pour tous les soirs de la semaine. Elle savait qu'il ne serait pas libre à l'heure de l'enterrement. Elle voulait du moins, au retour, le lui « raconter ».

Depuis plusieurs nuits mon père, mon grand-père, un de nos cousins veillaient et ne sortaient plus de la maison. Leur dévouement continu finissait par prendre un masque d'indifférence, et l'interminable oisiveté autour de cette agonie leur faisait tenir ces mêmes propos qui sont inséparables d'un séjour prolongé dans un wagon de chemin de fer. D'ailleurs ce cousin (le neveu de ma grand'tante) excitait chez moi autant d'antipathie qu'il méritait et obtenait généralement d'estime.

On le « trouvait » toujours dans les circonstances graves, et il était si assidu auprès des mourants que les familles, prétendant qu'il était délicat de santé, malgré son apparence robuste, sa voix de basse-taille et sa barbe de sapeur, le conjuraient toujours avec les périphrases d'usage de ne pas venir à l'enterrement. Je savais d'avance que maman, qui pensait aux autres au milieu de la plus immense douleur, lui dirait sous une autre forme ce qu'il avait l'habitude de s'entendre toujours dire :

— Promettez-moi que vous ne viendrez pas « demain ». Faites-le pour « elle ». Au moins n'allez pas « là-bas ». Elle vous avait demandé de ne pas venir.

Rien n'y faisait ; il était toujours le premier à la « maison », à cause de quoi on lui avait donné, dans un autre milieu, le surnom, que nous ignorions, de « ni fleurs ni couronnes ». Et avant d'aller à « tout », il avait toujours « pensé à tout », ce qui lui valait ces mots : « Vous, on ne vous dit pas merci. »

— Quoi ? demanda d'une voix forte mon grand-père qui était devenu un peu sourd et qui n'avait pas entendu quelque chose que mon cousin venait de dire à mon père.

— Rien, répondit le cousin. Je disais seulement que

j'avais reçu ce matin une lettre de Combray où il fait un temps épouvantable et ici un soleil presque trop chaud.

— Et pourtant le baromètre est très bas, dit mon père.

— Où ça dites-vous qu'il fait mauvais temps? demanda mon grand-père.

— A Combray.

— Ah! cela ne m'étonne pas, chaque fois qu'il fait mauvais ici, il fait beau à Combray et *vice versa*. mon Dieu! vous parlez de Combray : a-t-on pensé à prévenir Legrandin?

— Oui, ne vous tourmentez pas, c'est fait, dit mon cousin dont les joues bronzées par une barbe trop forte sourirent inperceptiblement de la satisfaction d'y avoir pensé.

A ce moment, mon père se précipita, je crus qu'il y avait du mieux ou du pire. C'était seulement le docteur Dieulafoy qui venait d'arriver. Mon père alla le recevoir dans le salon voisin, comme l'acteur qui doit venir jouer. On l'avait fait demander non pour soigner, mais pour constater, en espèce de notaire. Le docteur Dieulafoy a pu en effet être un grand médecin, un merveilleux professeur ; à ces rôles divers où il excella, il joignait un autre dans lequel il fut pendant quarante ans sans rival, un rôle aussi original que le raisonneur, le scaramouche ou le père noble, et qui était de venir constater l'agonie ou la mort. Son nom déjà présageait la dignité avec laquelle il tiendrait l'emploi, et quand la servante disait : « M. Dieulafoy », on se croyait chez Molière. A la dignité de l'attitude concourait sans se laisser voir la souplesse d'une taille charmante. Un visage en soi-même trop beau était amorti par la convenance à des circonstances douloureuses. Dans sa noble redingote noire, le professeur entrait, triste sans affectation, ne donnait pas une seule condoléance qu'on eût pu croire feinte et ne commettait pas non plus la plus légère infraction au tact. Aux pieds d'un lit de mort, c'était lui et non le duc de Guermantes qui était le grand seigneur. Après avoir regardé ma grand'mère sans la fatiguer, et avec un excès de réserve qui était une politesse au médecin traitant, il dit à voix basse quelques mots à mon père, s'inclina respectueusement devant ma mère, à qui je sentis que mon père se retenait pour ne pas dire : « Le professeur Dieulafoy ». Mais déjà celui-ci avait détourné la tête, ne voulant pas importuner, et sortit de la plus belle façon du monde, en prenant simplement le cachet qu'on lui remit. Il n'avait pas eu l'air de le voir, et nous-mêmes nous demandâmes un moment si nous le lui avions remis tant il avait mis de la souplesse d'un prestidigitateur à le faire disparaître, sans pour cela perdre rien de sa gravité plutôt accrue de grand consultant à la longue redingote à revers de soie, à la belle tête pleine d'une noble commisération. Sa lenteur et sa vivacité montraient que, si cent visites l'attendaient encore, il ne voulait pas avoir l'air pressé. Car il était le tact, l'intelligence et la bonté mêmes. Cet homme éminent n'est plus. D'autres médecins, d'autres professeurs ont pu l'égaler, le dépasser peut-être. Mais l' « emploi » où son savoir, ses dons physiques, sa haute éducation le faisaient triompher, n'existe plus, faute de successseurs qui aient su le tenir. Maman n'avait même pas aperçu M. Dieulafoy, tout ce qui n'était pas ma grand'mère n'existait pas. Je me souviens (et j'anticipe ici) qu'au cimetière, où on la vit, comme une apparition surnaturelle, s'approcher timidement de la tombe, semblant regarder un être envolé qui était déjà loin d'elle, mon père lui ayant dit : « Le père Norpois est venu à la maison, à l'église, au cimetière, il a manqué une commission très importante pour lui, tu devrais lui dire un mot, cela le toucherait beaucoup », ma mère, quand l'ambassadeur s'inclina vers elle, ne put que pencher avec douceur son visage qui n'avait pas pleuré. Deux jours plus tôt — et pour anticiper encore avant de revenir à l'instant même auprès du lit où la malade agonisait — pendant qu'on veillait ma grand'mère morte, Françoise, qui, ne niant pas absolument les revenants, s'effrayait au moindre bruit, disait : « Il me semble que c'est elle. » Mais au lieu d'effroi, c'était une douceur infinie que ces mots éveillèrent chez ma mère qui aurait tant voulu que les morts revinssent, pour avoir quelquefois sa mère auprès d'elle.

Pour revenir maintenant à ces heures de l'agonie :

— Vous savez ce que ses sœurs nous ont télégraphié ? demanda mon grand-père à mon cousin.

— Oui, Beethoven, on m'a dit ; c'est à encadrer, cela ne m'étonne pas.

— Ma pauvre femme qui les aimait tant, dit mon grand-père en essuyant une larme. Il ne faut pas leur en vouloir. Elles sont folles à lier, je l'ai toujours dit. Qu'est-ce qu'il y a, on ne donne plus d'oxygène ?

Ma mère dit :

— Mais alors, maman va recommencer à mal respirer.

Le médecin répondit :

— Oh! non, l'effet de l'oxygène durera encore un bon moment, nous recommencerons tout à l'heure.

Il me semblait qu'on n'aurait pas dit cela pour une mourante, que, si ce bon effet devait durer, c'est qu'on pouvait quelque chose sur sa vie. Le sifflement de l'oxygène cessa pendant quelques instants. Mais la plainte heureuse de la respiration jaillissait toujours, légère, tourmentée, inachevée, sans cesse recommançante. Par moments, il semblait que tout fût fini, le souffle s'arrêtait, soit par ces mêmes changements d'octaves qu'il y a dans la respiration d'un dormeur, soit par une intermittence naturelle, un effet de l'anesthésie, le progrès de l'asphyxie, quelque défaillance du cœur. Le médecin reprit le pouls de ma grand'-mère, mais déjà, comme si un affluent venait apporter son tribut au courant asséché, un nouveau chant s'embranchait à la phrase interrompue. Et celle-ci reprenait à un autre diapason, avec le même élan inépuisable. Qui sait si, sans même que ma grand'-mère en eût conscience, tant d'états heureux et tendres comprimés par la souffrance ne s'échappaient pas d'elle maintenant comme ces gaz plus légers qu'on refoula longtemps ? On aurait dit que tout ce qu'elle avait à nous dire s'épanchait, que c'était à nous qu'elle s'adressait avec cette prolixité, cet empressement, cette effusion. Au pied du lit, convulsée par tous les souffles de cette agonie, ne pleurant pas mais par moments trempée de larmes, ma mère avait la désolation sans pensée d'un feuillage que cingle la pluie et retourne le vent. On me fit m'essuyer les yeux avant que j'allasse embrasser ma grand'mère.

— Mais je croyais qu'elle ne voyait plus, dit mon père.

— On ne peut jamais savoir, répondit le docteur.

Quand mes lèvres la touchèrent, les mains de ma grand'mère s'agitèrent, elle fut parcourue tout entière d'un long frisson, soit réflexe, soit que certaines tendresses aient leur hyperesthésie qui reconnaît à travers le voile de l'inconscience ce qu'elles n'ont presque pas besoin des sens pour chérir. Tout d'un coup ma grand'mère se dressa à demi, fit un effort violent, comme quelqu'un qui défend sa vie. Françoise ne put résister à cette vue et éclata en sanglots. Me rappelant ce que le médecin avait dit, je voulus la faire sortir de la chambre. A ce moment, ma grand-mère ouvrit les yeux. Je me précipitai sur Françoise pour cacher ses pleurs, pendant que mes parents parleraient à la malade. Le bruit de l'oxygène s'était tu le médecin s'éloigna du lit. Ma grand'mère était morte.

Quelques heures plus tard, Françoise put une dernière fois et sans les faire souffrir peigner ces beaux cheveux qui grisonnaient seulement et jusqu'ici avaient semblé être moins âgés qu'elle. Mais maintenant, au contraire, ils étaient seuls à imposer la couronne de la vieillesse sur le visage redevenu jeune d'où avaient disparu les rides, les contractions, les empâtements, les tensions, les fléchissements que, depuis tant d'années, lui avait ajoutés la souffrance. Comme au temps lointain où ses parents lui avaient choisi un époux, elle avait les traits délicatement tracés par la pureté et la soumission, les joues brillantes d'une chaste espérance, d'un rêve de bonheur, même d'une innocente gaîté, que les années avaient peu à peu détruits. La vie en se retirant venait d'emporter les désillusions de la vie. Un sourire semblait posé sur les lèvres de ma grand'mère. Sur ce lit funèbre, la mort, comme le sculpteur du Moyen Age, l'avait couchée sous l'apparence d'une jeune fille.

CHAPITRE II

Visite d'Albertine.
Perspective d'un riche mariage
pour quelques amis de Saint-Loup.
L'esprit des Guermantes devant la princesse de Parme.
Étrange visite à M. de Charlus.
Je comprends de moins en moins son caractère.
Les souliers rouges de la duchesse.

Bien que ce fût simplement un dimanche d'automne, je venais de renaître, l'existence était intacte devant moi, car dans la matinée, après une série de jours doux, il avait fait un brouillard froid qui ne s'était levé que vers midi : or, un changement de temps suffit à recréer le monde et nous-mêmes. Jadis, quand le vent soufflait dans ma cheminée, j'écoutais les coups qu'il frappait contre la trappe avec autant d'émotion que si, pareils aux fameux coups d'archet par lesquels débute la *Symphonie en ut mineur*, ils avaient été les appels irrésistibles d'un mystérieux destin. Tout changement à vue de la nature nous offre une transformation semblable, en adaptant au mode nouveau des choses nos désirs harmonisés. La brume, dès le réveil, avait fait de moi, au lieu de l'être centrifuge qu'on est par les beaux jours, un homme replié, désireux du coin du feu et du lit partagé, Adam frileux en quête d'une Ève sédentaire, dans ce monde différent.

Entre la couleur grise et douce d'une campagne matinale et le goût d'une tasse de chocolat, je faisais tenir toute l'originalité de la vie physique, intellectuelle et morale que j'avais apportée, environ une année auparavant, à Doncières, et qui, blasonnée de la forme oblongue d'une colline pelée — toujours présente même quand elle était invisible — formait en moi une série de plaisirs entièrement distincte de tous autres, indicibles à des amis en ce sens que les impressions richement tissées les unes dans les autres qui les orchestraient, les caractérisaient bien plus pour moi et à mon insu que les faits que j'aurais pu raconter. A ce point de vue le monde nouveau dans lequel le brouillard de ce matin m'avait plongé était un monde déjà connu de moi (ce qui ne lui donnait que plus de vérité) et oublié depuis quelque temps (ce qui lui rendait toute sa fraîcheur). Et je pus regarder quelques-uns des tableaux de brume que ma mémoire avait acquis, notamment des « Matin à Doncières », soit le premier jour au quartier, soit, une autre fois, dans un château voisin où Saint-Loup m'avait emmené passer vingt-quatre heures : de la fenêtre dont j'avais soulevé les rideaux à l'aube, avant de me recoucher, dans le premier un cavalier, dans le second (à la mince lisière d'un étang et d'un bois dont tout le reste était englouti dans la douceur uniforme et liquide de la brume) un cocher en train d'astiquer des courroies, m'étaient apparus comme ces rares personnages, à peine distincts pour l'œil obligé de s'adapter au vague mystérieux des pénombres, qui émergent d'une fresque effacée.

C'est de mon lit que je regardais aujourd'hui ces souvenirs, car je m'étais recouché pour attendre le moment où, profitant de l'absence de mes parents, partis pour quelques jours à Combray, je comptais ce soir même aller entendre une petite pièce qu'on jouait chez Mme de Villeparisis. Eux revenus, je n'aurais peut-être pas osé le faire ; ma mère, dans les scrupules de son respect pour le souvenir de ma grand'mère, voulait que les marques de regret qui lui étaient données le fussent librement, sincèrement ; elle ne m'aurait pas défendu cette sortie, elle l'eût désapprouvée. De Combray au contraire, consultée, elle ne m'eût pas répondu par un triste : « Fais ce que tu veux, tu es assez grand pour savoir ce que tu dois faire », mais se reprochant de m'avoir laissé seul à Paris, et jugeant mon chagrin d'après le sien, elle eût souhaité pour lui des distractions qu'elle se fût refusées à elle-même et qu'elle se persuadait que ma grand'mère, soucieuse avant tout de ma santé et de mon équilibre nerveux, m'eût conseillées.

Depuis le matin on avait allumé le nouveau calorifère à eau. Son bruit désagréable, qui poussait de temps à autre une sorte de hoquet, n'avait aucun rapport avec mes souvenirs de Doncières. Mais sa rencontre prolongée avec eux en moi, cet après-midi, allait lui faire contracter avec eux une affinité telle que, chaque fois que (un peu déshabitué de lui) j'entendrais de nouveau le chauffage central, il me les rappellerait.

Il n'y avait à la maison que Françoise. La brume avait disparu. Le jour gris, tombant comme une pluie fine, tissait sans arrêt de transparents filets dans lesquels les promeneurs dominicaux semblaient s'argenter. J'avais rejeté à mes pieds *le Figaro* que tous les jours je faisais acheter consciencieusement depuis que j'y avais envoyé un article qui n'y avait pas paru ; malgré l'absence de soleil, l'intensité du jour m'indiquait que nous n'étions encore qu'au milieu de l'après-midi. Les rideaux de tulle de la fenêtre, vaporeux et friables comme ils n'auraient pas été par un beau temps, avaient ce même mélange de douceur et de cassant qu'ont les ailes de libellules et les verres de Venise. Il me pesait d'autant plus d'être seul ce dimanche-là que j'avais fait porter le matin une lettre à Mlle de Stermaria. Robert de Saint-Loup, que sa mère avait réussi à faire rompre, après de douloureuses tentatives avortées, avec sa maîtresse, et qui depuis ce moment avait été envoyé au Maroc pour oublier celle qu'il n'aimait déjà plus depuis quelques temps, m'avait écrit un mot, reçu la veille, où il m'annonçait sa prochaine arrivée en France pour un congé très court. Comme il ne ferait que toucher barre à Paris (où sa famille craignait sans doute de le voir renouer avec Rachel), il m'avertissait, pour me montrer qu'il avait pensé à moi, qu'il avait rencontré à Tanger Mlle ou plutôt Mme de Stermaria, car elle avait divorcé après trois mois de mariage. Et Robert se souvenant de ce que je lui avais dit à Balbec avait demandé de ma part un rendez-vous à la jeune femme. Elle dînerait très volontiers avec moi, lui avait-elle répondu, un des jours que, avant de regagner la Bretagne, elle passerait à Paris. Il me disait de me hâter d'écrire à Mme de Stermaria, car elle était certainement arrivée.

La lettre de Saint-Loup ne m'avait pas étonné, bien que je n'eusse pas reçu de nouvelles de lui depuis qu'au moment de la maladie de ma grand'mère il m'eût accusé de perfidie et de trahison. J'avais très bien compris alors ce qui s'était passé. Rachel, qui aimait à exciter sa jalousie (elle avait des raisons accessoires aussi de m'en vouloir) avait persuadé à son amant que j'avais fait de sournoises tentatives pour avoir, pendant qu'il était absent, des relations avec elle. Il est probable qu'il continuait à croire que c'était vrai, mais il avait cessé d'être épris d'elle, de sorte que, vrai ou non, cela lui était devenu parfaitement égal et que notre amitié seule subsistait. Quand, une fois que je l'eus revu, je voulus essayer de lui parler de ses reproches. il eut seulement un bon et tendre sourire par lequel il avait l'air de s'excuser, puis il changea la conversation. Ce n'est pas qu'il ne dût un peu plus tard, à Paris, revoir quelquefois Rachel. Les créatures qui ont joué un grand rôle dans notre vie, il est rare qu'elles en sortent tout d'un coup d'une façon définitive. Elles reviennent s'y poser par moments (au point que certains croient à un recommencement d'amour) avant de la quitter à jamais. La rupture de Saint-Loup avec Rachel lui était très vite devenue moins douloureuse, grâce au plaisir apaisant que lui apportaient les incessantes demandes d'argent de son amie. La jalousie, qui prolonge l'amour ne peut pas contenir beaucoup plus de choses que les autres formes de l'imagination. Si l'on emporte, quand on part en voyage, trois ou quatre images qui du reste se perdront en route (les lys et les anémones du Ponte-Vecchio, l'église persane dans les brumes, etc.), la malle est déjà bien pleine. Quand on quitte une maîtresse, on voudrait bien, jusqu'à ce qu'on l'ait un peu oubliée, qu'elle ne devînt pas la possession de trois ou quatre entreteneurs possibles et qu'on se figure, c'est-à-dire dont on est jaloux. Tous ceux qu'on ne se figure pas ne sont rien. Or, les demandes d'argent fréquentes d'une maîtresse quittée ne vous donnent pas plus une idée complète de sa vie que des feuilles de température élevée ne donneraient de sa maladie. Mais les secondes seraient tout de même un signe qu'elle est malade, et les premières fournissent une présomption, assez vague il est vrai, que la délaissée ou délaisseuse n'a pas dû trouver grand'chose comme riche protecteur. Aussi chaque demande est-elle accueillie avec la joie que produit une accalmie dans la souffrance du jaloux, et suivie immédiatement d'envois d'argent, car on veut qu'elle ne manque de rien sauf d'amants (d'un des trois amants qu'on se figure), le temps de se rétablir un peu soi-même et de pouvoir apprendre sans faiblesse le nom du successeur. Quelquefois Rachel revint assez tard dans la soirée pour demander à son ancien amant la permission de dormir à côté de lui jusqu'au matin. C'était une grande douceur pour Robert, car il se rendait compte combien ils avaient tout de même vécu intimement ensemble, rien qu'à voir ce que, même s'il prenait à lui seul une grande moitié du lit, il ne la dérangeait en rien pour dormir. Il comprenait qu'elle était plus commodément qu'elle n'eût été ailleurs, près de son corps de vieil ami, qu'elle se retrouvait à son côté — fût-ce à l'hôtel — comme dans une chambre anciennement connue où l'on a ses habitudes, où on dort mieux. Il sentait que ses épaules, ses jambes, tout lui, étaient pour elle, même quand il remuait trop par insomnie ou travail à faire, de ces choses si parfaitement usuelles qu'elles ne peuvent gêner et que leur perception ajoute encore à la sensation du repos.

Pour revenir en arrière, j'avais été d'autant plus troublé par la lettre que Saint-Loup m'avait écrite du Maroc, que je lisais entre les lignes ce qu'il n'avait pas osé écrire plus explicitement. « Tu peux très bien l'inviter en cabinet particulier, me disait-il. C'est une jeune personne charmante, d'un délicieux caractère, vous vous entendrez parfaitement et je suis certain d'avance que tu passeras une très bonne soirée. » Comme mes parents rentraient à la fin de la semaine, samedi ou dimanche, et qu'après je serais forcé de dîner tous les soirs à la maison, j'avais aussitôt écrit à Mme de Stermaria pour lui proposer le jour qu'elle voudrait, jusqu'à vendredi. On avait répondu que j'aurais une lettre, vers huit heures, ce soir même. Je l'aurais atteint assez vite si j'avais eu pendant l'après-midi qui me séparait de lui le secours d'une visite. Quand les heures s'enveloppent de causeries, on ne peut plus les mesurer, même les voir, elles s'évanouissent, et tout d'un coup c'est bien loin du point où il vous avait échappé que reparaît devant votre attention le temps agile et escamoté. Mais si nous sommes seuls, la préoccupation, en ramenant devant nous le moment encore éloigné et sans cesse attendu, avec la fréquence et l'uniformité d'un tic-tac, divise ou plutôt multiplie les heures par toutes les minutes qu'entre amis nous n'aurions pas comptées. Et confrontée, par le retour incessant de mon désir, à l'ardent plaisir que je goûterais dans quelques jours seulement, hélas! avec Mme de Stermaria, cette après-midi, que j'allais achever seul, me paraissait bien vide et bien mélancolique.

Par moments, j'entendais le bruit de l'ascenseur qui montait, mais il était suivi d'un second bruit, non celui que j'espérais : l'arrêt à mon étage, mais d'un autre, fort différent, que l'ascenseur faisait pour continuer sa route élancée vers les étages supérieurs et qui, parce qu'il signifia si souvent la désertion du mien quand j'attendais une visite, est resté pour moi plus tard, même quand je n'en désirais plus aucune, un bruit par lui-même douloureux, où résonnait comme une sentence d'abandon. Lasse, résignée, occupée pour plusieurs heures encore à sa tâche immémoriale, la grise journée filait sa passementerie de nacre et je m'attristais de penser que j'allais rester seul en tête avec elle qui ne me connaissait pas plus qu'une ouvrière qui s'est installée près de la fenêtre pour voir plus clair en faisant sa besogne et ne s'occupe pas de la personne présente dans la chambre. Tout d'un coup, sans que j'eusse entendu sonner, Françoise vint ouvrir la porte, introduisant Albertine qui entra souriante, silencieuse, replète, contenant dans la plénitude de son corps, préparés pour que je continuasse à les vivre, venus vers moi, les jours passés dans ce Balbec où je n'étais jamais retourné. Sans doute, chaque fois que nous revoyons une personne avec qui nos rapports — si insignifiants soient-ils — se trouvent changés, c'est comme une confrontation de deux époques. Il n'y a pas besoin pour cela qu'une ancienne maîtresse vienne nous voir en amie, il suffit de la visite à Paris de quelqu'un que nous avons connu dans l'au-jour-le-jour d'un certain genre de vie, et que cette vie ait cessé, fût-ce depuis une semaine seulement. Sur chaque trait rieur, interrogatif et gêné du visage d'Albertine, je pouvais épeler ces questions : « Et Mme de Villeparisis ? Et le maître de danse ? Et le pâtissier ? » Quand elle s'assit, son dos eut l'air de dire « : Dame, il n'y a pas de falaise ici, vous permettez que je m'asseye tout de même près de vous, comme j'aurais fait à Balbec ? » Elle semblait une magicienne me présentant un miroir du Temps. En cela elle était pareille à tous ceux que nous revoyons rarement, mais qui jadis vécurent plus intimement avec nous. Mais avec Albertine il n'y avait pas que cela. Certes, même à Balbec, dans nos rencontres quotidiennes j'étais toujours surpris en l'apercevant, tant elle était journalière. Mais maintenant on avait peine à la reconnaître. Dégagés de la vapeur rose qui les baignait, ses traits avaient sailli comme une statue. Elle avait un autre visage, ou plutôt elle avait enfin un visage ; son corps avait grandi. Il ne restait presque plus rien de la gaine où elle avait été enveloppée et sur la surface de laquelle, à Balbec, sa forme future se dessinait à peine.

Albertine, cette fois, rentrait à Paris plus tôt que de coutume. D'ordinaire elle n'y arrivait qu'au printemps, de sorte que, déjà troublé depuis quelques semaines par les orages sur les premières fleurs, je ne séparais pas, dans le plaisir que j'avais, le retour d'Albertine et celui de la belle saison. Il suffisait qu'on me dise qu'elle était à Paris et qu'elle était passée chez moi pour que je la revisse comme une rose au bord de la mer. Je ne sais trop si c'était le désir de Balbec ou d'elle qui s'emparait de moi alors, peut-être le désir d'elle étant lui-même une forme paresseuse, lâche et incomplète de posséder Balbec, comme si posséder matériellement une chose, faire sa résidence d'une ville, équivalait à la posséder spirituellement. Et d'ailleurs, même matériellement, quand elle était non plus balancée par mon imagination devant l'horizon marin, mais immobile auprès de moi, elle me semblait souvent une bien pauvre rose devant laquelle j'aurais bien voulu fermer les yeux pour ne pas voir tel défaut des pétales et pour croire que je respirais sur la plage.

Je peux le dire ici, bien que je ne susse pas alors ce qui ne devait arriver que dans la suite. Certes, il est plus raisonnable de sacrifier sa vie aux femmes qu'aux timbres-poste, aux vieilles tabatières, même aux tableaux et aux statues. Seulement l'exemple des autres collections devrait nous avertir de danger, de n'avoir pas une seule femme, mais beaucoup. Ces mélanges charmants qu'une jeune fille fait avec une plage, avec la chevelure tressée d'une statue d'église, avec une estampe, avec tout ce à cause de quoi on aime en l'une d'elles, chaque fois qu'elle entre, un tableau charmant, ces mélanges ne sont pas très stables. Vivez tout à fait avec la femme, et vous ne verrez plus rien de ce qui vous l'a fait aimer ; certes les deux éléments désunis, la jalousie peut à nouveau les rejoindre. Si après un long temps de vie commune je devais finir par ne plus voir en Albertine qu'une femme ordinaire, quelque intrigue d'elle avec un être qu'elle eût aimé à Balbec eût peut-être suffi pour réincorporer en elle et amalgamer avec elle la plage et le déferlement du flot. Seulement ces mélanges secondaires ne ravissent plus nos yeux, c'est à notre cœur qu'ils sont sensibles et funestes. On ne peut, sous une forme si dangereuse, trouver souhaitable le renouvellement du miracle. Mais j'anticipe les années. Et je dois seulement ici regretter de n'être pas resté assez sage pour avoir eu simplement ma collection de femmes comme on en a de lorgnettes anciennes, jamais assez nombreuses derrière la vitrine où toujours une place vide attend une lorgnette nouvelle et plus rare.

Contrairement à l'ordre habituel de ses villégiatures, cette année elle venait directement de Balbec et encore y était-elle restée bien moins tard que d'habitude. Il y avait longtemps que je ne l'avais vue. Et comme je ne connaissais pas, même de nom, les personnes qu'elle fréquentait à Paris, je ne savais rien d'elle pendant les périodes où elle restait sans venir me voir. Celles-ci étaient souvent assez longues. Puis, un beau jour, surgissait brusquement Albertine dont les roses apparitions et les silencieuses visites me renseignaient assez peu sur ce qu'elle avait pu faire dans leur intervalle, qui restait plongé dans cette obscurité de sa vie que mes yeux ne se souciaient guère de percer.

Cette fois-ci pourtant, certains signes semblaient indiquer que des choses nouvelles avaient dû se passer dans cette vie. Mais il fallait peut-être tout simplement induire d'eux qu'on change très vite à l'âge qu'avait Albertine. Par exemple, son intelligence se montrait mieux, et quand je lui reparlai du jour où elle avait mis tant d'ardeur à imposer son idée de faire écrire par Sophocle : « Mon cher Racine », elle fut la première à rire de bon cœur. « C'est Andrée qui avait raison, j'étais stupide, dit-elle, il fallait que Sophocle écrive : « Monsieur ». Je lui répondis que le « monsieur » et le « cher monsieur » d'Andrée n'étaient pas moins comiques que son « mon cher Racine » à elle et le « mon cher ami » de Gisèle, mais qu'il n'y avait, au fond, de stupides que des professeurs faisant adresser par Sophocle une lettre Rac àine. Là, Albertine ne me suivit plus. Elle ne voyait pas ce que cela avait de bête ; son intelligence s'entr'ouvrait, mais n'était pas développée. Il y avait des nouveautés plus attirantes en elle ; je sentais, dans la même jolie fille qui venait de s'asseoir près de mon lit, quelque chose de différent, et, dans ces lignes qui dans le regard et les traits du visage expriment la volonté habituelle, un changement de front, une demi-conversion comme si y avaient été détruites ces résistances contre lesquelles je m'étais brisé à Balbec, un soir déjà lointain où nous formions un couple symétrique mais inverse de celui de l'après-midi actuelle, puisque alors c'était elle qui était couchée et moi, à côté de son lit. Voulant et n'osant m'assurer si maintenant elle se laisserait embrasser, chaque fois qu'elle se levait pour partir, je lui demandais de rester encore. Ce n'était pas très facile à obtenir, car bien qu'elle n'eût rien à faire (sans cela, elle eût bondi au-dehors), c'était une personne exacte et d'ailleurs peu aimable avec moi, ne semblant plus guère se plaire dans ma compagnie. Pourtant chaque fois, après avoir regardé sa montre, elle se rasseyait à ma prière, de sorte qu'elle avait passé plusieurs heures avec moi et sans que je lui eusse rien demandé ; les phrases que je lui disais se rattachaient à celles que je lui avais dites pendant les heures précédentes, et ne rejoignaient en rien ce à quoi je pensais, ce que je désirais, lui restaient indéfiniment parallèles. Il n'y a rien comme le désir pour empêcher les choses qu'on dit d'avoir aucune ressemblance avec ce qu'on a dans la pensée. Le temps presse, et pourtant il semble qu'on veuille gagner du temps en parlant de sujets absolument étrangers à celui qui nous préoccupe. On cause, alors que la phrase qu'on voudrait prononcer serait déjà accompagnée d'un geste, à supposer même que, (pour se donner le plaisir de l'immédiat et assouvir la curiosité qu'on éprouve à l'égard des réactions qu'il amènera) sans mot dire, sans demander aucune permission, on n'ait pas fait ce geste. Certes je n'aimais nullement Albertine : fille de la brume du dehors, elle pouvait seulement contenter le désir imaginatif que le temps nouveau avait éveillé en moi et qui était intermédiaire entre les désirs que peuvent satisfaire les arts de la cuisine et ceux de la sculpture monumentale, car il me faisait rêver à la fois de mêler à ma chair une matière différente et chaude, et d'attacher par quelque point à mon corps étendu un corps divergent, comme le corps d'Ève tenait à peine par les pieds à la hanche d'Adam, au corps duquel elle est presque perpendiculaire, dans ces bas-reliefs romans de la cathédrale de Balbec qui figurent d'une façon si noble et paisible, presque encore comme une frise antique, la création de la femme ; Dieu y est partout suivi, comme par deux ministres, de deux petits anges dans lesquels on reconnaît — telles ces créatures ailées et tourbillonnantes de l'été que l'hiver a surprises et épargnées — des Amours d'Herculanum encore en vie en plein XIIIe siècle, et traînant leur dernier vol, las mais ne manquant pas à la grâce qu'on peut attendre d'eux, sur toute la façade du porche.

Or, ce plaisir, qui en accomplissant mon désir n'eût délivré de cette rêverie, et que j'eusse tout aussi volontiers cherché en n'importe quelle autre jolie femme, si l'on m'avait demandé sur quoi — au cours de ce bavardage interminable où je taisais à Albertine la seule chose à laquelle je pensasse — se basait mon hypothèse optimiste au sujet des complaisances possibles, j'aurais peut-être répondu que cette hypothèse était due (tandis que les traits oubliés de la voix d'Albertine redessinaient pour moi le contour de sa personnalité) à l'apparition de certains mots qui ne faisaient pas partie de son vocabulaire, au moins dans l'acception qu'elle leur donnait maintenant. Comme elle me disait qu'Elstir était bête et que je me récriais :

— Vous ne me comprenez pas, répliqua-t-elle en souriant, je veux dire qu'il a été bête en cette circonstance, mais je sais parfaitement que c'est quelqu'un de tout à fait distingué.

De même, pour dire du golf de Fontainebleau qu'il était élégant, elle déclara :

— C'est tout à fait une sélection.

A propos d'un duel que j'avais eu, elle me dit de mes témoins : « Ce sont des témoins de choix », et regardant ma figure avoua qu'elle aimerait me voir « porter la moustache ». Elle alla même, et mes chances me parurent alors très grandes, jusqu'à prononcer, terme que, je l'eusse juré, elle ignorait l'année précédente, que depuis qu'elle avait vu Gisèle, il s'était passé un certain « laps de temps ». Ce n'est pas qu'Albertine ne possédât déjà quand j'étais à Balbec un lot très sortable de ces expressions qui décèlent immédiatement qu'on est issu d'une famille aisée, et que d'année en année une mère abandonne à sa fille comme elle lui donne, au fur et à mesure qu'elle grandit, dans les circonstances importantes, ses propres bijoux. On avait senti qu'Albertine avait cessé d'être une petite enfant quand un jour, pour remercier d'un cadeau qu'une étrangère lui avait fait, elle avait répondu : « Je suis confuse. » Mme Bontemps n'avait pu s'empêcher de regarder son mari, qui avait répondu :

— Dame, elle va sur ses quatorze ans.

La nubilité plus accentuée s'était marquée quand Albertine, parlant d'une jeune fille qui avait mauvaise façon, avait dit : « On ne peut même pas distinguer si elle est jolie, elle a un *pied de rouge* sur la figure. » Enfin, quoique jeune fille encore, elle prenait déjà des façons de femme de son milieu et de son rang en disant, si quelqu'un faisait des grimaces : « Je ne peux pas le voir parce que j'ai envie d'en faire aussi », ou si on s'amusait à des imitations : « Le plus drôle, quand vous la contrefaites, c'est que vous lui ressemblez. » Tout cela est tiré du trésor social. Mais justement le milieu d'Albertine ne me paraissait pas pouvoir lui fournir « distingué » dans le sens où mon père disait de tel de ses collègues qu'il ne connaissait pas encore et dont on lui vantait la grande intelligence : « Il paraît que c'est quelqu'un de tout à fait distingué. » « Sélection », même pour le golf, me parut aussi incompatible avec la famille Simonet qu'il le serait, accompagné de l'adjectif « naturelle », avec un texte antérieur de plusieurs siècles aux travaux de Darwin. « Laps de temps » me sembla de meilleur augure encore. Enfin m'apparut l'évidence de bouleversements que je ne connaissais pas, mais propres à autoriser pour moi toutes les espérances, quand Albertine me dit, avec la satisfaction d'une personne dont l'opinion n'est pas indifférente :

— C'est, *à mon sens*, ce qui pouvait arriver de mieux... J'estime que c'est la meilleure solution, la solution élégante.

C'était si nouveau, si visiblement une alluvion laissant soupçonner de si capricieux détours à travers des terrains jadis inconnus d'elle que, dès les mots « à mon sens », j'attirai Albertine, et à « j'estime » je l'assis sur mon lit.

Sans doute il arrive que des femmes peu cultivées, épousant un homme fort lettré, reçoivent dans leur apport dotal de telles expressions. Et peu après la métamorphose qui suit la nuit de noces, quand elles font leurs visites et sont réservées avec leurs anciennes amies, on remarque avec étonnement qu'elles sont devenues femmes si, en décrétant qu'une personne est intelligente, elles mettent deux *l* au mot intelligente ; mais cela est justement le signe d'un changement, et il me semblait qu'il y avait un monde entre les locutions nouvelles et le vocabulaire de l'Albertine que j'avais connue — celui où les plus grandes hardiesses étaient de dire d'une personne bizarre : « C'est un type », ou, si on proposait à Albertine de jouer : « Je n'ai pas d'argent à perdre », ou encore, si telle de ses amies lui faisait un reproche qu'elle ne trouvait pas justifié : « Ah ! vraiment, je te trouve magnifique ! », phrases dictées dans ces cas-là par une sorte de tradition bourgeoise presque aussi ancienne que le *Magni-*

ficat lui-même et qu'une jeune fille un peu en colère et sûre de son droit emploie ce qu'on appelle « tout naturellement », c'est-à-dire parce qu'elle les a apprises de sa mère comme à faire sa prière ou à saluer. Toutes celles-là, Mme Bontemps les lui avait apprises en même temps que la haine des Juifs et que l'estime pour le noir où on est toujours convenable et comme il faut, même sans les lui enseigner formellement, mais comme se modèle au gazouillement des parents chardonnerets celui des chardonnerets récemment nés, de sorte qu'ils deviennent de vrais chardonnerets eux-mêmes. Malgré tout, « sélection » me parut allogène et « j'estime » encourageant. Albertine n'était plus la même, donc elle n'agirait peut-être pas, ne réagirait pas de même.

Non seulement je n'avais plus d'amour pour elle, mais je n'avais même plus à craindre, comme j'aurais pu à Balbec, de briser en elle une amitié pour moi qui n'existait plus. Il n'y avait aucun doute que je lui fusse depuis longtemps devenu fort indifférent. Je me rendais compte que pour elle je ne faisais plus du tout partie de la « petite bande » à laquelle j'avais autrefois tant cherché, et j'avais ensuite été si heureux de réussir à être agrégé. Puis comme elle n'avait même plus, comme à Balbec, un air de franchise et de bonté, je n'éprouvais pas de grands scrupules ; pourtant je crois que ce qui me décida fut une dernière découverte philologique. Comme, continuant à ajouter un nouvel anneau à la chaîne extérieure de propos sous laquelle je cachais mon désir intime, je parlais, tout en ayant maintenant Albertine au coin de mon lit, d'une des filles de la petite bande, plus menue que les autres, mais que je trouvais tout de même assez jolie : « Oui, me répondit Albertine, elle a l'air d'une petite mousmé. » De toute évidence, quand j'avais connu Albertine, le mot de « mousmé » lui était inconnu. Il est vraisemblable que, si les choses eussent suivi leur cours normal, elle ne l'eût jamais appris, et je n'y aurais vu pour ma part aucun inconvénient, car nul n'est plus horripilant. A l'entendre on se sent le même mal de dents que si on a mis un trop gros morceau de glace dans sa bouche. Mais chez Albertine, jolie comme elle était, même « mousmé » ne pouvait m'être déplaisant. En revanche, il me parut révélateur sinon d'une initiation extérieure, au moins d'une évolution interne. Malheureusement il était l'heure où il eût fallu que je lui dise au revoir si je voulais qu'elle rentrât à temps pour son dîner et aussi que je me levasse assez tôt pour le mien. C'était Françoise qui le préparait, elle n'aimait pas qu'il attendît et devait déjà trouver contraire à un des articles de son code qu'Albertine, en l'absence de mes parents, m'eût fait une visite aussi prolongée et qui allait tout mettre en retard. Mais devant « mousmé » ces raisons tombèrent, et je me hâtai de dire :

— Imaginez-vous que je ne suis pas chatouilleux du tout, vous pourriez me chatouiller pendant une heure que je ne le sentirais même pas.

— Vraiment!

— Je vous assure.

Elle comprit sans doute que c'était l'expression maladroite d'un désir, car comme quelqu'un qui vous offre une recommandation que vous n'osiez pas solliciter, mais dont vos paroles lui ont prouvé qu'elle pouvait vous être utile :

— Voulez-vous que j'essaye? dit-elle avec l'humilité de la femme.

— Si vous voulez, mais alors ce serait plus commode que vous vous étendiez tout à fait sur mon lit.

— Comme cela?

— Non, enfoncez-vous.

— Mais je ne suis pas trop lourde ?

Comme elle finissait cette phrase, la porte s'ouvrit, et Françoise portant une lampe entra. Albertine n'eut que le temps de se rasseoir sur la chaise. Peut-être Françoise avait-elle choisi cet instant pour nous confondre, étant à écouter à la porte ou même à regarder par le trou de la serrure. Mais je n'avais pas besoin de faire une telle supposition, elle avait pu dédaigner de s'assurer par les yeux de ce que son instinct avait dû suffisamment flairer, car à force de vivre avec moi et mes parents, la crainte, la prudence, l'attention et la ruse avaient fini par lui donner de nous cette sorte de connaissance instinctive et presque divinatoire qu'a de la mer le matelot, du chasseur le gibier, et de la maladie, sinon le médecin, du moins souvent le malade. Tout ce qu'elle arrivait à savoir aurait pu stupéfier à aussi bon droit que l'état avancé de certaines connaissances chez les anciens, vu les moyens presque nuls d'information qu'ils possédaient (les siens n'étaient pas plus nombreux ; c'était quelques propos, formant à peine le vingtième de notre conversation à dîner, recueillis à la volée par le maître d'hôtel et inexactement transmis à l'office). Encore ses erreurs tenaient-elles plutôt, comme les leurs, comme les fables auxquelles Platon croyait, à une fausse conception du monde et à des idées préconçues qu'à l'insuffisance des ressources matérielles. C'est ainsi que, de nos jours encore, les plus grandes découvertes dans les mœurs des insectes ont pu être faites par un savant qui ne disposait d'aucun laboratoire, de nul appareil. Mais si les gênes qui résultaient de sa position de domestique ne l'avaient pas empêchée d'acquérir une science indispensable à l'art qui en était le terme — et qui consistait à nous confondre en nous en communiquant les résultats — la contrainte avait fait plus ; là l'entrave ne s'était pas contentée de ne pas paralyser l'essor, elle y avait puissamment aidé. Sans doute Françoise ne négligeait aucun adjuvant, celui de la diction et de l'attitude par exemple. Comme (si elle ne croyait jamais ce que nous lui disions et que nous souhaitions qu'elle crût) elle admettait sans l'ombre d'un doute ce que toute personne de sa condition lui racontait de plus absurde et qui pouvait en même temps choquer nos idées, autant sa manière d'écouter nos assertions témoignait de son incrédulité, autant l'accent avec lequel elle rapportait (car le discours indirect lui permettait de nous adresser les pires injures avec impunité) le récit d'une cuisinière qui lui avait raconté qu'elle avait menacé ses maîtres et, en les traitant devant tout le monde de « fumier », en avait obtenu mille faveurs, montrait que c'était pour elle parole d'Évangile. Françoise ajoutait même : « Moi, si j'avais été patronne, je me serais trouvée vexée. » Nous avions beau, malgré notre peu de sympathie originelle pour la dame du quatrième, hausser les épaules, comme à une fable invraisemblable, à ce récit d'un si mauvais exemple, le ton de la narratrice savait prendre le cassant, le tranchant de la plus indiscutable et plus exaspérante affirmation.

Mais surtout, comme les écrivains arrivent souvent à une puissance de concentration dont les eût dispensés le régime de la liberté politique ou de l'anarchie littéraire, quand ils sont ligotés par la tyrannie d'un monarque ou d'une poétique, par les sévérités des règles prosodiques ou d'une religion d'État, ainsi Françoise, ne pouvant nous répondre d'une façon explicite, parlait comme Tirésias et eût écrit comme Tacite. Elle savait faire tenir tout ce qu'elle ne pouvait exprimer directement, dans une phrase que nous ne pouvions incriminer sans nous accuser, dans moins même qu'une phrase, dans un silence, dans la manière dont elle plaçait un objet.

Ainsi, quand il m'arrivait de laisser, par mégarde, sur ma table, au milieu d'autres lettres, une certaine qu'il n'eût pas fallu qu'elle vît, par exemple parce qu'il y était parlé d'elle avec une malveillance qui en supposait une aussi grande à son égard chez le destinataire que chez l'expéditeur, le soir, si je rentrais inquiet et allais droit à ma chambre, sur mes lettres rangées bien en ordre en une pile parfaite, le document compromettant frappait tout d'abord mes yeux comme il n'avait pas pu ne pas frapper ceux de Françoise, placé par elle tout en dessus, presque à part, en une évidence qui était un langage, avait son éloquence, et dès la porte me faisait tressaillir comme un cri. Elle excellait à régler ces mises en scène destinées à instruire si bien le spectateur, Françoise absente, qu'il savait déjà qu'elle savait tout quand ensuite elle faisait son entrée. Elle avait, pour faire parler ainsi un objet inanimé, l'art à la fois génial et patient d'Irving et de Frédérick Lemaître. En ce moment, tenant au-dessus d'Albertine et de moi la lampe allumée qui ne laissait dans l'ombre aucune des dépressions encore visibles que le corps de la jeune fille avait creusées dans le couvre-pieds, Françoise avait l'air de la « Justice éclairant le Crime ». La figure d'Albertine ne perdait pas à cet éclairage. Il découvrait sur les joues le même vernis ensoleillé qui m'avait charmé à Balbec. Ce visage d'Albertine, dont l'ensemble avait quelquefois, dehors, une espèce de pâleur blême, montrait, au contraire, au fur et à mesure que la lampe les éclairait, des surfaces si brillamment, si uniformément colorées, si résistantes et si lisses, qu'on aurait pu les comparer aux carnations soutenues de certaines fleurs. Surpris pourtant par l'entrée inattendue de Françoise, je m'écriai :

— Comment, déjà la lampe? Mon Dieu que cette lumière est vive!

Mon but était sans doute par la seconde de ces phrases de dissimuler mon trouble, par la première d'excuser mon retard. Françoise répondit avec une ambiguïté cruelle :

— Faut-il que l'éteinde?

— Teigne? glissa à mon oreille Albertine, me laissant charmé par la vivacité familière avec laquelle, me prenant à la fois pour maître et pour complice, elle insinua cette affirmation psychologique dans le ton interrogatif d'une question grammaticale.

Quand Françoise fut sortie de la chambre et Albertine rassise sur mon lit :

— Savez-vous ce dont j'ai peur, lui dis-je, c'est que si nous continuons comme cela, je ne puisse pas m'empêcher de vous embrasser.

— Ce serait un beau malheur.

Je n'obéis pas tout de suite à cette invitation. Un autre l'eût même pu trouver superflue, car Albertine avait une prononciation si charnelle et si douce que, rien qu'en vous parlant, elle semblait vous embrasser. Une parole d'elle était une faveur, et sa conversation vous couvrait de baisers. Et pourtant elle m'était bien agréable, cette invitation. Elle me l'eût été même d'une autre jolie fille du même âge; mais qu'Albertine me fût maintenant si facile, cela me causait plus que du plaisir, une confrontation d'images empreintes de beauté. Je me rappelais Albertine d'abord devant la plage, presque peinte sur le fond de la mer, n'ayant pas pour moi une existence plus réelle que ces visions de théâtre où on ne sait pas si on a affaire à l'actrice qui est censée apparaître, à une figurante qui la double à ce moment-là, ou à une simple projection. Puis la femme vraie s'était détachée du faisceau lumineux, elle était venue à moi, mais simplement pour que je pusse m'apercevoir qu'elle n'avait nullement, dans le monde réel, cette facilité amoureuse qu'on lui supposait dans le tableau magique. J'avais appris qu'il n'était pas possible de la toucher, de l'embrasser, qu'on pouvait seulement causer avec elle, que pour moi elle n'était pas une femme plus que des raisins de jade, décoration incomestible des tables d'autrefois, ne sont des raisins. Et voici que dans un troisième plan elle m'apparaissait réelle comme dans la seconde connaissance que j'avais eue d'elle, mais facile comme dans la première ; facile, et d'autant plus délicieusement que j'avais cru longtemps qu'elle ne l'était pas. Mon surplus de science sur la vie (sur la vie moins unie, moins simple que je ne l'avais cru d'abord) aboutissait provisoirement à l'agnosticisme. Que peut-on affirmer, puisque ce qu'on avait cru probable d'abord s'est montré faux ensuite, et se trouve en troisième lieu être vrai ? (Et hélas, je n'étais pas au bout de mes découvertes avec Albertine.) En tous cas, même s'il n'y avait pas eu l'attrait romanesque de cet enseignement d'une plus grande richesse de plans découverts l'un après l'autre par la vie (cet attrait inverse de celui que Saint-Loup goûtait, pendant les dîners de Rivebelle, à retrouver, parmi les masques que l'existence avait superposés dans une calme figure, des traits qu'il avait jadis tenus sous ses lèvres), savoir qu'embrasser les joues d'Albertine était une chose possible, c'était pour moi un plaisir peut-être plus grand encore que celui de les embrasser. Quelle différence entre posséder une femme sur laquelle notre corps seul s'applique parce qu'elle n'est qu'un morceau de chair, et posséder la jeune fille qu'on apercevait sur la plage avec ses amies, certains jours, sans même savoir pourquoi ces jours-là plutôt que tels autres, ce qui faisait qu'on tremblait de ne pas la revoir. La vie vous avait complaisamment révélé tout au long le roman de cette petite fille, vous avait prêté pour la voir un instrument d'optique, puis un autre, et ajouté au désir charnel l'accompagnement, qui le centuple et le diversifie, de ces désirs plus spirituels et moins assouvissables qui ne sortent pas de leur torpeur et le laissent aller seul quand il ne prétend qu'à la saisie d'un morceau de chair, mais qui, pour la possession de toute une région de souvenirs d'où ils se sentaient nostalgiquement exilés, s'élèvent en tempête à côté de lui, le grossissent, ne peuvent le suivre jusqu'à l'accomplissement, jusqu'à l'assimilation, impossible sous la forme où elle est souhaitée, d'une réalité immatérielle, mais attendent ce désir à mi-chemin, et au moment du retour, lui font à nouveau escorte ; baiser, au lieu des joues de la première venue, si fraîches soient-elles, mais anonymes, sans secret, sans prestige, celles auxquelles j'avais si longtemps rêvé, serait connaître le goût, la saveur, d'une couleur bien souvent regardée. On a vu une femme, simple image dans le décor de la vie, comme Albertine profilée sur la mer, et puis cette image, on peut la détacher, la mettre près de soi, et voir peu à peu son volume, ses couleurs, comme si on l'avait fait passer derrière les verres d'un stéréoscope. C'est pour cela que les femmes un peu difficiles, qu'on ne possède pas tout de suite, dont on ne sait même pas tout de suite qu'on pourra jamais les posséder, sont les seules intéressantes. Car les connaître, les approcher, les conquérir, c'est faire varier de forme, de grandeur, de relief l'image humaine, c'est une leçon de relativisme dans l'appréciation d'un corps, d'une vie de femme, belle à réapercevoir quand elle a repris sa minceur de silhouette dans le décor de la vie. Les femmes qu'on connaît d'abord chez l'entremetteuse n'intéressent pas, parce qu'elles restent invariables.

D'autre part Albertine tenait, liées autour d'elle, toutes les impressions d'une série maritime qui m'était particulièrement chère. Il me semblait que j'aurais, sur les deux joues de la jeune fille, embrassé toute la plage de Balbec.

— Si vraiment vous permettez que je vous embrasse, j'aimerais mieux remettre cela à plus tard et bien choisir mon moment. Seulement il ne faudrait pas que vous oubliiez alors que vous m'avez permis. Il me faut un « bon pour un baiser ».

— Faut-il que je le signe ?

— Mais si je le prenais tout de suite, en aurais-je un tout de même plus tard ?

— Vous m'amusez avec vos bons, je vous en referai de temps en temps.

— Dites-moi, encore un mot, vous savez, à Balbec, quand je ne vous connaissais pas encore, vous aviez souvent un regard dur, rusé, vous ne pouvez pas me dire à quoi vous pensiez à ces moments-là ?

— Ah ! je n'ai aucun souvenir.

— Tenez, pour vous aider, un jour votre amie Gisèle a sauté à pieds joints par-dessus la chaise où était assis un vieux monsieur. Tâchez de vous rappeler ce que vous avez pensé à ce moment-là.

— Giséle était celle que nous fréquentions le moins, elle était de la bande si vous voulez, mais pas tout à fait. J'ai dû penser qu'elle était bien mal élevée et commune.

— Ah ! c'est tout ?

J'aurais bien voulu, avant de l'embrasser, pouvoir la remplir à nouveau du mystère qu'elle avait pour moi sur la plage avant que je la connusse, retrouver en elle le pays où elle avait vécu auparavant ; à sa place du moins, si je ne le connaissais pas, je pouvais insinuer tous les souvenirs de notre vie à Balbec, le bruit du flot déferlant sous ma fenêtre, les cris des enfants. Mais en laissant mon regard glisser sur le beau globe rose de ses joues, dont les surfaces doucement incurvées venaient mourir aux pieds des premiers plissements de ses beaux cheveux noirs qui couraient en chaînes mouvementées, soulevaient leurs contreforts escarpés et modelaient les ondulations de leurs vallées, je dus me dire : « Enfin, n'y ayant pas réussi à Balbec, je vais savoir le goût de la rose inconnue que sont les joues d'Albertine. Et puisque les cercles que nous pouvons faire traverser aux choses et aux êtres, pendant le cours de notre existence, ne sont pas bien nombreux, peut-être pourrai-je considérer la mienne comme en quelque manière accomplie, quand, ayant fait sortir de son cadre lointain le visage fleuri que j'avais choisi entre tous, je l'aurai amené dans ce plan nouveau, où j'aurai enfin de lui la connaissance par les lèvres. » Je me disais cela parce que je croyais qu'il est une connaissance par les lèvres ; je me disais que j'allais connaître le goût de cette rose charnelle, parce que je n'avais pas songé que l'homme, créature évidemment moins rudimentaire que l'oursin ou même la baleine, manque cependant encore d'un certain nombre d'organes essentiels, et notamment n'en possède aucun qui serve au baiser. A cet organe absent il supplée par les lèvres, et par là arrive-t-il peut-être à un résultat un peu plus satisfaisant que s'il était réduit à caresser la bien-aimée avec une défense de corne. Mais les lèvres, faites pour amener au palais la saveur de ce qui les tente, doivent se contenter, sans comprendre leur erreur et sans avouer leur déception, de vaguer à la surface et de se heurter à la clôture de la joue impénétrable et désirée. D'ailleurs à ce moment-là, au contact même de la chair, les lèvres, même dans l'hypothèse où elles deviendraient plus expertes et mieux douées, ne pourraient sans doute pas goûter davantage la saveur que la nature les empêche actuellement de saisir, car, dans cette zone désolée où elles ne peuvent trouver leur nourriture, elles sont seules, le regard, puis l'odorat les ont abandonnées depuis longtemps. D'abord au fur et à mesure que ma bouche commença à s'approcher des joues que mes regards lui avaient proposé d'embrasser, ceux-ci se déplaçant virent des joues nouvelles ; le cou, aperçu de plus près et comme à la loupe, montra, dans ses gros grains, une robustesse qui modifia le caractère de la figure.

Les dernières applications de la photographie — qui couchent aux pieds d'une cathédrale toutes les maisons qui nous parurent si souvent, de près, presque aussi hautes que les tours, font successivement manœuvrer comme un régiment, par files, en ordre dispersé, en masses serrées, les mêmes monuments, rapprochent l'une contre l'autre les deux colonnes de la Piazzetta tout à l'heure si distantes, éloignent la proche Salute et dans un fond pâle et dégradé réussissent à faire tenir un horizon immense sous l'arche d'un pont, dans l'embrasure d'une fenêtre, entre les feuilles d'un arbre situé au premier plan et d'un ton plus vigoureux, donnent successivement pour cadre à une même église les arcades de toutes les autres — je ne vois que cela qui puisse, autant que le baiser, faire surgir de ce que nous croyions une chose à aspect défini, les cent autres choses qu'elle est tout aussi bien, puisque chacune est relative à une perspective non moins légitime. Bref, de même qu'à Balbec, Albertine m'avait souvent paru différente, maintenant — comme si, en accélérant prodigieusement la rapidité des changements de perspective et des changements de coloration que nous offre une personne dans nos diverses rencontres avec elle, j'avais voulu les faire tenir toutes en quelques secondes pour recréer expérimentalement le phénomène qui diversifie l'individualité d'un être et tirer les unes des autres, comme d'un étui, toutes les possibilités qu'il enferme — dans ce court trajet de mes lèvres vers sa joue, c'est dix Albertines que je vis ; cette seule jeune fille étant comme une déesse à plusieurs têtes, celle que j'avais vue en dernier, si je tentais de m'approcher d'elle, faisait place à une autre. Du moins tant que je ne l'avais pas touchée, cette tête, je la voyais, un léger parfum venait d'elle jusqu'à moi. Mais hélas! — car pour le baiser, nos narines et nos yeux sont aussi mal placés que nos lèvres, mal faites — tout d'un coup, mes yeux cessèrent de voir, à son tour mon nez, s'écrasant, ne perçut plus aucune odeur, et sans connaître pour cela davantage le goût du rose désiré, j'appris, à ces détestables signes, qu'enfin j'étais en train d'embrasser la joue d'Albertine.

Était-ce parce que nous jouions (figurée par la révolution d'un solide) la scène inverse de celle de Balbec, que j'étais, moi, couché, et elle levée, capable d'esquiver une attaque brutale et de diriger le plaisir à sa guise, qu'elle me laissa prendre avec tant de facilité maintenant ce qu'elle avait refusé jadis avec une mine si sévère ? (Sans doute, de cette mine d'autrefois, l'expression voluptueuse que prenait aujourd'hui son visage à l'approche de mes lèvres ne différait que par une déviation de lignes infinitésimale, mais dans laquelle peut tenir toute la distance qu'il y a entre le geste d'un homme qui achève un blessé et d'un qui le secourt, entre un portrait sublime ou affreux.) Sans savoir si j'avais à faire honneur et savoir gré de son changement d'attitude à quelque bienfaiteur involontaire qui, un de ces mois derniers, à Paris ou à Balbec, avait travaillé pour moi, je pensai que la façon dont nous étions placés était la principale cause de ce changement. C'en fut pourtant une autre que me fournit Albertine ; exactement celle-ci : « Ah! c'est qu'à ce moment-là, à Balbec, je ne vous connaissais pas, je pouvais croire que vous aviez de mauvaises intentions. » Cette raison me laissa perplexe. Albertine me la donna sans doute sincèrement. Une femme a tant de peine à reconnaître dans les mouvements de ses membres, dans les sensations éprouvées par son corps, au cours d'un tête-à-tête avec un camarade, la faute inconnue où elle tremblait qu'un étranger préméditât de la faire tomber!

En tous cas, quelles que fussent les modifications survenues depuis quelque temps dans sa vie, et qui eussent peut-être expliqué qu'elle eût accordé si aisément à mon désir momentané et purement physique ce qu'à Balbec elle avait avec horreur refusé à mon amour, une plus étonnante se produisit en Albertine, ce soir-là même, aussitôt que ses caresses eurent amené chez moi la satisfaction dont elle dut bien s'apercevoir et dont j'avais même craint qu'elle ne lui causât le petit mouvement de répulsion et de pudeur offensée que Gilberte avait eu à un moment semblable, derrière le massif de lauriers, aux Champs-Élysées.

Ce fut tout le contraire. Déjà, au moment où je l'avais couchée sur mon lit et où j'avais commencé à la caresser, Albertine avait pris un air que je ne lui connaissais pas, de bonne volonté docile, de simplicité presque puérile. Effaçant d'elle toutes préoccupations, toutes prétentions habituelles, le moment qui précède le plaisir, pareil en cela à celui qui suit la mort, avait rendu à ses traits rajeunis comme l'innocence du premier âge. Et sans doute tout être dont le talent est soudain mis en jeu, devient modeste, appliqué et charmant ; surtout si, par ce talent, il sait nous donner un grand plaisir, il en est lui-même heureux, veut nous le donner bien complet. Mais dans cette expression nouvelle du visage d'Albertine il y avait plus que du désintéressement et de la conscience, de la générosité professionnelles, une sorte de dévouement conventionnel et subit ; et c'est plus loin qu'à sa propre enfance, mais à la jeunesse de sa race qu'elle était revenue. Bien différente de moi qui n'avais rien souhaité de plus qu'un apaisement physique, enfin obtenu, Albertine semblait trouver qu'il y eût eu de sa part quelque grossièreté à croire que ce plaisir matériel allât sans un sentiment moral et terminât quelque chose. Elle, si pressée tout à l'heure, maintenant, et parce qu'elle trouvait sans doute que les baisers impliquent l'amour et que l'amour l'emporte sur tout autre devoir, disait, quand je lui rappelais son dîner :

— Mais ça ne fait rien du tout, voyons, j'ai tout mon temps.

Elle semblait gênée de se lever tout de suite après ce qu'elle venait de faire, gênée par bienséance, comme Françoise, quand elle avait cru, sans avoir soif, devoir accepter avec une gaîté décente le verre de vin que Jupien lui offrait, n'aurait pas osé partir aussitôt la dernière gorgée bue, quelque devoir impérieux qui l'eût rappelée. Albertine — et c'était peut-être, avec une autre que l'on verra plus tard, une des raisons qui m'avaient à mon insu fait la désirer —

était une des incarnations de la petite paysanne française dont le modèle est en pierre à Saint-André-des-Champs. De Françoise, qui devait pourtant bientôt devenir sa mortelle ennemie, je reconnus en elle la courtoisie envers l'hôte et l'étranger, la décence, le respect de la couche.

Françoise, qui, après la mort de ma tante, ne croyait pouvoir parler que sur un ton apitoyé, dans les mois qui précédèrent le mariage de sa fille, eût trouvé choquant, quand celle-ci se promenait avec son fiancé, qu'elle ne le tînt pas par le bras.

Albertine, immobilisée auprès de moi, me disait :

— Vous avez de jolis cheveux, vous avez de beaux yeux, vous êtes gentil.

Comme, lui ayant fait remarquer qu'il était tard, j'ajoutais : « Vous ne me croyez pas ? », elle me répondit, ce qui était peut-être vrai, mais seulement depuis deux minutes et pour quelques heures :

— Je vous crois toujours.

Elle me parla de moi, de ma famille, de mon milieu social. Elle me dit : « Oh! je sais que vos parents connaissent des gens très bien. Vous êtes ami de Robert Forestier et de Suzanne Delage. » A la première minute, ces noms ne me dirent absolument rien. Mais tout d'un coup, je me rappelai que j'avais en effet joué aux Champs-Élysées avec Robert Forestier que je n'avais jamais revu. Quant à Suzanne Delage, c'était la petite-nièce de Mme Blandais, et j'avais dû une fois aller à une leçon de danse, et même tenir un petit rôle dans une comédie de salon, chez ses parents. Mais la peur d'avoir le fou rire, et des saignements de nez m'avaient empêché, de sorte que je ne l'avais jamais vue. J'avais tout au plus cru comprendre autrefois que l'institutrice à plumet des Swann avait été chez ses parents, mais peut-être n'était-ce qu'une sœur de cette institutrice ou une amie. Je protestai à Albertine que Robert Forestier et Suzanne Delage tenaient peu de place dans ma vie. « C'est possible, vos mères sont liées, cela permet de vous situer. Je croise souvent Suzanne Delage avenue de Messine, elle a du chic. » Nos mères ne se connaissaient que dans l'imagination de Mme Bontemps qui, ayant su que j'avais joué jadis avec Robert Forestier auquel, paraît-il, je récitais des vers, en avait conclu que nous étions liés par des relations de famille. Elle ne laissait jamais, m'a-t-on dit, passer le nom de maman sans dire : « Ah! oui, c'est le milieu des Delage, des Forestier, etc. », donnant à mes parents un bon point qu'ils ne méritaient pas.

Du reste, les notions sociales d'Albertine étaient d'une sottise extrême. Elle croyait les Simonnet avec deux *n* inférieurs non seulement aux Simonet avec un seul *n*, mais à toutes les autres personnes possibles. Que quelqu'un ait le même nom que vous, sans être de votre famille, est une grande raison de le dédaigner. Certes il y a des exceptions. Il peut arriver que deux Simonnet (présentés l'un à l'autre dans une de ces réunions où l'on éprouve le besoin de parler de n'importe quoi et où on se sent d'ailleurs plein de dispositions optimistes, par exemple dans le cortège d'un enterrement qui se rend au cimetière), voyant qu'ils s'appellent de même, cherchent avec une bienveillance réciproque, et sans résultat, s'ils n'ont aucun lien de parenté. Mais ce n'est qu'une exception. Beaucoup d'hommes sont peu honorables, mais nous l'ignorons ou n'en avons cure. Mais si l'homonymie fait qu'on nous remet des lettres à eux destinées, ou *vice versa*, nous commençons par une méfiance, souvent justifiée, quant à ce qu'ils valent.

Nous craignons des confusions, nous les prévenons par une moue de dégoût si l'on nous parle d'eux. En lisant notre nom porté par eux, dans le journal, ils nous semblent l'avoir usurpé. Les péchés des autres membres du corps social nous sont indifférents. Nous en chargeons plus lourdement nos homonymes. La haine que nous portons aux autres Simonnet est d'autant plus forte qu'elle n'est pas individuelle, mais se transmet héréditairement. Au bout de deux générations on se souvient seulement de la moue insultante que les grands-parents avaient à l'égard des autres Simonnet ; on ignore la cause ; on ne serait pas étonné d'apprendre que cela a commencé par un assassinat. Jusqu'au jour fréquent où, entre une Simonnet et un Simonnet qui ne sont pas parents du tout, cela finit par un mariage.

Non seulement Albertine me parla de Robert Forestier et de Suzanne Delage, mais spontanément, par un devoir de confidence que le rapprochement des corps crée, au début du moins, durant une première phase et avant qu'il ait engendré une duplicité spéciale et le secret envers le même être, Albertine me raconta sur sa famille et un oncle d'Andrée une histoire dont elle avait, à Balbec, refusé de me dire un seul mot, mais elle ne pensait pas qu'elle dût paraître avoir encore des secrets à mon égard. Maintenant sa meilleure amie lui eût raconté quelque chose contre moi qu'elle se fût fait un devoir de me le rapporter. J'insistai pour qu'elle rentrât, elle finit par partir, mais si confuse pour moi de ma grossièreté qu'elle riait presque pour m'excuser, comme une maîtresse de maison chez qui on va en veston, qui vous accepte ainsi mais à qui cela n'est pas indifférent.

— Vous riez ? lui dis-je.

— Je ne ris pas, je vous souris, me répondit-elle

tendrement. Quand est-ce que je vous revois? ajouta-t-elle comme n'admettant pas que ce que nous venions de faire, puisque c'en est d'habitude le couronnement, ne fût pas au moins le prélude d'une amitié grande, d'une amitié préexistante et que nous nous devions de découvrir, de confesser, et qui seule pouvait expliquer ce à quoi nous nous étions livrés.

— Puisque vous m'y autorisez, quand je pourrai je vous ferai chercher.

Je n'osai lui dire que je voulais tout subordonner à la possibilité de voir Mme de Stermaria.

— Hélas! ce sera à l'improviste, je ne sais jamais d'avance, lui dis-je. Serait-ce possible que je vous fisse chercher le soir quand je serai libre?

— Ce sera très possible bientôt car j'aurai une entrée indépendante de celle de ma tante. Mais en ce moment c'est impraticable. En tous cas je viendrai à tout hasard demain ou après-demain dans l'après-midi. Vous ne me recevrez que si vous le pouvez.

Arrivée à la porte, étonnée que je ne l'eusse pas devancée, elle me tendit sa joue, trouvant qu'il n'y avait nul besoin d'un grossier désir physique pour que maintenant nous nous embrassions. Comme les courtes relations que nous avions eues tout à l'heure ensemble étaient de celles auxquelles conduisent parfois une intimité absolue et un choix du cœur, Albertine avait cru devoir improviser et ajouter momentanément aux baisers que nous avions échangés sur mon lit, le sentiment dont ils eussent été le signe pour un chevalier et sa dame tels que pouvait les concevoir un jongleur gothique.

Quand m'eut quitté la jeune Picarde, qu'aurait pu sculpter à son porche l'imagier de Saint-André-des-Champs, Françoise m'apporta une lettre qui me remplit de joie, car elle était de Mme de Stermaria, laquelle acceptait à dîner pour mercredi. De Mme de Stermaria, c'est-à-dire, pour moi, plus que de la Mme de Stermaria réelle, de celle à qui j'avais pensé toute la journée avant l'arrivée d'Albertine. C'est la terrible tromperie de l'amour qu'il commence par nous faire jouer avec une femme non du monde extérieur, mais avec une poupée intérieure à notre cerveau, la seule d'ailleurs que nous ayons toujours à notre disposition, la seule que nous posséderons, que l'arbitraire du souvenir, presque aussi absolu que celui de l'imagination, peut avoir faite aussi différente de la femme réelle que du Balbec réel avait été pour moi le Balbec rêvé ; création factice à laquelle peu à peu, pour notre souffrance, nous forcerons la femme réelle à ressembler.

Albertine m'avait tant retardé que la comédie venait de finir quand j'arrivai chez Mme de Villeparisis ; et peu désireux de prendre à revers le flot des invités qui s'écoulait en commentant la grande nouvelle, la séparation qu'on disait déjà accomplie entre le duc et la duchesse de Guermantes, je m'étais en attendant de pouvoir saluer la maîtresse de maison, assis sur une bergère vide dans le deuxième salon, quand du premier, où sans doute elle avait été assise tout à fait au premier rang des chaises, je vis déboucher, majestueuse, ample et haute dans une longue robe de satin jaune à laquelle étaient attachés en relief d'énormes pavots noirs, la duchesse. Sa vue ne me causait plus aucun trouble. Un certain jour, m'imposant les mains sur le front (comme c'était son habitude quand elle avait peur de me faire de la peine), en me disant : « Ne continue pas tes sorties pour rencontrer Mme de Guermantes, tu es la fable de la maison. D'ailleurs, vois comme ta grand'mère est souffrante, tu as vraiment des choses plus sérieuses que de te poster sur le chemin d'une femme qui se moque de toi », d'un seul coup, comme un hypnotiseur qui vous fait revenir du lointain pays où vous vous imaginiez être, et vous rouvre les yeux, ou comme le médecin qui, vous rappelant au sentiment du devoir et de la réalité, vous guérit d'un mal imaginaire dans lequel vous vous complaisiez, ma mère m'avait réveillé d'un trop long songe. La journée qui avait suivi avait été consacrée à dire un dernier adieu à ce mal auquel je renonçais ; j'avais chanté des heures de suite en pleurant l'*Adieu* de Schubert :

... Adieu, des voix étranges
T'appellent loin de moi, céleste sœur des Anges.

Et puis ç'avait été fini. J'avais cessé mes sorties du matin, et si facilement que je tirai alors le pronostic, qu'on verra se trouver faux plus tard, que je m'habituerais aisément, dans le cours de ma vie, à ne plus voir une femme. Et quand ensuite Françoise m'eut raconté que Jupien, désireux de s'agrandir, cherchait une boutique dans le quartier, désireux de lui en trouver une (tout heureux aussi, en flânant dans la rue que déjà de mon lit j'entendais crier lumineusement comme une plage, de voir, sous le rideau de fer levé des crémeries, les petites laitières à manches blanches), j'avais pu recommencer ces sorties. Fort librement du reste ; car j'avais conscience de ne plus les faire dans le but de voir Mme de Guermantes : telle une femme qui prend des précautions infinies tant qu'elle a un amant, du jour qu'elle a rompu avec lui laisse traîner ses lettres, au risque de découvrir à son mari le secret d'une faute dont elle a fini de s'effrayer en même temps que de la commettre.

Ce qui me faisait de la peine, c'était d'apprendre

que presque toutes les maisons étaient habitées par des gens malheureux. Ici la femme pleurait sans cesse parce que son mari la trompait. Là c'était l'inverse. Ailleurs une mère travailleuse, rouée de coups par un fils ivrogne, tâchait de cacher sa souffrance aux yeux des voisins. Toute une moitié de l'humanité pleurait. Et quand je la connus, je vis qu'elle était si exaspérante que je me demandai si ce n'était pas le mari ou la femme adultères (qui l'étaient seulement parce que le bonheur légitime leur avait été refusé, et se montraient charmants et loyaux envers tout autre que leur femme ou leur mari) qui avaient raison. Bientôt je n'avais même plus eu la raison d'être utile à Jupien pour continuer mes pérégrinations matinales. Car on apprit que l'ébéniste de notre cour, dont les ateliers n'étaient séparés de la boutique de Jupien que par une cloison fort mince, allait recevoir congé du gérant parce qu'il frappait des coups trop bruyants. Jupien ne pouvait espérer mieux, les ateliers avaient un sous-sol où mettre les boiseries, et qui communiquait avec nos caves. Jupien y mettrait son charbon, ferait abattre la cloison et aurait une seule et vaste boutique. Même, comme Jupien, trouvant le prix que M. de Guermantes faisait, très élevé, laissait visiter pour que, découragé de ne pas trouver de locataire, le duc se résignât à lui faire une diminution, Françoise, ayant remarqué que, même après l'heure où on ne visitait pas, le concierge laissait contre la porte de la boutique « A louer », flaira un piège dressé par le concierge pour attirer la fiancée du valet de pied des Guermantes (ils y trouveraient une retraite d'amour) et ensuite les surprendre.

Quoi qu'il en fût, bien que n'ayant plus à chercher une boutique pour Jupien, je continuai à sortir avant le déjeuner. Souvent, dans ces sorties, je rencontrais M. de Norpois. Il arrivait que, causant avec un collègue, il jetait sur moi des regards qui, après m'avoir entièrement examiné, se détournaient vers son interlocuteur sans m'avoir plus souri ni salué que s'il ne m'avait pas connu du tout. Car chez ces importants diplomates, regarder d'une certaine manière n'a pas pour but de vous faire savoir qu'ils vous ont vu, mais qu'ils ne vous ont pas vu et qu'ils ont à parler avec leur collègue de quelque question sérieuse. Une grande femme que je croisais souvent près de la maison était moins discrète avec moi. Car bien que je ne la connusse pas, elle se retournait vers moi, m'attendait — inutilement — devant les vitrines des marchands, me souriait, comme si elle allait m'embrasser, faisait le geste de s'abandonner. Elle reprenait un air glacial à mon égard si elle rencontrait quelqu'un qu'elle connût. Depuis longtemps déjà dans ces courses du matin, selon ce que j'avais à faire, fût-ce à acheter le plus insignifiant journal, je choisissais le plus direct, sans regret s'il était en dehors du parcours habituel que suivaient les promenades de la duchesse et, s'il en faisait au contraire partie, sans scrupules et sans dissimulation parce qu'il ne me paraissait plus le chemin défendu où j'arrachais à une ingrate la faveur de la voir malgré elle. Mais je n'avais pas songé que ma guérison, en me donnant à l'égard de Mme de Guermantes une attitude normale, accomplirait parallèlement la même œuvre en ce qui la concernait et rendrait possible une amabilité, une amitié qui ne m'importaient plus. Jusque-là les efforts du monde entier ligués pour me rapprocher d'elle eussent expiré devant le mauvais sort que jette un amour malheureux. Des fées plus puissantes que les hommes ont décrété que, dans ces cas-là, rien ne pourra servir jusqu'au jour où nous aurons dit sincèrement dans notre cœur la parole : « Je n'aime plus. » J'en avais voulu à Saint-Loup de ne m'avoir pas mené chez sa tante. Mais pas plus que n'importe qui, il n'était capable de briser un enchantement. Tant que j'aimais Mme de Guermantes, les marques de gentillesse que je recevais des autres, les compliments, me faisaient de la peine, non seulement parce que cela ne venait pas d'elle, mais parce qu'elle ne les apprenait pas. Or, les eût-elle sus que cela n'eût été d'aucune utilité. Mais, même dans les détails d'une affection, une absence, le refus d'un dîner, une rigueur involontaire, inconsciente, servent plus que tous les cosmétiques et les plus beaux habits. Il y aurait des parvenus, si on enseignait dans ce sens l'art de parvenir.

Au moment où elle traversait le salon où j'étais assis, la pensée pleine du souvenir des amis que je ne connaissais pas et qu'elle allait peut-être retrouver tout à l'heure dans une autre soirée, Mme de Guermantes m'aperçut sur ma bergère (véritable indifférent qui ne cherchait qu'à être aimable, alors que, tandis que j'aimais, j'avais tant essayé de prendre, sans y réussir, l'air d'indifférence) ; elle obliqua, vint à moi et retrouvant le sourire du soir de l'Opéra et que le sentiment pénible d'être aimée par quelqu'un qu'elle n'aimait pas, n'effaçait plus :

— Non, ne vous dérangez pas, vous permettez que je m'asseye un instant à côté de vous ? me dit-elle en relevant gracieusement son immense jupe qui sans cela eût occupé la bergère dans son entier.

Plus grande que moi et accrue encore de tout le volume de sa robe, j'étais presque effleuré par son admirable bras nu autour duquel un duvet imperceptible et innombrable faisait fumer perpétuellement comme une vapeur dorée, et par la torsade blonde de ses cheveux qui m'envoyaient leur odeur. N'ayant guère de place, elle ne pouvait se tourner facilement vers moi et, obligée de regarder plutôt devant elle que de mon côté, prenait une expression rêveuse et douce, comme dans un portrait.

— Avez-vous des nouvelles de Robert ? me dit-elle.

Mme de Villeparisis passa à ce moment-là.

— Hé bien! vous arrivez à une jolie heure, Monsieur, pour une fois qu'on vous voit.

Et remarquant que je parlais avec sa nièce, supposant peut-être que nous étions plus liés qu'elle ne savait :

— Mais je ne veux pas déranger votre conversation avec Oriane, ajouta-t-elle (car les bons offices de l'entremetteuse font partie des devoirs d'une maîtresse de maison). Vous ne voulez pas venir dîner mercredi avec elle ?

C'était le jour où je devais dîner avec Mme de Stermaria, je refusai.

— Et samedi ?

Ma mère revenant le samedi ou le dimanche, c'eût été peu gentil de ne pas rester tous les soirs à dîner avec elle ; je refusai donc encore.

— Ah! vous n'êtes pas un homme facile à avoir chez soi.

— Pourquoi ne venez-vous jamais me voir ? me dit Mme de Guermantes quand Mme de Villeparisis se fut éloignée pour féliciter les artistes et remettre à la diva un bouquet de roses dont la main qui l'offrait faisait seule tout le prix, car il n'avait coûté que vingt francs. (C'était du reste son prix maximum quand on n'avait chanté qu'une fois. Celles qui prêtaient leur concours à toutes les matinées et soirées recevaient des roses peintes par la marquise.) C'est ennuyeux de ne jamais se voir que chez les autres. Puisque vous ne voulez pas dîner avec moi chez ma tante, pourquoi ne viendriez-vous pas dîner chez moi ?

Certaines personnes, étant restées le plus longtemps possible, sous des prétextes quelconques, mais qui sortaient enfin, voyant la duchesse assise pour causer avec un jeune homme, sur un meuble si étroit qu'on n'y pouvait tenir que deux, pensèrent qu'on les avait mal renseignées, que c'était non la duchesse, mais le duc, qui demandait la séparation, à cause de moi. Puis elles se hâtèrent de répandre cette nouvelle. J'étais plus à même que personne d'en connaître la fausseté. Mais j'étais surpris que, dans ces périodes difficiles où s'effectue une séparation non encore consommée, la duchesse, au lieu de s'isoler, invitât justement quelqu'un qu'elle connaissait aussi peu. J'eus le soupçon que le duc avait été seul à ne pas vouloir qu'elle me reçût et que, maintenant qu'il la quittait, elle ne voyait plus d'obstacle à s'entourer des gens qui lui plaisaient.

Deux minutes auparavant j'eusse été stupéfait si on m'avait dit que Mme de Guermantes allait me demander d'aller la voir, encore plus de venir dîner. J'avais beau savoir que le salon Guermantes ne pouvait pas présenter les particularités que j'avais extraites de ce nom, le fait qu'il m'avait été interdit d'y pénétrer, en m'obligeant à lui donner le même genre d'existence qu'aux salons dont nous avons lu la description dans un roman ou vu l'image dans un rêve, me le faisait, même quand j'étais certain qu'il était pareil à tous les autres, imaginer tout différent ; entre moi et lui il y avait la barrière où finit le réel. Dîner chez les Guermantes, c'était comme entreprendre un voyage longtemps désiré, faire passer un désir de ma tête devant mes yeux et lier connaissance avec un songe. Du moins eussé-je pu croire qu'il s'agissait d'un de ces dîners auxquels les maîtres de maison invitent quelqu'un qu'ils ne tiennent pas à montrer, en lui disant : « Venez, il n'y aura *absolument* que nous », feignant d'attribuer au paria la crainte qu'ils éprouvent de le voir mêlé à leurs amis, et cherchant même à transformer en un enviable privilège réservé aux seuls intimes la quarantaine de l'exclu, malgré lui sauvage et favorisé. Je sentis, au contraire, que Mme de Guermantes avait le désir de me faire goûter à ce qu'elle avait de plus agréable quand elle me dit, mettant d'ailleurs devant mes yeux comme la beauté violâtre d'une arrivée chez la tante de Fabrice et le miracle d'une présentation au comte Mosca :

— Vendredi vous ne seriez pas libre, en petit comité ? Ce serait gentil. Il y aura la princesse de Parme qui est charmante ; d'abord je ne vous inviterais pas si ce n'était pas pour rencontrer des gens agréables.

Désertée dans les milieux mondains intermédiaires qui sont livrés à un mouvement perpétuel d'ascension, la famille joue, au contraire, un rôle important dans les milieux immobiles comme la petite bourgeoisie et comme l'aristocratie princière, qui ne peut chercher à s'élever puisque, au-dessus d'elle, à son point de vue spécial, il n'y a rien. L'amitié que me témoignaient « la tante Villeparisis » et Robert avait peut-être fait de moi pour Mme de Guermantes et ses amis, vivant toujours sur eux-mêmes et dans une même coterie, l'objet d'une attention curieuse que je ne soupçonnais pas.

Elle avait de ces parents-là une connaissance familiale, quotidienne, vulgaire, fort différente de ce que nous imaginons, et dans laquelle, si nous nous y trouvons compris, loin que nos actions en soient expulsées comme le grain de poussière de l'œil ou la goutte d'eau de la trachée-artère, elles peuvent rester gravées, être commentées, racontées encore des années après que nous les avons oubliées nous-mêmes, dans le palais où nous sommes étonnés de les retrouver comme une lettre de nous dans une précieuse collection d'autographes.

De simples gens élégants peuvent défendre leur porte trop envahie. Mais celle des Guermantes ne l'était pas. Un étranger n'avait presque jamais l'occasion de passer devant elle. Pour une fois que la duchesse s'en voyait désigner un, elle ne songeait pas à se préoccuper de la valeur mondaine qu'il apporterait, puisque c'était chose qu'elle conférait et ne pouvait recevoir. Elle ne pensait qu'à ses qualités réelles : Mme de Villeparisis et Saint-Loup lui avaient dit que j'en possédais. Et sans doute ne les eût-elle pas crus, si elle n'avait remarqué qu'ils ne pouvaient jamais arriver à me faire venir quand ils le voulaient, donc que je ne tenais pas au monde, ce qui semblait à la duchesse le signe qu'un étranger faisait partie des « gens agréables ».

Il fallait voir, parlant de femmes qu'elle n'aimait guère, comme elle changeait de visage aussitôt, si on nommait, à propos de l'une, par exemple sa belle-sœur. « Oh! elle est charmante », disait-elle d'un air de finesse et de certitude. La seule raison qu'elle en donnât était que cette dame avait refusé d'être présentée à la marquise de Chaussegros et à la princesse de Silistrie. Elle n'ajoutait pas que cette dame avait refusé de lui être présentée à elle-même, duchesse de Guermantes. Cela avait eu lieu pourtant, et depuis ce jour, l'esprit de la duchesse travaillait sur ce qui pouvait bien se passer chez la dame difficile à connaître. Elle mourait d'envie d'être reçue chez elle. Les gens du monde ont tellement l'habitude qu'on les recherche que qui les fuit leur semble un phénix et accapare leur attention.

Le motif véritable de m'inviter était-il, dans l'esprit de Mme de Guermantes (depuis que je ne l'aimais plus), que je ne recherchais pas ses parents quoique étant recherché d'eux ? Je ne sais. En tous cas, s'étant décidée à m'inviter, elle voulait me faire les honneurs de ce qu'elle avait de meilleur chez elle, et éloigner ceux de ses amis qui auraient pu m'empêcher de revenir, ceux qu'elle savait ennuyeux. Je n'avais pas su à quoi attribuer le changement de route de la duchesse quand je l'avais vue dévier de sa marche stellaire, venir s'asseoir à côté de moi et m'inviter à dîner, effet de causes ignorées : faute de sens spécial qui nous renseigne à cet égard, nous nous figurons les gens que nous connaissons à peine — comme moi la duchesse — comme ne pensant à nous que dans les rares moments où ils nous voient. Or, cet oubli idéal où nous nous figurons qu'ils nous tiennent est absolument arbitraire. De sorte que, pendant que dans le silence de la solitude, pareil à celui d'une belle nuit, nous nous imaginons les différentes reines de la société poursuivant leur route dans le ciel à une distance infinie, nous ne pouvons nous défendre d'un sursaut de malaise ou de plaisir s'il nous tombe de là-haut, comme un aérolithe portant gravé notre nom que nous croyions inconnu dans Vénus ou Cassiopée, une invitation à dîner ou un potin.

Peut-être parfois, quand, à l'imitation des princes persans qui, au dire du *Livre d'Esther*, se faisaient lire les registres où étaient inscrits les noms de ceux de leurs sujets qui leur avaient témoigné du zèle, Mme de Guermantes consultait la liste des gens bien intentionnés, elle s'était dit de moi : « Un à qui nous demanderons de venir dîner. » Mais d'autres pensées l'avaient distraite

> (*De soins tumultueux un prince environné*
> *Vers de nouveaux objets est sans cesse entraîné*)

jusqu'au moment où elle m'avait aperçu seul comme Mardochée à la porte du palais ; et ma vue ayant rafraîchi sa mémoire, elle voulait, tel Assuérus, me combler de ses dons.

Cependant je dois dire qu'une surprise d'un genre opposé allait suivre celle que j'avais eue au moment où Mme de Guermantes m'avait invité. Cette première surprise, comme j'avais trouvé plus modeste de ma part et plus reconnaissant de ne pas la dissimuler et d'exprimer au contraire avec exagération ce qu'elle avait de joyeux, Mme de Guermantes, qui se disposait à partir pour une dernière soirée, venait de me dire, presque comme une justification, et par peur que je ne susse pas bien qui elle était, pour avoir l'air si étonné d'être invité chez elle. « Vous savez que je suis la tante de Robert de Saint-Loup qui vous aime beaucoup, et du reste nous nous sommes déjà vus ici. » En répondant que je le savais, j'ajoutai que je connaissais aussi M. de Charlus, lequel « avait été très bon pour moi à Balbec et à Paris ». Mme de Guermantes parut étonnée et ses regards semblèrent se reporter, comme pour une vérification, à une page déjà plus ancienne du livre intérieur. « Comment! vous connaissez Palamède? « Ce prénom prenait dans la bouche de Mme de Guermantes une grande douceur à cause de la simplicité involontaire avec laquelle elle parlait d'un homme si brillant, mais qui n'était pour elle que son beau-frère et le cousin avec lequel elle avait été élevée. Et dans le gris confus qu'était pour moi la vie de la duchesse de Guermantes, ce nom de Palamède mettait comme la clarté des longues journées d'été où elle avait joué avec lui, jeune fille, à Guermantes, au jardin. De plus, dans cette partie depuis longtemps écoulée de leur vie, Oriane de Guermantes et son cousin Palamède avaient été fort différents de ce qu'ils étaient devenus depuis ; M. de Charlus notamment, tout entier livré à des goûts d'art qu'il avait si bien refrénés par la suite que je fus stupéfait d'apprendre que c'était par lui qu'avait été peint l'immense éventail d'iris jaunes et noirs que déployait en ce moment la duchesse. Elle eût pu aussi me montrer une petite sonatine qu'il avait autrefois composée pour elle. J'ignorais absolument que le baron eût tous ces talents dont il ne parlait jamais. Disons en passant que M. de Charlus n'était pas enchanté que dans sa famille on l'appelât Palamède. Pour Mémé, on eût pu comprendre encore que cela ne lui plût pas. Ces stupides abréviations sont un signe de l'incompréhension que l'aristocratie a de sa propre poésie (le judaïsme a d'ailleurs la même, puisqu'un neveu de lady Rufus Israël, qui s'appelait Moïse, était couramment appelé dans le monde : « Momo ») en même temps que de sa préoccupation de ne pas avoir l'air d'attacher d'importance à ce qui est aristocratique. Or, M. de Charlus avait sur ce point plus d'imagination poétique et plus d'orgueil exhibé. Mais la raison qui lui faisait peu goûter Mémé n'était pas celle-là puisqu'elle s'étendait aussi au beau prénom de Palamède. La vérité est que, se jugeant, se sachant d'une famille princière, il aurait voulu que son frère et sa belle-sœur disent de lui : « Charlus », comme la reine Marie-Amélie ou le duc d'Orléans pouvaient dire de leurs fils, petit-fils, neveux et frères : « Joinville, Nemours, Chartres, Paris ».

— Quel cachottier que ce Mémé, s'écria-t-elle.

Nous lui avons parlé longuement de vous, il nous a dit qu'il serait très heureux de faire votre connaissance, absolument comme s'il ne vous avait jamais vu. Avouez qu'il est drôle! et, ce qui n'est pas très gentil de ma part à dire d'un beau-frère que j'adore et dont j'admire la rare valeur, par moments un peu fou?

Je fus très frappé de ce mot appliqué à M. de Charlus et je me dis que cette demi-folie expliquait peut-être certaines choses, par exemple qu'il eût paru si enchanté du projet de demander à Bloch de battre sa propre mère. Je m'avisai que non seulement par les choses qu'il disait, mais par la manière dont il les disait, M. de Charlus était un peu fou. La première fois qu'on entend un avocat ou un acteur, on est surpris de leur ton tellement différent de la conversation. Mais comme on se rend compte que tout le monde trouve cela tout naturel, on ne dit rien aux autres, on ne se dit rien à soi-même, on se contente d'apprécier le degré de talent. Tout au plus pense-t-on d'un acteur du Théâtre-Français : « Pourquoi au lieu de laisser retomber son bras levé l'a-t-il fait descendre par petites saccades coupées de repos, pendant au moins dix minutes? » ou d'un Labori : « Pourquoi, dès qu'il a ouvert la bouche, a-t-il émis ces sons tragiques, inattendus, pour dire la chose la plus simple? » Mais comme tout le monde admet cela a priori, on n'est pas choqué. De même, en y réfléchissant, on se disait que M. de Charlus parlait de soi avec emphase, sur un ton qui n'était nullement celui du débit ordinaire. Il semblait qu'on eût dû à toute minute lui dire: « Mais pourquoi criez-vous si fort? pourquoi êtes-vous si insolent? » Seulement tout le monde semblait avoir admis tacitement que c'était bien ainsi. Et on entrait dans la ronde qui lui faisait fête pendant qu'il pérorait. Mais certainement à de certains moments un étranger eût cru entendre crier un dément.

— Mais, reprit la duchesse avec la légère impertinence qui se greffait chez elle sur la simplicité, êtes-vous bien sûr que vous ne confondez pas, que vous parlez bien de mon beau-frère Palamède ? Il a beau aimer les mystères, ceci me paraît d'un fort!...

Je répondis que j'étais absolument sûr et qu'il fallait que M. de Charlus eût mal entendu mon nom.

— Hé bien! je vous quitte, me dit comme à regret Mme de Guermantes. Il faut que j'aille une seconde chez la princesse de Ligne. Vous n'y allez pas ? Non, vous n'aimez pas le monde ? Vous avez bien raison, c'est assommant. Si je n'étais pas obligée! Mais c'est ma cousine, ce ne serait pas gentil. Je regrette égoïstement, pour moi, parce que j'aurais pu vous conduire, même vous ramener. Alors je vous dis au revoir et je me réjouis pour vendredi.

Que M. de Charlus eût rougi de moi devant M. d'Argencourt, passe encore. Mais qu'à sa propre belle-sœur, et qui avait une si haute idée de lui, il niât me connaître, fait si naturel puisque je connaissais à la fois sa tante et son neveu, c'est ce que je ne pouvais comprendre.

Je terminerai ceci en disant qu'à un certain point de vue il y avait chez Mme de Guermantes une véritable grandeur qui consistait à effacer entièrement tout ce que d'autres n'eussent qu'incomplètement oublié. Elle ne m'eût jamais rencontré la harcelant, la suivant, la pistant, dans ses promenades matinales, elle n'eût jamais répondu à mon salut quotidien avec une impatience excédée, elle n'eût jamais envoyé promener Saint-Loup quand il l'avait suppliée de m'inviter, qu'elle n'aurait pas pu avoir avec moi des façons plus noblement et naturellement aimables. Non seulement elle ne s'attardait pas à des explications rétrospectives, à des demi-mots, à des sourires ambigus, à des sous-entendus, non seulement elle avait dans son affabilité actuelle, sans retours en arrière, sans réticences, quelque chose d'aussi fièrement rectiligne que sa majestueuse stature, mais les griefs qu'elle avait pu ressentir contre quelqu'un dans le passé étaient si entièrement réduits en cendres, ces cendres étaient elles-mêmes rejetées si loin de sa mémoire ou tout au moins de sa manière d'être, qu'à regarder son visage chaque fois qu'elle avait à traiter par la plus belle des simplifications ce qui chez tant d'autres eût été prétexte à des restes de froideur, à des récriminations, on avait l'impression d'une sorte de purification.

Mais si j'étais surpris de la modification qui s'était opérée en elle à mon égard, combien je l'étais plus d'en trouver en moi une tellement plus grande au sien! N'y avait-il pas eu un moment où je ne reprenais vie et force que si j'avais, échafaudant toujours de nouveaux projets, cherché quelqu'un qui me ferait recevoir par elle et, après ce premier bonheur, en procurerait bien d'autres à mon cœur de plus en plus exigeant ? C'était l'impossibilité de rien trouver qui m'avait fait partir à Doncières voir Robert de Saint-Loup. Et maintenant, c'était bien par les conséquences dérivant d'une lettre de lui que j'étais agité, mais à cause de Mme de Stermaria et non de Mme de Guermantes.

Ajoutons, pour en finir avec cette soirée, qu'il s'y passa un fait, démenti quelques jours après, qui ne laissa pas de m'étonner, me brouilla pour quelque temps avec Bloch, et qui constitue en soi une de ces curieuses contradictions dont on va trouver l'explication à la fin de ce volume (*Sodome* I). Donc, chez Mme de Villeparisis, Bloch ne cessa de me vanter l'air d'amabilité de M. de Charlus, lequel Charlus, quand il le rencontrait dans la rue, le regardait dans les yeux comme s'il le connaissait, avait envie de le connaître, savait très bien qui il était. J'en souris d'abord, Bloch s'étant exprimé avec tant de violence à Balbec sur le compte du même M. de Charlus. Et je pensai simplement que Bloch, à l'instar de son père pour Bergotte, connaissait le baron « sans le connaître ». Et que ce qu'il prenait pour un regard aimable était un regard distrait. Mais enfin Bloch vint à tant de précisions, et sembla si certain qu'à deux ou trois reprises M. de Charlus avait voulu l'aborder, que, me rappelant que j'avais parlé de mon camarade au baron, lequel m'avait justement, en revenant d'une visite chez Mme de Villeparisis, posé sur lui diverses questions, je fis la supposition que Bloch ne mentait pas, que M. de Charlus avait appris son nom, qu'il était mon ami, etc. Aussi quelque temps après, au théâtre, je demandai à M. de Charlus de lui présenter Bloch, et sur son acquiescement allai le chercher. Mais dès que M. de Charlus l'aperçut, un étonnement aussitôt réprimé se peignit sur sa figure où il fut remplacé par une étincelante fureur. Non seulement il ne tendit pas la main à Bloch, mais chaque fois que celui-ci lui adressa la parole il lui répondit de l'air le plus insolent, d'une voix irritée et blessante. De sorte que Bloch, qui, à ce qu'il disait, n'avait eu jusque-là du baron que des sourires, crut que je l'avais non pas recommandé mais desservi, pendant le court entretien où, sachant le goût de M. de Charlus pour les protocoles, je lui avais parlé de mon camarade avant de l'amener à lui. Bloch nous quitta, éreinté comme qui a voulu monter un cheval tout le temps prêt à prendre le mors aux dents, ou nager contre des vagues qui vous rejettent sans cesse sur le galet, et ne me reparla pas de six mois.

Les jours qui précédèrent mon dîner avec Mme de Stermaria me furent, non pas délicieux, mais insupportables. C'est qu'en général, plus le temps qui nous sépare de ce que nous nous proposons est court, plus il nous semble long, parce que nous lui appliquons des mesures plus brèves ou simplement parce que nous songeons à le mesurer. La papauté, dit-on, compte par siècles, et peut-être même ne songe pas à compter, parce que son but est à l'infini. Le mien étant seulement à la distance de trois jours, je comptais par secondes, je me livrais à ces imaginations qui sont des commencements de caresses, de caresses qu'on enrage de ne pouvoir faire achever par la femme elle-même (ces caresses-là précisément, à l'exclusion de toutes autres). Et en somme, s'il est vrai qu'en général la difficulté d'atteindre l'objet d'un désir l'accroît (la difficulté, non l'impossibilité, car cette dernière le supprime), pourtant pour un désir tout physique, la certitude qu'il sera réalisé à un moment prochain et déterminé n'est guère moins exaltante que l'incertitude ; presque autant que le doute anxieux, l'absence de doute rend intolérable l'attente du plaisir infaillible parce qu'elle fait de cette attente un accomplissement innombrable et, par la fréquence des représentations anticipées, divise le temps en tranches aussi menues que ferait l'angoisse.

Ce qu'il me fallait, c'était posséder Mme de Stermaria : depuis plusieurs jours, avec une activité incessante, mes désirs avaient préparé ce plaisir-là dans mon imagination, et ce plaisir seul ; un autre (le plaisir avec une autre) n'eût pas, lui, été prêt, le plaisir n'étant que la réalisation d'une envie préalable et qui n'est pas toujours la même, qui change selon les mille combinaisons de la rêverie, les hasards du souvenir, l'état du tempérament, l'ordre de disponibilité des désirs dont les derniers exaucés se reposent jusqu'à ce qu'ait été un peu oubliée la déception de l'accomplissement ; j'avais déjà quitté la grande route des désirs généraux et m'étais engagé dans le sentier d'un plus particulier ; il aurait fallu, pour souhaiter un autre rendez-vous, revenir de trop loin pour rejoindre la grande route et prendre un autre sentier. Posséder Mme de Stermaria dans l'île du Bois de Boulogne où je l'avais invitée à dîner, tel était le plaisir que j'imaginais à toute minute. Il eût été naturellement détruit, si j'avais dîné dans cette île sans Mme de Stermaria ; mais peut-être aussi fort diminué, en dînant, même avec elle, ailleurs. Du reste, les attitudes selon lesquelles on se figure un plaisir, sont préalables à la femme, au genre de femmes qui convient pour cela. Elles le commandent, et aussi le lieu ; et à cause de cela font revenir alternativement, dans notre capricieuse pensée, telle femme, tel site, telle chambre qu'en d'autres semaines nous eussions dédaignés. Filles de l'attitude, telles femmes ne vont pas sans le grand lit où on trouve la paix à leur côté, et d'autres, pour être caressées avec une intention plus secrète, veulent les feuilles au vent, les eaux dans la nuit, sont légères et fuyantes autant qu'elles.

Sans doute déjà bien avant d'avoir reçu la lettre de Saint-Loup, et quand il ne s'agissait pas encore de Mme de Stermaria, l'île du Bois m'avait semblé faite pour le plaisir parce que je m'étais trouvé aller y goûter la tristesse de n'en avoir aucun à y abriter. C'est aux bords du lac qui conduisent à cette île et le long desquels, dans les dernières semaines de l'été, vont se promener les Parisiennes qui ne sont pas encore parties, que, ne sachant plus où la retrouver, et si même elle n'a pas déjà quitté Paris, on erre avec l'espoir de voir passer la jeune fille dont on est tombé amoureux dans le dernier bal de l'année, qu'on ne pourra plus retrouver dans aucune soirée avant le printemps suivant. Se sentant à la veille, peut-être au lendemain du départ de l'être aimé, on suit au bord de l'eau frémissante ces belles allées où déjà une première feuille rouge fleurit comme une dernière rose, on scrute cet horizon où, par un artifice inverse à celui de ces panoramas sous la rotonde desquels les personnages en cire du premier plan donnent à la toile peinte du fond l'apparence illusoire de la profondeur et du volume, nos yeux passant sans transition du parc cultivé aux hauteurs naturelles de Meudon et du mont Valérien ne savent pas où mettre une frontière, et font entrer la vraie campagne dans l'œuvre du jardinage dont ils projettent bien au-delà d'elle-même l'agrément artificiel ; ainsi ces oiseaux rares élevés en liberté dans un jardin botanique et qui chaque jour, au gré de leurs promenades ailées, vont poser jusque dans les bois limitrophes une note exotique. Entre la dernière fête de l'été et l'exil de l'hiver, on parcourt anxieusement ce royaume romanesque des rencontres incertaines et des mélancolies amoureuses, et on ne serait pas plus surpris qu'il fût situé hors de l'univers géographique que si à Versailles, au haut de la terrasse, observatoire autour duquel les nuages s'accumulent contre le ciel bleu dans le style de Van der Meulen, après s'être ainsi élevé en dehors de la nature, on apprenait que, là où elle recommence, au bout du grand canal, les villages qu'on ne peut distinguer, à l'horizon éblouissant comme la mer, s'appellent Fleurus ou Nimègue.

Et le dernier équipage passé, quand on sent avec douleur qu'elle ne viendra plus, on va dîner dans l'île ; au-dessus des peupliers tremblants qui rappellent sans fin les mystères du soir plus qu'ils n'y répondent, un nuage rose met une dernière couleur de vie dans le ciel apaisé. Quelques gouttes de pluie tombent sans bruit sur l'eau antique, mais, dans sa divine enfance, restée toujours couleur du temps et qui oublie à tout moment les images des nuages et des fleurs. Et après que les géraniums ont inutilement, en intensifiant l'éclairage de leurs couleurs, lutté contre le crépuscule assombri, une brume vient envelopper l'île qui s'endort ; on se promène dans l'humide obscurité le long de l'eau où tout au plus le passage silencieux d'un cygne vous étonne comme dans un lit nocturne les yeux un instant grands ouverts et le sourire d'un enfant qu'on ne croyait pas réveillé. Alors on voudrait d'autant plus avoir avec soi une amoureuse qu'on se sent seul et qu'on peut se croire loin.

Mais dans cette île, où même l'été il y avait souvent du brouillard, combien je serais plus heureux d'emmener Mme de Stermaria maintenant que la mauvaise saison, que la fin de l'automne était venue ! Si le temps qu'il faisait depuis dimanche n'avait à lui seul rendu grisâtres et maritimes les pays dans lesquels mon imagination vivait — comme d'autres saisons les faisaient embaumés, lumineux, italiens, — l'espoir de posséder dans quelques jours Mme de Stermaria eût suffi pour faire se lever vingt fois par heure un rideau de brume dans mon imagination monotonement nostalgique. En tous cas, le brouillard qui depuis la veille s'était élevé même à Paris, non seulement me faisait songer sans cesse au pays natal de la jeune femme que je venais d'inviter, mais comme il était probable que, bien plus épais encore que dans la ville, il devait le soir envahir le Bois, surtout au bord du lac, je pensais qu'il ferait pour moi de l'île des

Cygnes un peu l'île de Bretagne dont l'atmosphère maritime et brumeuse avait toujours entouré pour moi comme un vêtement la pâle silhouette de Mme de Stermaria. Certes quand on est jeune, à l'âge que j'avais dans mes promenades du côté de Méséglise, notre désir, notre croyance confèrent au vêtement d'une femme une particularité individuelle, une irréductible essence. On poursuit la réalité. Mais à force de la laisser échapper, on finit par remarquer qu'à travers toutes ces vaines tentatives où on a trouvé le néant, quelque chose de solide subsiste, c'est ce qu'on cherchait. On commence à dégager, à connaître ce qu'on aime, on tâche à se le procurer, fût-ce au prix d'un artifice. Alors, à défaut de la croyance disparue, le costume signifie la suppléance à celle-ci par le moyen d'une illusion volontaire. Je savais bien qu'à une demi-heure de la maison je ne trouverais pas la Bretagne. Mais en me promenant enlacé à Mme de Stermaria dans les ténèbres de l'île, au bord de l'eau, je ferais comme d'autres qui, ne pouvant pénétrer dans un couvent, du moins, avant de posséder une femme, l'habillent en religieuse.

Je pouvais même espérer d'écouter avec la jeune femme quelque clapotis de vagues, car, la veille du dîner, une tempête se déchaîna. Je commençais à me raser pour aller dans l'île retenir le cabinet (bien qu'à cette époque de l'année l'île fût vide et le restaurant désert) et arrêter le menu pour le dîner du lendemain, quand Françoise m'annonça Albertine. Je fis entrer aussitôt, indifférent à ce qu'elle me vît enlaidi d'un menton noir, celle pour qui à Balbec je ne me trouvais jamais assez beau, et qui m'avait coûté alors autant d'agitation et de peine que maintenant Mme de Stermaria. Je tenais à ce que celle-ci reçût la meilleure impression possible de la soirée du lendemain.

Aussi je demandai à Albertine de m'accompagner tout de suite jusqu'à l'île pour m'aider à faire le menu. Celle à qui on donne tout est si vite remplacée par une autre, qu'on est étonné soi-même de donner ce qu'on a de nouveau, à chaque heure, sans espoir d'avenir. A ma proposition, le visage souriant et rose d'Albertine, sous un toquet plat qui descendait très bas, jusqu'aux yeux, sembla hésiter. Elle devait avoir d'autres projets ; en tous cas elle me les sacrifia aisément, à ma grande satisfaction, car j'attachais beaucoup d'importance à avoir avec moi une jeune ménagère qui saurait bien mieux commander le dîner que moi.

Il est certain qu'elle avait représenté tout autre chose pour moi, à Balbec. Mais notre intimité, même quand nous ne la jugeons pas alors assez étroite, avec une femme dont nous sommes épris, crée entre elle et nous, malgré les insuffisances qui nous font souffrir alors, des liens sociaux qui survivent à notre amour et même au souvenir de notre amour. Alors, dans celle qui n'est plus pour nous qu'un moyen et un chemin vers d'autres, nous sommes tout aussi étonnés et amusés d'apprendre de notre mémoire ce que son nom signifia d'original pour l'autre être que nous avons été autrefois, que si, après avoir jeté à un cocher une adresse, boulevard des Capucines ou rue du Bac, en pensant seulement à la personne que nous allons y voir, nous nous avisons que ces noms furent jadis celui des religieuses capucines dont le couvent se trouvait là et celui du bac qui traversait la Seine.

Certes, mes désirs de Balbec avaient si bien mûri le corps d'Albertine, y avaient accumulé des saveurs si fraîches et si douces que, pendant notre course au Bois, tandis que le vent, comme un jardinier soigneux, secouait les arbres, faisait tomber les fruits, balayait les feuilles mortes, je me disais que, s'il y avait eu un risque pour que Saint-Loup se fût trompé, ou que j'eusse mal compris sa lettre et que mon dîner avec Mme de Stermaria ne me conduisît à rien, j'eusse donné rendez-vous pour le même soir très tard à Albertine, afin d'oublier pendant une heure purement voluptueuse, en tenant dans mes bras le corps dont ma curiosité avait jadis supputé, soupesé tous les charmes dont il surabondait maintenant, les émotions et peut-être les tristesses de ce commencement d'amour pour Mme de Stermaria. Et certes, si j'avais pu supposer que Mme de Stermaria ne m'accorderait aucune faveur ce premier soir, je me serais représenté ma soirée avec elle d'une façon assez décevante. Je savais trop bien par expérience comment les deux stades qui se succèdent en nous, dans ces commencements d'amour pour une femme que nous avons désirée sans la connaître, aimant plutôt en elle la vie particulière où elle baigne qu'elle-même presque inconnue encore, — comment ces deux stades se reflètent bizarrement dans le domaine des faits, c'est-à-dire non plus en nous-mêmes, mais dans nos rendez-vous avec elle. Nous avons, sans avoir jamais causé avec elle, hésité, tentés que nous étions par la poésie qu'elle représente pour nous. Sera-ce elle ou telle autre? Et voici que les rêves se fixent autour d'elle, ne font plus qu'un avec elle. Le premier rendez-vous avec elle, qui suivra bientôt, devrait refléter cet amour naissant. Il n'en est rien. Comme s'il était nécessaire que la vie matérielle eût aussi son premier stade, l'aimant déjà, nous lui parlons de la façon la plus insignifiante : « Je vous ai demandé de venir dîner dans cette île parce que j'ai pensé que le cadre vous plairait. Je n'ai du reste rien de spécial à vous dire.

Mais j'ai peur qu'il ne fasse bien humide et que vous n'ayez froid. — Mais non. — Vous le dites par amabilité. Je vous permets, Madame, de lutter encore un quart d'heure contre le froid, pour ne pas vous tourmenter, mais dans un quart d'heure, je vous ramènerai de force. Je ne veux pas vous faire prendre un rhume. » Et sans lui avoir rien dit, nous la ramenons, ne nous rappelant rien d'elle, tout au plus une certaine façon de regarder, mais ne pensant qu'à la revoir. Or, la seconde fois (ne retrouvant même plus le regard, seul souvenir, mais ne pensant plus malgré cela — encore bien davantage — qu'à la revoir) le premier stade est dépassé. Rien n'a eu lieu dans l'intervalle. Et pourtant, au lieu de parler du confort du restaurant, nous disons, sans que cela étonne la personne nouvelle, que nous trouvons laide, mais à qui nous voudrions qu'on parle de nous à toutes les minutes de sa vie : « Nous allons avoir fort à faire pour vaincre tous les obstacles accumulés entre nos cœurs. Pensez-vous que nous y arriverons ? Vous figurez-vous que nous puissions avoir raison de nos ennemis, espérer un heureux avenir ? » Mais ces conversations contrastées, d'abord insignifiantes, puis faisant allusion à l'amour, n'auraient pas lieu, j'en pouvais croire la lettre de Saint-Loup. Mme de Stermaria se donnerait dès le premier soir, je n'aurais donc pas besoin de convoquer Albertine chez moi, comme pis aller, pour la fin de la soirée. C'était inutile, Robert n'exagérait jamais et sa lettre était claire.

Albertine me parlait peu, car elle sentait que j'étais préoccupé. Nous fîmes quelques pas à pied, sous la grotte verdâtre, quasi sous-marine, d'une épaisse futaie sur le dôme de laquelle nous entendions déferler le vent et éclabousser la pluie. J'écrasais par terre des feuilles mortes qui s'enfonçaient dans le sol comme des coquillages et je poussais de ma canne des châtaignes piquantes comme des oursins.

Aux branches les dernières feuilles convulsées ne suivaient le vent que de la longueur de leur attache, mais quelquefois, celle-ci se rompant, elles tombaient à terre et le rattrapaient en courant. Je pensais avec joie combien, si ce temps durait, l'île serait demain plus lointaine encore et en tous cas entièrement déserte. Nous remontâmes en voiture, et comme la bourrasque s'était calmée, Albertine me demanda de poursuivre jusqu'à Saint-Cloud. Ainsi qu'en bas les feuilles mortes, en haut les nuages suivaient le vent. Et des soirs migrateurs, dont une sorte de section conique pratiquée dans le ciel laissait voir la superposition rose, bleue et verte, étaient tout préparés à destination de climats plus beaux. Pour voir de plus près une déesse de marbre qui s'élançait de son socle, et, toute seule dans un grand bois qui semblait lui être consacré, l'emplissait de la terreur mythologique, moitié animale, moitié sacrée, de ses bonds furieux, Albertine monta sur un tertre, tandis que je l'attendais sur le chemin. Elle-même, vue ainsi d'en bas, non plus grosse et rebondie comme l'autre jour sur mon lit où les grains de son cou apparaissaient à la loupe de mes yeux approchés, mais ciselée et fine, semblait une petite statue sur laquelle les minutes heureuses de Balbec avaient passé leur patine. Quand je me retrouvai seul chez moi, me rappelant que j'avais été faire une course l'après-midi avec Albertine, que je dînais le surlendemain chez Mme de Guermantes, et que j'avais à répondre à une lettre de Gilberte, trois femmes que j'avais aimées, je me dis que notre vie sociale est, comme un atelier d'artiste, remplie des ébauches délaissées où nous avions cru un moment pouvoir fixer notre besoin d'un grand amour, mais je ne songeai pas que quelquefois, si l'ébauche n'est pas trop ancienne, il peut arriver que nous la reprenions et que nous en fassions une œuvre toute différente, et peut-être même plus importante que celle que nous avions projetée d'abord.

Le lendemain, il fit froid et beau : on sentait l'hiver (et, de fait, la saison était si avancée que c'était miracle si nous avions pu trouver dans le Bois déjà saccagé quelques dômes d'or vert). En m'éveillant je vis, comme de la fenêtre de la caserne de Doncières, la brume mate, unie et blanche qui pendait gaîment au soleil, consistante et douce comme du sucre filé. Puis le soleil se cacha et elle s'épaissit encore dans l'après-midi. Le jour tomba de bonne heure, je fis ma toilette, mais il était encore trop tôt pour partir ; je décidai d'envoyer une voiture à Mme de Stermaria. Je n'osai pas y monter pour ne pas la forcer à faire la route avec moi, mais je remis au cocher un mot pour elle où je lui demandais si elle permettait que je vinsse la prendre. En attendant, je m'étendis sur mon lit, je fermai les yeux un instant, puis les rouvris. Au-dessus des rideaux, il n'y avait plus qu'un mince liseré de jour qui allait s'obscurcissant. Je reconnaissais cette heure inutile, vestibule profond du plaisir, et dont j'avais appris à Balbec à connaître le vide sombre et délicieux, quand, seul dans ma chambre comme maintenant, pendant que tous les autres étaient à dîner, je voyais sans tristesse le jour mourir au-dessus des rideaux, sachant que, bientôt, après une nuit aussi courte que les nuits du pôle, il allait ressusciter plus éclatant dans le flamboiement de Rivebelle. Je sautai à bas de mon lit, je passai ma cravate noire, je donnai un coup de brosse à mes cheveux, gestes derniers d'une mise en ordre tardive, exécutés à Balbec en pensant non à moi mais aux femmes que je verrais à Rivebelle, tandis que je leur souriais d'avance dans la glace oblique de ma chambre, et restés à cause de cela les signes avant-coureurs d'un divertissement mêlé de lumières et de musique. Comme des signes magiques ils l'évoquaient, bien plus le réalisaient déjà ; grâce à eux j'avais de sa vérité une notion aussi certaine, de son charme enivrant et frivole une jouissance aussi complète que celles que j'avais à Combray, au mois de juillet, quand j'entendais les coups de marteau de l'emballeur et que je ouissais, dans la fraîcheur de ma chambre noire, de la chaleur et du soleil.

Aussi n'était-ce plus tout à fait Mme de Stermaria que j'aurais désiré voir. Forcé maintenant de passer avec elle ma soirée, j'aurais préféré, comme celle-ci était ma dernière avant le retour de mes parents, qu'elle restât libre et que je pusse chercher à revoir des femmes de Rivebelle. Je me relavai une dernière fois les mains, et dans la promenade que le plaisir me faisait faire à travers l'appartement, je me les essuyai dans la salle à manger obscure. Elle me parut ouverte sur l'antichambre éclairée, mais ce que j'avais pris pour la fente illuminée de la porte, qui au contraire était fermée, n'était que le reflet blanc de ma serviette dans une glace posée le long du mur, en attendant qu'on la plaçât pour le retour de maman. Je repensai à tous les mirages que j'avais ainsi découverts dans notre appartement et qui n'étaient pas qu'optiques, car les premiers jours j'avais cru que la voisine avait un chien, à cause du jappement prolongé, presque humain, qu'avait pris un certain tuyau de cuisine chaque fois qu'on ouvrait le robinet. Et la porte du palier ne se refermait d'elle-même très lentement, sur les courants d'air de l'escalier, qu'en exécutant les hachures de phrases voluptueuses et gémissantes qui se superposent au chœur des Pèlerins, vers la fin de l'ouverture de *Tannhäuser*. J'eus du reste, comme je venais de remettre ma serviette en place, l'occasion d'avoir une nouvelle audition de cet éblouissant morceau symphonique, car un coup de sonnette ayant retenti, je courus ouvrir la porte de l'antichambre au cocher qui me rapportait la réponse. Je pensais que ce serait : « Cette dame est en bas », ou « Cette dame vous attend. » Mais il tenait à la main une lettre. J'hésitai un instant à prendre connaissance de ce que Mme de Stermaria avait écrit, qui tant qu'elle avait la plume en main aurait pu être autre, mais qui maintenant était, détaché d'elle, un destin qui poursuivait seul sa route et auquel elle ne pouvait plus rien changer. Je demandai au cocher de redescendre et d'attendre un instant, quoiqu'il maugréât contre la brume. Dès qu'il fut parti, j'ouvris l'enveloppe. Sur la carte : Vicomtesse Alix de Stermaria, mon invitée avait écrit : « Je suis désolée, un contretemps m'empêche de dîner ce soir avec vous à l'île du Bois. Je m'en faisais une fête. Je vous écrirai plus longuement de Stermaria. Regrets. Amitiés. » Je restai immobile, étourdi par le choc que j'avais reçu. A mes pieds étaient tombées la carte et l'enveloppe, comme la bourre d'une arme à feu quand le coup est parti. Je les ramassai, j'analysai cette phrase. « Elle me dit qu'elle ne peut dîner avec moi à l'île du Bois. On pourrait en conclure qu'elle pourrait dîner avec moi ailleurs. Je n'aurai pas l'indiscrétion d'aller la chercher, mais enfin cela pourrait se comprendre ainsi. » Et cette île du Bois, comme depuis quatre jours ma pensée y était installée d'avance avec Mme de Stermaria, je ne pouvais arriver à l'en faire revenir. Mon désir reprenait involontairement la pente qu'il suivait déjà depuis tant d'heures, et malgré cette dépêche, trop récente pour prévaloir contre lui, je me préparais instinctivement encore à partir, comme un élève refusé à un examen voudrait répondre à une question de plus. Je finis par me décider à aller dire à Françoise de descendre payer le cocher. Je traversai le couloir, ne la trouvant pas, je passai par la salle à manger ; tout d'un coup mes pas cessèrent de retentir sur le parquet comme ils avaient fait jusque-là et s'assourdirent en un silence qui, même avant que j'en reconnusse la cause, me donna une sensation d'étouffement et de claustration. C'étaient les tapis que, pour le retour de mes parents, on avait commencé de clouer, ces tapis qui sont si beaux par les heureuses matinées, quand parmi leur désordre le soleil vous attend comme un ami venu pour vous emmener déjeuner à la campagne, et pose sur eux le regard de la forêt, mais qui maintenant, au contraire, étaient le premier aménagement de la prison hivernale d'où, obligé que j'allais être de vivre, de prendre mes repas en famille, je ne pourrais plus librement sortir.

— Que Monsieur prenne garde de tomber, ils ne sont pas encore cloués, me cria Françoise. J'aurais dû allumer. On est déjà à la fin de *sectembre*, les beaux jours sont finis.

Bientôt l'hiver ; au coin de la fenêtre, comme sur un verre de Gallé, une veine de neige durcie ; et, même aux Champs-Élysées, au lieu des jeunes filles qu'on attend, rien que les moineaux tout seuls.

Ce qui ajoutait à mon désespoir de ne pas voir Mme de Stermaria, c'était que sa réponse me faisait supposer que pendant qu'heure par heure, depuis dimanche, je ne vivais que pour ce dîner, elle n'y avait sans doute pas pensé une fois. Plus tard, j'appris un absurde mariage d'amour qu'elle fit avec un jeune homme qu'elle devait déjà voir à ce moment-là et qui lui avait fait sans doute oublier mon invitation. Car si elle se l'était rappelée, elle n'eût pas sans doute attendu la voiture que je ne devais du reste pas, d'après ce qui était convenu, lui envoyer, pour m'avertir qu'elle n'était pas libre. Mes rêves de jeune vierge féodale dans une île brumeuse avaient frayé le chemin à un amour encore inexistant. Maintenant ma déception, ma colère, mon désir désespéré de ressaisir celle qui venait de se refuser, pouvaient, en mettant ma sensibilité de la partie, fixer l'amour possible que jusque-là mon imagination seule m'avait, mais plus mollement, offert.

Combien y en a-t-il dans nos souvenirs, combien plus dans notre oubli, de ces visages de jeunes filles et de jeunes femmes, tous différents, et auxquels nous n'avons ajouté du charme et un furieux désir de les revoir que parce qu'ils s'étaient au dernier moment dérobés! A l'égard de Mme de Stermaria, c'était bien plus et il me suffisait maintenant, pour l'aimer, de la revoir afin que fussent renouvelées ces impressions si vives mais trop brèves et que la mémoire n'aurait pas sans cela la force de maintenir dans l'absence. Les circonstances en décidèrent autrement, je ne la revis pas. Ce ne fut pas elle que j'aimai, mais ç'aurait pu être elle. Et une des choses qui me rendirent peut-être le plus cruel le grand amour que j'allais bientôt avoir, ce fut, en me rappelant cette soirée, de me dire qu'il aurait pu, si de très simples circonstances avaient été modifiées se porter ailleurs, sur Mme de Stermaria ; appliqué à celle qui me l'inspira si peu après, il n'était donc pas — comme j'aurais pourtant eu si envie, si besoin de le croire — absolument nécessaire et prédestiné.

Françoise m'avait laissé seul dans la salle à manger, en me disant que j'avais tort d'y rester avant qu'elle eût allumé le feu. Elle allait faire à dîner, car avant même l'arrivée de mes parents et dès ce soir, ma réclusion commençait. J'avisai un énorme paquet de tapis encore tout enroulés, lequel avait été posé au coin du buffet, et m'y cachant la tête, avalant leur poussière et mes larmes, pareil aux Juifs qui se couvraient la tête de cendres dans le deuil, je me mis à sangloter. Je frissonnais, non pas seulement parce que la pièce était froide, mais parce qu'un notable abaissement thermique (contre le danger et, faut-il le dire, le léger agrément duquel on ne cherche pas à réagir) est causé par certaines larmes qui pleurent de nos yeux, goutte à goutte, comme une pluie fine, pénétrante, glaciale, semblant ne devoir jamais finir. Tout d'un coup j'entendis une voix :

— Peut-on entrer? Françoise m'a dit que tu devais être dans la salle à manger. Je venais voir si tu ne voulais pas que nous allions dîner quelque part ensemble, si cela ne te fait pas mal, car il fait un brouillard à couper au couteau.

C'était, arrivé du matin, quand je le croyais encore au Maroc ou en mer, Robert de Saint-Loup.

J'ai dit (et précisément c'était, à Balbec, Robert de Saint-Loup qui m'avait, bien malgré lui, aidé à en prendre conscience) ce que je pense de l'amitié : à savoir qu'elle est si peu de chose que j'ai peine à comprendre que des hommes de quelque génie, et par exemple un Nietzsche aient eu la naïveté de lui attribuer une certaine valeur intellectuelle et en conséquence de se refuser à des amitiés auxquelles l'estime intellectuelle n'eût pas été liée. Oui, cela m'a toujours été un étonnement de voir qu'un homme qui poussait la sincérité avec lui-même jusqu'à se détacher, par scrupule de conscience, de la musique de Wagner, se soit imaginé que la vérité peut se réaliser dans ce mode d'expression par nature confus et inadéquat que sont, en général, des actions et, en particulier, des amitiés, et qu'il puisse y avoir une signification quelconque dans le fait de quitter son travail pour aller voir un ami et pleurer avec lui en apprenant la fausse nouvelle de l'incendie du Louvre. J'en étais arrivé, à Balbec, à trouver le plaisir de jouer avec des jeunes filles moins funeste à la vie spirituelle, à laquelle du moins il reste étranger, que l'amitié dont tout l'effort est de nous faire sacrifier la partie seule réelle et incommunicable (autrement que par le moyen de l'art) de nous-même, à un moi superficiel, qui ne trouve pas comme l'autre de joie en lui-même, mais trouve un attendrissement confus à se sentir soutenu sur des étais extérieurs, hospitalisé dans une individualité étrangère, où, heureux de la protection qu'on lui donne, il fait rayonner son bien-être en approbation et s'émerveille de qualités qu'il appellerait défaut et chercherait à corriger chez soi-même. D'ailleurs les contempteurs de l'amitié peuvent, sans illusions et non sans remords, être les meilleurs amis du monde, de même qu'un artiste portant en lui un chef-d'œuvre et qui sent que son devoir serait de vivre pour travailler, malgré cela, pour ne pas paraître ou risquer d'être égoïste, donne sa vie pour une cause inutile, et la donne d'autant plus bravement que les raisons pour lesquelles il eût préféré ne pas la donner étaient des raisons désintéressées. Mais quelle que fût mon opinion sur l'amitié, même pour ne parler que du plaisir qu'elle me procurait, d'une qualité si médiocre qu'elle ressemblait à quelque chose d'intermédiaire entre la fatigue et l'ennui, il n'est breuvage si funeste qui ne puisse à certaines heures devenir précieux et réconfortant en nous apportant le coup de fouet qui nous était nécessaire, la chaleur que nous ne pouvons pas trouver en nous-même.

J'étais bien éloigné certes de vouloir demander à Saint-Loup, comme je le désirais il y a une heure, de me faire revoir des femmes de Rivebelle; le sillage que laissait en moi le regret de Mme de Stermaria ne voulait pas être effacé si vite, mais, au moment où je ne sentais plus dans mon cœur aucune raison de bonheur, Saint-Loup entrant, ce fut comme une arrivée de bonté, de gaîté, de vie, qui étaient en dehors de moi sans doute, mais s'offraient à moi, ne demandaient qu'à être à moi. Il ne comprit pas lui-même mon cri de reconnaissance et mes larmes d'attendrissement. Qu'y a-t-il de plus paradoxalement affectueux d'ailleurs qu'un de ces amis, diplomate, explorateur, aviateur, ou militaire comme l'était Saint-Loup, et qui, repartant le lendemain pour la campagne et de là pour Dieu sait où, semblent faire tenir pour eux-mêmes, dans la soirée qu'ils nous consacrent, une impression qu'on s'étonne de pouvoir, tant elle est rare et brève, leur être si douce, et, du moment qu'elle leur plaît tant, de ne pas les voir prolonger davantage ou renouveler plus souvent? Un repas avec nous, chose si naturelle, donne à ces voyageurs le même plaisir étrange et délicieux que nos boulevards à un Asiatique. Nous partîmes ensemble pour aller dîner et tout en descendant l'escalier je me rappelai Doncières, où chaque soir j'allais retrouver Robert au restaurant, et les petites salles à manger oubliées. Je me souvins d'une à laquelle je n'avais jamais repensé et qui n'était pas à l'hôtel où Saint-Loup dînait, mais dans un bien plus modeste, intermédiaire entre l'hôtellerie et la pension de famille, et où on était servi par la patronne et une de ses domestiques. La neige m'avait arrêté là. D'ailleurs Robert ne devait pas ce soir-là dîner à l'hôtel et je n'avais pas voulu aller plus loin. On m'apporta les plats, en haut, dans une petite pièce toute en bois. La lampe s'éteignit pendant le dîner, la servante m'alluma deux bougies. Moi, feignant de ne pas voir très clair en lui tendant mon assiette, pendant qu'elle y mettait des pommes de terre, je pris dans ma main son avant-bras nu comme pour la guider. Voyant qu'elle ne le retirait pas, je le caressai, puis, sans prononcer un mot, l'attirai tout entière à moi, soufflai la bougie et alors lui dis de me fouiller, pour qu'elle eût un peu d'argent. Pendant les jours qui suivirent, le plaisir physique me parut exiger, pour être goûté, non seulement cette servante mais la salle à manger de bois, si isolée. Ce fut pourtant vers celle où dînaient Robert et ses amis que je retournai tous les soirs, par habitude, par amitié, jusqu'à mon départ de Doncières. Et pourtant, même cet hôtel où il prenait pension avec ses amis, je n'y songeais plus depuis longtemps. Nous ne profitons guère de notre vie, nous laissons inachevées dans les crépuscules d'été ou les nuits précoces d'hiver les heures où il nous avait semblé qu'eût pu pourtant être enfermé un peu de paix ou de plaisir. Mais ces heures ne sont pas absolument perdues. Quand chantent à leur tour de nouveaux moments de plaisir qui passeraient de même, aussi grêles et linéaires, elles viennent leur apporter le soubassement, la consistance d'une riche orchestration. Elles s'étendent ainsi jusqu'à un de ces bonheurs types qu'on ne retrouve que de temps à autre mais qui continuent d'être ; dans l'exemple présent, c'était l'abandon de tout le reste pour dîner dans un cadre confortable qui par la vertu des souvenirs enferme dans un tableau de nature des promesses de voyage, avec un ami qui va remuer notre vie dormante de toute son énergie, de toute son affection, nous communiquer un plaisir ému, bien différent de celui que nous pourrions devoir à notre propre effort ou à des distractions mondaines ; nous allons être rien qu'à lui, lui faire des serments d'amitié qui, nés dans les cloisons de cette heure, restant enfermés en elle, ne seraient peut-être pas tenus le lendemain, mais que je pouvais faire sans scrupule à Saint-Loup, puisque, avec un courage où il entrait beaucoup de sagesse et le pressentiment que l'amitié ne se peut approfondir, le lendemain il serait reparti.

Si en descendant l'escalier je revivais les soirs de Doncières, quand nous fûmes arrivés dans la rue, brusquement, la nuit presque complète où le brouillard semblait avoir éteint les réverbères, qu'on ne distinguait, bien faibles, que de tout près, me ramena à je ne sais quelle arrivée, le soir, à Combray, quand la ville n'était encore éclairée que de loin en loin, et qu'on y tâtonnait dans une obscurité humide, tiède et sainte de crèche, à peine étoilée çà et là d'un lumignon qui ne brillait pas plus qu'un cierge. Entre cette année, d'ailleurs incertaine, de Combray, et les soirs à Rivebelle revus tout à l'heure au-dessus des rideaux, quelles différences! J'éprouvais à les percevoir un enthousiasme qui aurait pu être fécond si j'étais resté seul, et m'aurait évité ainsi le détour de bien des années inutiles par lesquelles j'allais encore passer avant que se déclarât la vocation invisible dont cet ouvrage est l'histoire. Si cela fût advenu ce soir-là, cette voiture eût mérité de demeurer plus mémorable pour moi que celle du docteur Percepied sur le siège de laquelle j'avais composé cette petite description — précisément retrouvée il y avait peu de temps, arrangée, et vainement envoyée au *Figaro* — des clochers de Martinville. Est-ce parce que nous ne revivons pas nos années dans leur suite continue, jour par jour, mais dans le souvenir figé dans la fraîcheur ou l'insolation d'une matinée ou d'un soir, recevant l'ombre de tel site isolé, enclos, immobile, arrêté et perdu, loin de tout le reste, et qu'ainsi les changements gradués non seulement au-dehors, mais dans nos rêves et notre caractère évoluant, lesquels nous ont insensiblement conduit dans la vie d'un temps à tel autre très différent, se trouvent supprimés ? Si nous revivons un autre souvenir prélevé sur une année différente, nous trouvons entre eux, grâce à des lacunes, à d'immenses pans d'oubli, comme l'abîme d'une différence d'altitude, comme l'incompatibilité de deux qualités incomparables d'atmosphère respirée et de colorations ambiantes. Mais entre les souvenirs que je venais d'avoir, successivement, de Combray, de Doncières et de Rivebelle, je sentais en ce moment bien plus qu'une distance de temps, la distance qu'il y aurait entre des univers différents où la matière ne serait pas la même. Si j'avais voulu dans un ouvrage imiter celle dans laquelle m'apparaissaient ciselés mes plus insignifiants souvenirs de Rivebelle, il m'eût fallu veiner de rose, rendre tout d'un coup translucide, compacte, fraîchissante et sonore, la substance jusque-là analogue au grès sombre et rude de Combray.

Mais Robert, ayant fini de donner ses explications au cocher, me rejoignit dans la voiture. Les idées qui m'étaient apparues s'enfuirent. Ce sont des déesses qui daignent quelquefois se rendre visibles à un mortel solitaire, au détour d'un chemin, même dans sa chambre pendant qu'il dort, alors que debout dans le cadre de la porte elles lui apportent leur annonciation. Mais dès qu'on est deux, elles disparaissent, les hommes en société ne les aperçoivent jamais. Et je me trouvai rejeté dans l'amitié.

Robert en arrivant m'avait bien averti qu'il faisait beaucoup de brouillard, mais tandis que nous causions il n'avait cessé d'épaissir. Ce n'était plus seulement la brume légère que j'avais souhaité voir s'élever de l'île et nous envelopper, Mme de Stermaria et moi. A deux pas les réverbères s'éteignaient, et alors c'était la nuit aussi profonde qu'en pleins champs, dans une forêt, ou plutôt dans une molle île de Bretagne vers laquelle j'eusse voulu aller ; je me sentis perdu comme sur la côte de quelque mer septentrionale où on risque vingt fois la mort avant d'arriver à l'auberge solitaire ; cessant d'être un mirage qu'on recherche, le brouillard devenait un de ces dangers contre lesquels on lutte, de sorte que nous eûmes, à trouver notre chemin et à arriver à bon port, les difficultés, l'inquiétude et enfin la joie que donne la sécurité — si insensible à celui qui n'est pas menacé de la perdre — au voyageur perplexe et dépaysé. Une seule chose faillit compromettre mon plaisir pendant notre aventureuse randonnée, à cause de l'étonnement irrité où elle me jeta un instant. « Tu sais, j'ai raconté à Bloch, me dit Saint-Loup, que tu ne l'aimais pas du tout tant que ça, que tu lui trouvais des vulgarités. Voilà comme je suis, j'aime les situations tranchées », conclut-il d'un air satisfait et sur un ton qui n'admettait pas de réplique. J'étais stupéfait. Non seulement j'avais la confiance la plus absolue en Saint-Loup, en la loyauté de son amitié, et il l'avait trahie par ce qu'il avait dit à Bloch, mais il me semblait que, de plus, il eût dû être empêché de le faire par ses défauts autant que par ses qualités, par cet extraordinaire acquis d'éducation qui pouvait pousser la politesse jusqu'à un certain manque de franchise. Son air triomphant était-il celui que nous prenons pour dissimuler quelque embarras en avouant une chose que nous savons que nous n'aurions pas dû faire ? traduisait-il de l'inconscience ? de la bêtise érigeant en vertu un défaut que je ne lui connaissais pas ? un accès de mauvaise humeur passagère contre moi le poussant à me quitter, ou l'enregistrement d'un accès de mauvaise humeur passagère vis-à-vis de Bloch à qui il avait voulu dire quelque chose de désagréable même en me compromettant ? Du reste sa figure était stigmatisée, pendant qu'il me disait ces paroles vulgaires, par une affreuse sinuosité que je ne lui ai vue qu'une fois ou deux dans la vie, et qui, suivant d'abord à peu près le milieu de la figure, une fois arrivée aux lèvres les tordait, leur donnait une expression hideuse de bassesse, presque de bestialité toute passagère et sans doute ancestrale. Il devait y avoir dans ces moments-là, qui sans doute ne revenaient qu'une fois tous les deux ans, éclipse partielle de son propre moi, par le passage sur lui de la personnalité d'un aïeul qui s'y reflétait. Tout autant que l'air de satisfaction de Robert, ses paroles « J'aime les situations tranchées » prêtaient au même doute, et auraient dû encourir le même blâme. Je voulais lui dire que si l'on aime les situations tranchées, il faut avoir de ces accès de franchise en ce qui vous concerne et ne point faire de trop facile vertu aux dépens des autres. Mais déjà la voiture s'était arrêtée devant le restaurant dont la vaste façade vitrée et flamboyante arrivait seule à percer l'obscurité. Le brouillard lui-même, par les clartés confortables de l'intérieur, semblait jusque sur le trottoir vous indiquer l'entrée avec la joie de ces valets qui reflètent les dispositions du maître ; il s'irisait des nuances les plus délicates et montrait l'entrée comme la colonne lumineuse qui guida les Hébreux. Il y en avait d'ailleurs beaucoup dans la clientèle. Car c'était dans ce restaurant que Bloch et ses amis étaient venus longtemps, ivres d'un jeûne aussi affamant que le jeûne rituel, lequel du moins n'a lieu qu'une fois par an, de café et de curiosité politique, se retrouver le soir. Toute excitation mentale donnant une valeur qui prime, une qualité supérieure aux habitudes qui s'y rattachent, il n'y a pas de goût un peu vif qui ne compose ainsi autour de lui une société qu'il unit, et où la considération des autres membres est celle que chacun recherche principalement dans la vie. Ici, fût-ce dans une petite ville de province, vous trouverez des passionnés de musique; le meilleur de leur temps, le plus clair de leur argent se passe aux séances de musique de chambre, aux réunions où on cause musique, au café où l'on se retrouve entre amateurs et où on coudoie les musiciens. D'autres, épris d'aviation, tiennent à être bien vus du vieux garçon du bar vitré perché au haut de l'aérodrome ; à l'abri du vent, comme dans la cage en verre d'un phare, il pourra suivre, en compagnie d'un aviateur qui ne vole pas en ce moment, les évolutions d'un pilote exécutant des loopings, tandis qu'un autre, invisible l'instant d'avant, vient atterrir brusquement, s'abattre avec le grand bruit d'ailes de l'oiseau Rock. La petite coterie qui se retrouvait pour tâcher de perpétuer, d'approfondir, les émotions fugitives du procès Zola, attachait de même une grande importance à ce café. Mais elle y était mal vue des jeunes nobles qui formaient l'autre partie de la clientèle et avaient adopté une seconde salle du café, séparée seulement de l'autre par un léger parapet décoré de verdure. Ils considéraient Dreyfus et ses partisans comme des traîtres, bien que, vingt-cinq ans plus tard, les idées ayant eu le temps de se classer et le dreyfusisme de prendre dans l'histoire une certaine élégance, les fils, bolchevisants et valseurs, de ces mêmes jeunes nobles dussent déclarer aux « intellectuels » qui les interrogeaient, que sûrement, s'ils avaient vécu en ce temps-là, ils eussent été pour Dreyfus, sans trop savoir beaucoup plus ce qu'avait été l'Affaire que la comtesse Edmond de Pourtalès ou la marquise de Galliffet, autres splendeurs déjà éteintes au jour de leur naissance. Car, le soir du brouillard, les nobles du café qui devaient être plus tard les pères de ces jeunes intellectuels rétrospectivement dreyfusards étaient encore garçons. Certes, un riche mariage était envisagé par les familles de tous, mais n'était encore réalisé pour aucun. Encore virtuel, il se contentait, ce riche mariage désiré à la fois par plusieurs (il y avait bien plusieurs « riches partis » en vue, mais enfin le nombre des fortes dots était beaucoup moindre que le nombre des aspirants), de mettre entre ces jeunes gens quelque rivalité.

Le malheur pour moi voulut que, Saint-Loup étant resté quelques minutes à s'adresser au cocher afin qu'il revînt nous prendre après avoir dîné, il me fallut entrer seul. Or, pour commencer, une fois engagé dans la porte tournante dont je n'avais pas l'habitude, je crus que je ne pourrais pas arriver à en sortir. (Disons en passant, pour les amateurs d'un vocabulaire plus précis, que cette porte tambour malgré ses apparences pacifiques, s'appelle porte revolver, de l'anglais *revolving door*.) Ce soir-là le patron, n'osant pas se mouiller en allant dehors ni quitter ses clients, restait cependant près de l'entrée pour avoir le plaisir d'entendre les joyeuses doléances des arrivants tout illuminés par la satisfaction de gens qui avaient eu du mal à arriver et la crainte de se perdre. Pourtant la rieuse cordialité de son accueil fut dissipée par la vue d'un inconnu qui ne savait pas se dégager des volants de verre. Cette marque flagrante d'ignorance lui fit froncer le sourcil comme à un examinateur qui a bonne envie de ne pas prononcer le *dignus est intrare*. Pour comble de malchance j'allai m'asseoir dans la salle réservée à l'aristocratie d'où il vint rudement me tirer en m'indiquant, avec une grossièreté à laquelle se conformèrent immédiatement tous les garçons, une place dans l'autre salle. Elle me plut d'autant moins que la banquette où elle se trouvait était déjà pleine de monde et que j'avais en face de moi la porte réservée aux Hébreux qui, non tournante celle-là, s'ouvrant et se fermant à chaque instant m'envoyait un froid horrible. Mais le patron m'en refusa une autre en me disant : « Non, Monsieur, je ne peux pas gêner tout le monde pour vous. » Il oublia d'ailleurs bientôt le dîneur tardif et gênant, captivé qu'il était par l'arrivée de chaque nouveau venu, qui, avant de demander son bock, son aile de poulet froid ou son grog (l'heure du dîner était depuis longtemps passée), devait, comme dans les vieux romans, payer son écot en disant son aventure au moment où il pénétrait dans cet asile de chaleur et de sécurité où le contraste avec ce à quoi on avait échappé faisait régner la gaîté et la camaraderie qui plaisantent de concert devant le feu d'un bivouac.

L'un racontait que sa voiture, se croyant arrivée au pont de la Concorde, avait fait trois fois le tour des Invalides ; un autre que la sienne, essayant de descendre l'avenue des Champs-Élysées, était entrée dans un massif du Rond-Point, d'où elle avait mis trois quarts d'heure à sortir. Puis suivaient des lamentations sur le brouillard, sur le froid, sur le silence de mort des rues, qui étaient dites et écoutées de l'air exceptionnellement joyeux qu'expliquaient la douce atmosphère de la salle où excepté à ma place il faisait chaud, la vive lumière qui faisait cligner les yeux déjà habitués à ne pas voir et le bruit des causeries qui rendait aux oreilles leur activité.

Les arrivants avaient peine à garder le silence. La singularité des péripéties, qu'ils croyaient unique, leur brûlait la langue, et ils cherchaient des yeux quelqu'un avec qui engager la conversation. Le patron lui-même perdait le sentiment des distances : « M. le prince de Foix s'est perdu trois fois en venant de la porte Saint-Martin », ne craignit-il pas de dire en riant, non sans désigner, comme dans une présentation, le célèbre aristocrate à un avocat israélite qui, tout autre jour, eût été séparé de lui par une barrière bien plus difficile à franchir que la baie ornée de verdures. « Trois fois! voyez-vous ça », dit l'avocat en touchant son chapeau. Le prince ne goûta pas la phrase de rapprochement. Il faisait partie d'un groupe aristocratique pour qui l'exercice de l'impertinence, même à l'égard de la noblesse quand elle n'était pas de tout premier rang, semblait être la seule occupation. Ne pas répondre à un salut ; si l'homme poli récidivait, ricaner d'un air narquois ou rejeter la tête en arrière d'un air furieux ; faire semblant de ne pas reconnaître un homme âgé qui leur avait rendu service ; réserver leur poignée de main et leur salut aux ducs et aux amis tout à fait intimes des ducs que ceux-ci leur présentaient : telle était l'attitude de ces jeunes gens et en particulier du prince de Foix. Une telle attitude était favorisée par le désordre de la prime jeunesse (où, même dans la bourgeoisie, on paraît ingrat et on se montre mufle parce qu'ayant oublié pendant des mois d'écrire à un bienfaiteur qui vient de perdre sa femme, ensuite on ne le salue plus pour simplifier), mais elle était surtout inspirée par un snobisme de caste suraigu. Il est vrai que, à l'instar de certaines affections nerveuses dont les manifestations s'atténuent dans l'âge mûr, ce snobisme devait généralement cesser de se traduire d'une façon aussi hostile chez ceux qui avaient été de si insupportables jeunes gens. La jeunesse une fois passée, il est rare qu'on reste confiné dans l'insolence. On avait cru qu'elle seule existait, on découvre tout d'un coup, si prince qu'on soit, qu'il y a aussi la musique, la littérature, voire la députation. L'ordre des valeurs humaines s'en trouve modifié, et on entre en conversation avec les gens qu'on foudroyait du regard autrefois. Bonne chance à ceux de ces gens-là qui ont eu la patience d'attendre et de qui le caractère est assez bien fait — si l'on doit ainsi dire — pour qu'ils éprouvent du plaisir à recevoir vers la quarantaine la bonne grâce et l'accueil qu'on leur avait sèchement refusés à vingt ans!

A propos du prince de Foix il convient de dire, puisque l'occasion s'en présente, qu'il appartenait à une coterie de douze à quinze jeunes gens et à un groupe plus restreint de quatre. La coterie de douze à quinze avait cette caractéristique, à laquelle échappait, je crois, le prince, que ces jeunes gens présentaient chacun un double aspect. Pourris de dettes, ils semblaient des rien-du-tout aux yeux de leurs fournisseurs, malgré tout le plaisir que ceux-ci avaient à leur dire : « Monsieur le comte, Monsieur le marquis, Monsieur le duc... » Ils espéraient se tirer d'affaire au moyen du fameux « riche mariage », dit encore « gros sac », et comme les grosses dots qu'ils convoitaient n'étaient qu'au nombre de quatre ou cinq, plusieurs dressaient sourdement leurs batteries pour la même fiancée. Et le secret était si bien gardé que, quand l'un d'eux venant au café disait : « Mes excellents bons, je vous aime trop pour ne pas vous annoncer mes fiançailles avec Mlle d'Ambresac », plusieurs exclamations retentissaient, nombre d'entre eux, croyant déjà la chose faite pour eux-mêmes avec elle, n'ayant pas le sang-froid nécessaire pour étouffer au premier moment le cri de leur rage et de leur stupéfaction : « Alors ça te fait plaisir de te marier, Bibi ? » ne pouvait s'empêcher de s'exclamer le prince de Châtellerault, qui laissait tomber sa fourchette d'étonnement et de désespoir, car il avait cru que les mêmes fiançailles de Mlle d'Ambresac allaient bientôt être rendues publiques, mais avec lui, Châtellerault. Et pourtant Dieu sait tout ce que son père avait adroitement conté aux Ambresac contre la mère de Bibi. « Alors ça t'amuse de te marier ? » ne pouvait-il s'empêcher de demander une seconde fois à Bibi, lequel mieux préparé puisqu'il avait eu tout le temps de choisir son attitude depuis que c'était « presque officiel », répondait en souriant : « Je suis content non pas de me marier, ce dont je n'avais guère envie, mais d'épouser Daisy d'Ambresac que je trouve délicieuse. » Le temps qu'avait duré cette réponse, M. de Châtellerault s'était ressaisi, mais il songeait qu'il fallait au plus vite faire volte-face en direction de Mlle de la Canourque ou de miss Foster, les grands partis n°2 et n 3°, demander patience aux créanciers qui attendaient le mariage Ambresac, et enfin expliquer aux gens auxquels il avait dit aussi que Mlle d'Ambresac était charmante, que ce mariage était bon pour Bibi, mais que lui se serait brouillé avec toute sa famille s'il l'avait épousée. Mme de Soléon avait été, allait-il prétendre, jusqu'à dire qu'elle ne les recevrait pas.

Mais si, aux yeux des fournisseurs, patrons de restaurants, etc., ils semblaient des gens de peu, en revanche, êtres doubles, dès qu'ils se trouvaient dans le monde, ils n'étaient plus jugés d'après le délabrement de leur fortune et les tristes métiers auxquels ils se livraient pour essayer de le réparer. Ils redevenaient M. le prince, M. le duc un tel, et n'étaient comptés que d'après leurs quartiers. Un duc presque milliardaire et qui semblait tout réunir en soi, passait après eux parce que, chefs de famille, ils étaient anciennement princes souverains d'un petit pays où ils avaient le droit de battre monnaie, etc. Souvent, dans ce café, l'un baissait les yeux quand un autre entrait, de façon à ne pas forcer l'arrivant à le saluer. C'est qu'il avait, dans sa poursuite imaginative de la richesse, invité à dîner un banquier. Chaque fois qu'un homme du monde entre, dans ces conditions, en rapports avec un banquier, celui-ci lui fait perdre une centaine de mille francs, ce qui n'empêche pas l'homme du monde de recommencer avec un autre. On continue de brûler des cierges et de consulter des médecins.

Mais le prince de Foix, riche lui-même, appartenait non seulement à cette coterie élégante d'une quinzaine de jeunes gens, mais à un groupe, plus fermé et inséparable, de quatre, dont faisait partie Saint-Loup. On ne les invitait jamais l'un sans l'autre, on les appelait les quatre gigolos, on les voyait toujours ensemble à la promenade, dans les châteaux on leur donnait des chambres communicantes, de sorte que, d'autant plus qu'ils étaient tous très beaux, des bruits couraient sur leur intimité. Je pus les démentir de la façon la plus formelle en ce qui concernait Saint-Loup. Mais ce qui est curieux, c'est que plus tard, si l'on apprit que ces bruits étaient vrais pour tous les quatre, en revanche chacun d'eux l'avait entièrement ignoré des trois autres. Et pourtant chacun d'eux avait bien cherché à s'instruire sur les autres, soit pour assouvir un désir, ou plutôt une rancune, empêcher un mariage, avoir barre sur l'ami découvert. Un cinquième (car dans les groupes de quatre on est toujours plus de quatre) s'était joint aux quatre platoniciens, qui l'était plus que tous les autres. Mais des scrupules religieux le retinrent jusque bien après que le groupe des quatre fut désuni et lui-même marié, père de famille, implorant à Lourdes que le prochain enfant fût un garçon ou une fille, et dans l'intervalle se jetant sur les militaires.

Malgré la manière d'être du prince, le fait que le propos était tenu devant lui sans lui être directement adressé, rendit sa colère moins forte qu'elle n'eût été sans cela. De plus, cette soirée avait quelque chose d'exceptionnel. Enfin l'avocat n'avait pas plus de chance d'entrer en relations avec le prince de Foix que le cocher qui avait conduit ce noble seigneur. Aussi ce dernier crut-il pouvoir répondre, d'un air rogue toutefois et à la cantonade, à cet interlocuteur qui, à la faveur du brouillard, était comme un compagnon de voyage rencontré dans quelque plage située aux confins du monde, battue des vents ou ensevelie dans les brumes : « Ce n'est pas tout de se perdre, mais c'est qu'on ne se retrouve pas. » La justesse de cette pensée frappa le patron parce qu'il l'avait déjà entendu exprimer plusieurs fois ce soir.

En effet, il avait l'habitude de comparer toujours ce qu'il entendait ou lisait à un certain texte déjà connu et sentait s'éveiller son admiration s'il ne voyait pas de différences. Cet état d'esprit n'est pas négligeable car, appliqué aux conversations politiques, à la lecture des journaux, il forme l'opinion publique, et par là rend possibles les plus grands événements.

Beaucoup de patrons de cafés allemands admirant seulement leur consommateur ou leur journal, quand ils disaient que la France, l'Angleterre et la Russie « cherchaient » l'Allemagne, ont rendu possible, au moment d'Agadir, une guerre qui d'ailleurs n'a pas éclaté. Les historiens, s'ils n'ont pas eu tort de renoncer à expliquer les actes des peuples par la volonté des rois, doivent la remplacer par la psychologie de l'individu, de l'individu médiocre.

En politique, le patron du café où je venais d'arriver n'appliquait depuis quelque temps sa mentalité de professeur de récitation qu'à un certain nombre de morceaux sur l'affaire Dreyfus. S'il ne retrouvait pas les termes connus dans les propos d'un client ou les colonnes d'un journal, il déclarait l'article assommant, ou le client pas franc. Le prince de Foix l'émerveilla au contraire au point qu'il laissa à peine à son interlocuteur le temps de finir sa phrase. « Bien dit, mon prince, bien dit (ce qui voulait dire, en somme, récité sans faute), c'est ça, c'est ça », s'écria-t-il, « dilaté », comme s'expriment les *Mille et une Nuits*, « à la limite de la satisfaction ». Mais le prince avait déjà disparu dans la petite salle. Puis, comme la vie reprend même après les événements les plus singuliers, ceux qui sortaient de la mer de brouillard commandaient les uns leur consommation, les autres leur souper ; et parmi ceux-ci, des jeunes gens du Jockey qui, à cause du caractère anormal du jour, n'hésitèrent pas à s'installer à deux tables dans la grande salle, et se trouvèrent ainsi fort près de moi. Tel le cataclysme avait établi, même de la petite salle à la grande, entre tous ces gens stimulés par le confort du restaurant, après leurs longues erreurs dans l'océan de brume, une familiarité dont j'étais seul exclu, et à laquelle devait ressembler celle qui régnait dans l'arche de Noé.

Tout à coup, je vis le patron s'infléchir en courbettes, les maîtres d'hôtel accourir au grand complet, ce qui fit tourner les yeux à tous les clients. « Vite, appelez-moi Cyprien, une table pour M. le marquis de Saint-Loup », s'écriait le patron, pour qui Robert n'était pas seulement un grand seigneur jouissant d'un véritable prestige, même aux yeux du prince de Foix, mais un client qui menait la vie à grandes guides et dépensait dans ce restaurant beaucoup d'argent. Les clients de la grande salle regardaient avec curiosité, ceux de la petite hélaient à qui mieux mieux leur ami qui finissait de s'essuyer les pieds. Mais au moment où il allait pénétrer dans la petite salle, il m'aperçut dans la grande. « Bon Dieu, cria-t-il, qu'est-ce que tu fais là, et avec la porte ouverte devant toi », dit-il, non sans jeter un regard furieux au patron qui courut la fermer en s'excusant sur les garçons : « Je leur dis toujours de la tenir fermée. »

J'avais été obligé de déranger ma table et d'autres qui étaient devant la mienne, pour aller à lui. « Pourquoi as-tu bougé ? Tu aimes mieux dîner là que dans la petite salle ? Mais, mon pauvre petit, tu vas geler. Vous allez me faire le plaisir de condamner cette porte, dit-il au patron. — A l'instant même, Monsieur le marquis, les clients qui viendront à partir de maintenant passeront par la petite salle, voilà tout. » Et pour mieux montrer son zèle, il commanda pour cette opération un maître d'hôtel et plusieurs garçons, tout en faisant sonner très haut de terribles menaces si elle n'était pas menée à bien. Il me donnait des marques de respect excessives pour que j'oubliasse qu'elles n'avaient pas commencé dès mon arrivée, mais seulement après celle de Saint-Loup, et, pour que je ne crusse pas cependant qu'elles étaient dues à l'amitié que me montrait son riche et aristocratique client, il m'adressait à la dérobée de petits sourires où semblait se déclarer une sympathie toute personnelle.

Derrière moi le propos d'un consommateur le fit tourner une seconde la tête. J'avais entendu au lieu des mots : « Aile de poulet, très bien, un peu de champagne, mais pas trop sec », ceux-ci : « J'aimerais mieux de la glycérine. Oui, chaude, très bien. » J'avais voulu voir quel était l'ascète qui s'infligeait un tel menu. Je retournai vivement la tête vers Saint-Loup pour ne pas être reconnu de l'étrange gourmet. C'était tout simplement un docteur, que je connaissais, à qui un client, profitant du brouillard pour le chambrer dans ce café, demandait une consultation. Les médecins comme les boursiers disent « je ».

Cependant je regardais Robert et je songeais à ceci. Il y avait dans ce café, j'avais connu dans la vie, bien des étrangers, intellectuels, rapins de toute sorte, résignés au rire qu'excitaient leur cape prétentieuse, leurs cravates 1830 et bien plus encore leurs mouvements maladroits, allant jusqu'à le provoquer pour montrer qu'ils ne s'en souciaient pas, et qui étaient des gens d'une réelle valeur intellectuelle et morale, d'une profonde sensibilité. Ils déplaisaient — les Juifs principalement, les Juifs non assimilés bien entendu, il ne saurait être question des autres — aux personnes qui ne peuvent souffrir un aspect étrange, loufoque (comme Bloch à Albertine). Généralement on reconnaissait ensuite que, s'ils avaient contre eux d'avoir les cheveux trop longs, le nez et les yeux trop grands, des gestes théâtraux et saccadés, il était puéril de les juger là-dessus, qu'ils avaient beaucoup d'esprit, de cœur et étaient, à l'user, des gens qu'on pouvait profondément aimer. Pour les Juifs en particulier, il en était peu dont les parents n'eussent une générosité de cœur, une largeur d'esprit, une sincérité, à côté desquelles la mère de Saint-Loup et le duc de Guermantes ne fissent piètre figure morale par leur sécheresse, leur religiosité superficielle qui ne flétrissait que les scandales, et leur apologie d'un christianisme aboutissant infailliblement (par les voies imprévues de l'intelligence uniquement prisée) à un colossal mariage d'argent. Mais enfin chez Saint-Loup, de quelque façon que les défauts des parents se fussent combinés en une création nouvelle de qualités, régnait la plus charmante ouverture d'esprit et de cœur. Et alors, il faut bien le dire à la gloire immortelle de la France, quand ces qualités-là se trouvent chez un pur Français, qu'il soit de l'aristocratie ou du peuple, elles fleurissent — s'épanouissent serait trop dire, car la mesure y persiste et la restriction — avec une grâce que l'étranger, si estimable soit-il, ne nous offre pas. Les qualités intellectuelles et morales, certes les autres les possèdent aussi, et s'il faut d'abord traverser ce qui déplaît et ce qui choque et ce qui fait sourire, elles ne sont pas moins précieuses. Mais c'est tout de même une jolie chose et qui est peut-être exclusivement française, que ce qui est beau au jugement de l'équité, ce qui vaut selon l'esprit et le cœur, soit d'abord charmant aux yeux, coloré avec grâce, ciselé avec justesse, réalise aussi dans sa matière et dans sa forme la perfection intérieure. Je regardais Saint-Loup, et je me disais que c'est une jolie chose quand il n'y a pas de disgrâce physique pour servir de vestibule aux grâces intérieures, et que les ailes du nez sont délicates et d'un dessin parfait comme celles des petits papillons qui se posent sur les fleurs des prairies, autour de Combray ; et que le véritable *opus francigenum*, dont le secret n'a pas été perdu depuis le XIIIe siècle, et qui ne périrait pas avec nos églises, ce ne sont pas tant les anges de pierre de Saint-André-des-Champs que les petits Français, nobles, bourgeois ou paysans, au visage sculpté avec cette délicatesse et cette franchise restées aussi traditionnelles qu'au porche fameux mais encore créatrices.

Après être parti un instant pour veiller lui-même à la fermeture de la porte et à la commande du dîner (il insista beaucoup pour que nous prissions de la « viande de boucherie », les volailles n'étant sans doute pas fameuses), le patron revint nous dire que M. le prince de Foix aurait bien voulu que M. le marquis lui permît de venir dîner à une table près de lui. « Mais elles sont toutes prises, répondit Robert en voyant les tables qui bloquaient la mienne. — Pour cela, cela ne fait rien : si ça pouvait être agréable à M. le marquis, il me serait bien facile de prier ces personnes de changer de place. Ce sont des choses qu'on peut faire pour M. le marquis! — Mais c'est à toi de décider, me dit Saint-Loup, Foix est un bon garçon, je ne sais pas s'il t'ennuiera, il est moins bête que beaucoup. » Je répondis à Robert qu'il me plairait certainement, mais que pour une fois où je dînais avec lui et où je m'en sentais si heureux, j'aurais autant aimé que nous fussions seuls. « Ah! il a un manteau bien joli, M. le prince », dit le patron pendant notre délibération. « Oui, je le connais », répondit Saint-Loup. Je voulais raconter à Robert que M. de Charlus avait dissimulé à sa belle-sœur qu'il me connût et lui demander quelle pouvait en être la raison, mais j'en fus empêché par l'arrivée de M. de Foix. Venant pour voir si sa requête était accueillie, nous l'aperçûmes qui se tenait à deux pas. Robert nous présenta, mais ne cacha pas à son ami qu'ayant à causer avec moi, il préférait qu'on nous laissât tranquilles. Le prince s'éloigna en ajoutant au salut d'adieu qu'il me fit, un sourire qui montrait Saint-Loup et semblait s'excuser sur la volonté de celui-ci de la brièveté d'une présentation qu'il eût souhaitée plus longue. Mais à ce moment Robert, semblant frappé d'une idée subite, s'éloigna avec son camarade, après m'avoir dit : « Assieds-toi toujours et commence à dîner, j'arrive », et il disparut dans la petite salle. Je fus peiné d'entendre les jeunes gens chic que je ne connaissais pas, raconter les histoires les plus ridicules et les plus malveillantes sur le jeune grand-duc héritier de Luxembourg (ex-comte de Nassau) que j'avais connu à Balbec et qui m'avait donné des preuves si délicates de sympathie pendant la maladie de ma grand'mère. L'un prétendait qu'il avait dit à la duchesse de Guermantes : « J'exige que tout le monde se lève quand ma femme passe » et que la duchesse avait répondu (ce qui eût été non seulement dénué d'esprit mais d'exactitude, la grand'mère de la jeune princesse ayant toujours été la plus honnête femme du monde) : « Il faut qu'on se lève quand passe ta femme, cela changera de sa grand'mère car pour elle les hommes se couchaient. » Puis on raconta qu'étant allé voir cette année sa tante la princesse de Luxembourg, à Balbec, et étant descendu au Grand Hôtel, il s'était plaint au directeur (mon ami) qu'il n'eût pas hissé le fanion de Luxembourg au-dessus de la digue. Or, ce fanion étant moins connu et de moins d'usage que les drapeaux d'Angleterre ou d'Italie, il avait fallu plusieurs jours pour se le procurer, au vif mécontentement du jeune grand-duc. Je ne crus pas un mot de cette histoire, mais me promis, dès que j'irais à Balbec, d'interroger le directeur de l'hôtel de façon à m'assurer qu'elle était une invention pure. En attendant Saint-Loup, je demandai au patron du restaurant de me faire donner du pain. « Tout de suite, Monsieur le baron. — Je ne suis pas baron, lui répondis-je avec un air de tristesse pour rire. — Oh! pardon, Monsieur le comte! » Je n'eus pas le temps de faire entendre une seconde protestation, après laquelle je fusse sûrement devenu « Monsieur le marquis » ; aussi vite qu'il l'avait annoncé, Saint-Loup réapparut dans l'entrée tenant à la main le grand manteau de vigogne du prince à qui je compris qu'il l'avait demandé pour me tenir chaud. Il me fit signe de loin de ne pas me déranger, il avança, il aurait fallu qu'on bougeât encore ma table ou que je changeasse de place pour qu'il pût s'asseoir. Dès qu'il entra dans la grande salle, il monta légèrement sur les banquettes de velours rouge qui en faisaient le tour en longeant le mur et où en dehors de moi n'étaient assis que trois ou quatre jeunes gens du Jockey, connaissances à lui qui n'avaient pu trouver place dans la petite salle. Entre les tables, des fils électriques étaient tendus à une certaine hauteur ; sans s'y embarrasser Saint-Loup les sauta adroitement comme un cheval de course un obstacle ; confus qu'elle s'exerçât uniquement pour moi et dans le but de m'éviter un mouvement bien simple, j'étais en même temps émerveillé de cette sûreté avec laquelle mon ami accomplissait cet exercice de voltige ; et je n'étais pas le seul ; car encore qu'ils l'eussent sans doute médiocrement goûté de la part d'un moins aristocratique et moins généreux client, la patron et les garçons restaient fascinés, comme des connaisseurs au pesage ; un commis, comme paralysé, restait immobile avec un plat que des dîneurs attendaient à côté ; et quand Saint-Loup, ayant à passer derrière ses amis, grimpa sur le rebord du dossier et s'y avança en équilibre, des applaudissements discrets éclatèrent dans le fond de la salle. Enfin arrivé à ma hauteur, il arrêta net son élan avec la précision d'un chef devant la tribune d'un souverain, et s'inclinant, me tendit avec un air de courtoisie et de soumission le manteau de vigogne, qu'aussitôt après, s'étant assis à côté de moi, sans que j'eusse eu un mouvement à faire, il arrangea, en châle léger et chaud, sur mes épaules.

— Dis-moi pendant que j'y pense, me dit Robert, mon oncle Charlus a quelque chose à te dire. Je lui ai promis que je t'enverrais chez lui demain soir.

— Justement j'allais te parler de lui. Mais demain soir je dîne chez ta tante Guermantes.

— Oui, il y a un gueuleton à tout casser, demain, chez Oriane. Je ne suis pas convié. Mais mon oncle Palamède voudrait que tu n'y ailles pas. Tu ne peux pas te décommander ? En tous cas, va chez mon oncle Palamède après. Je crois qu'il tient à te voir. Voyons, tu peux bien y être vers onze heures. Onze heures, n'oublie pas, je me charge de le prévenir. Il est très susceptible. Si tu n'y vas pas, il t'en voudra. Et cela finit toujours de bonne heure chez Oriane. Si tu ne fais qu'y dîner, tu peux très bien être à onze heures chez mon oncle. Du reste, moi, il aurait fallu que je visse Oriane, pour mon poste au Maroc que je voudrais changer. Elle est si gentille pour ces choses-là et elle peut tout sur le général de Saint-Joseph de qui ça dépend. Mais ne lui en parle pas. J'ai dit un mot à la princesse de Parme, ça marchera tout seul. Ah! le Maroc, très intéressant. Il y aurait beaucoup à te parler. Hommes très fins là-bas On sent la parité d'intelligence.

— Tu ne crois pas que les Allemands puissent aller jusqu'à la guerre à propos de cela ?

— Non, cela les ennuie, et au fond c'est très juste. Mais l'empereur est pacifique. Ils nous font toujours croire qu'ils veulent la guerre pour nous forcer à céder. Cf. Poker. Le prince de Monaco, agent de Guillaume II, vient nous dire en confidence que l'Allemagne se jette sur nous si nous ne cédons pas. Alors nous cédons. Mais si nous ne cédions pas, il n'y aurait aucune espèce de guerre. Tu n'as qu'à penser à quelle chose cosmique serait une guerre aujourd'hui. Ce serait plus catastrophique que le *Déluge* et le *Götterdämmerung*. Seulement cela durerait moins longtemps.

Il me parla d'amitié, de prédilection, de regret, bien que, comme tous les voyageurs de sa sorte, il allât repartir le lendemain pour quelques mois qu'il devait passer à la campagne et dût revenir seulement quarante-huit heures à Paris avant de retourner au Maroc (ou ailleurs) ; mais les mots qu'il jeta ainsi dans la chaleur de cœur que j'avais ce soir-là y allumaient une douce rêverie. Nos rares tête-à-tête, et celui-là surtout, ont fait depuis époque dans ma mémoire. Pour lui, comme pour moi, ce fut le soir de l'amitié. Pourtant celle que je ressentais en ce moment (et à cause de cela non sans quelque remords) n'était guère, je le craignais, celle qu'il lui eût plu d'inspirer. Tout rempli encore du plaisir que j'avais eu à le voir s'avancer au petit galop et toucher gracieusement au but, je sentais que ce plaisir tenait à ce que chacun des mouvements développés le long du mur, sur la banquette, avait sa signification, sa cause, dans la nature individuelle de Saint-Loup peut-être, mais plus encore dans celle que par la naissance et par l'éducation il avait héritée de sa race.

Une certitude du goût dans l'ordre non du beau mais des manières, et qui en présence d'une circonstance nouvelle faisait saisir tout de suite à l'homme élégant — comme à un musicien à qui on demande de jouer un morceau inconnu — le sentiment, le mouvement qu'elle réclame et y adapter le mécanisme, la technique qui conviennent le mieux, puis permettait à ce goût de s'exercer sans la contrainte d'aucune autre considération dont tant de jeunes bourgeois eussent été paralysés, aussi bien par peur d'être ridicules aux yeux des autres en manquant aux convenances que de paraître trop empressés à ceux de leur ami, et que remplaçait chez Robert un dédain que certes il n'avait jamais éprouvé dans son cœur, mais qu'il avait reçu par héritage en son corps, et qui avait plié les façons de ses ancêtres à une familiarité qu'ils croyaient ne pouvoir que flatter et ravir celui à qui elle s'adressait ; enfin une noble libéralité qui, ne tenant aucun compte de tant d'avantages matériels (des dépenses à profusion dans ce restaurant avaient achevé de faire de lui, ici comme ailleurs, le client le plus à la mode et le grand favori, situation que soulignait l'empressement envers lui non pas seulement de la domesticité mais de toute la jeunesse la plus brillante), les lui faisait fouler aux pieds, comme ces banquettes de pourpre effectivement et symboliquement trépignées, pareilles à un chemin somptueux qui ne plaisait à mon ami qu'en lui permettant de venir vers moi avec plus de grâce et de rapidité ; telles étaient les qualités, toutes essentielles à l'aristocratie, qui, derrière ce corps non pas opaque et obscur comme eût été le mien, mais significatif et limpide, transparaissaient, comme à travers une œuvre d'art la puissance industrieuse, efficiente qui l'a créée, et rendaient les mouvements de cette course légère que Robert avait déroulée le long du mur, aussi intelligibles et charmants que ceux de cavaliers sculptés sur une frise. « Hélas, eût pensé Robert, est-ce la peine que j'aie passé ma jeunesse à mépriser la naissance, à honorer seulement la justice et l'esprit, à choisir, en dehors des amis qui m'étaient imposés, des compagnons gauches et mal vêtus s'ils avaient de l'éloquence, pour que le seul être qui apparaisse en moi, dont on garde un précieux souvenir, soit non celui que ma volonté, en s'efforçant et en méritant, a modelé à ma ressemblance, mais un être qui n'est pas mon œuvre, qui n'est même pas moi, que j'ai toujours méprisé et cherché à vaincre ; est-ce la peine que j'aie aimé mon ami préféré comme je l'ai fait, pour que le plus grand plaisir qu'il trouve en moi soit celui d'y découvrir quelque chose de bien plus général que moi-même, un plaisir qui n'est pas du tout, comme il le dit et comme il ne peut sincèrement le croire, un plaisir d'amitié, mais un plaisir intellectuel et désintéressé, une sorte de plaisir d'art ? » Voilà ce que je crains aujourd'hui que Saint-Loup ait quelquefois pensé. Il s'est trompé, dans ce cas. S'il n'avait pas, comme il avait fait, aimé quelque chose de plus élevé que la souplesse innée de son corps, s'il n'avait pas été si longtemps détaché de l'orgueil nobiliaire, il y eût eu plus d'application et de lourdeur dans son agilité même, une vulgarité importante dans ses manières. Comme à Mme de Villeparisis il avait fallu beaucoup de sérieux pour qu'elle donnât dans sa conversation et dans ses Mémoires le sentiment de la frivolité, lequel est intellectuel, de même, pour que le corps de Saint-Loup fût habité par tant d'aristocratie, il fallait que celle-ci eût déserté sa pensée, tendue vers de plus hauts objets, et, résorbée dans son corps, s'y fût fixée en lignes inconscientes et nobles. Par là sa distinction d'esprit n'était pas absente d'une distinction physique qui, la première faisant défaut, n'eût pas été complète. Un artiste n'a pas besoin d'exprimer directement sa pensée dans son ouvrage pour que celui-ci en reflète la qualité ; on a même pu dire que la louange la plus haute de Dieu est dans la négation de l'athée qui trouve la Création assez parfaite pour se passer d'un créateur. Et je savais bien aussi que ce n'était pas qu'une œuvre d'art que j'admirais en ce jeune cavalier déroulant le long du mur la frise de sa course ; le jeune prince (descendant de Catherine de Foix, reine de Navarre et petite-fille de Charles VII) qu'il venait de quitter à mon profit, la situation de naissance et de fortune qu'il inclinait devant moi, les ancêtres dédaigneux et souples qui survivaient dans l'assurance, l'agilité et la courtoisie avec lesquelles il venait de disposer autour de mon corps frileux le manteau de vigogne, tout cela n'était-ce pas comme des amis plus anciens que moi dans sa vie, par lesquels j'eusse cru que nous dussions toujours être séparés, et qu'il me sacrifiait au contraire par un choix que l'on ne peut faire que dans les hauteurs de l'intelligence, avec cette liberté souveraine dont les mouvements de Robert étaient l'image et dans laquelle se réalise la parfaite amitié ?

Ce que la familiarité d'un Guermantes — au lieu de la distinction qu'elle avait chez Robert, parce que le dédain héréditaire n'y était que le vêtement, devenu grâce inconsciente, d'une réelle humilité morale — eût décelé de morgue vulgaire, j'avais pu en prendre conscience, non en M. de Charlus chez lequel des défauts de caractère que jusqu'ici je comprenais mal s'étaient superposés aux habitudes aristocratiques, mais chez le duc de Guermantes. Lui aussi pourtant, dans l'ensemble commun qui avait tant déplu à ma grand'mère quand autrefois elle l'avait rencontré chez Mme de Villeparisis, offrait des parties de grandeur ancienne, et qui me furent sensibles quand j'allai dîner chez lui, le lendemain de la soirée que j'avais passée avec Saint-Loup.

Elles ne m'étaient apparues ni chez lui ni chez la duchesse, quand je les avais vus d'abord chez leur tante, pas plus que je n'avais vu le premier jour les différences qui séparaient la Berma de ses camarades, encore que chez celle-ci les particularités fussent infiniment plus saisissantes que chez des gens du monde puisqu'elles deviennent plus marquées au fur et à mesure que les objets sont plus réels, plus concevables à l'intelligence. Mais enfin, si légères que soient les nuances sociales (et au point que lorsqu'un peintre véridique comme Sainte-Beuve veut marquer successivement les nuances qu'il y eut entre le salon de Mme Geoffrin, de Mme Récamier et de Mme de Boigne, ils apparaissent tous si semblables que la principale vérité qui, à l'insu de l'auteur, ressort de ses études, c'est le néant de la vie de salon), pourtant, en vertu de la même raison que pour la Berma, quand les Guermantes me furent devenus indifférents et que la gouttelette de leur originalité ne fut plus vaporisée par mon imagination, je pus la recueillir, tout impondérable qu'elle fût.

La duchesse ne m'ayant pas parlé de son mari, à la soirée de sa tante, je me demandais si, avec les bruits de divorce qui couraient, il assisterait au dîner. Mais je fus bien vite fixé, car parmi les valets de pied qui se tenaient debout dans l'antichambre et qui (puisqu'ils avaient dû jusqu'ici me considérer à peu près comme les enfants de l'ébéniste, c'est-à-dire peut-être avec plus de sympathie que leur maître, mais comme incapable d'être reçu chez lui) devaient chercher la cause de cette révolution, je vis se glisser M. de Guermantes qui guettait mon arrivée pour me recevoir sur le seuil et m'ôter lui-même mon pardessus.

— Mme de Guermantes va être tout ce qu'il y a de plus heureuse, me dit-il d'un ton habilement persuasif. Permettez-moi de vous débarrasser de vos frusques (il trouvait à la fois bon enfant et comique de parler le langage du peuple). Ma femme craignait un peu une défection de votre part, bien que vous eussiez donné votre jour. Depuis ce matin nous nous disions l'un à l'autre : « Vous verrez qu'il ne viendra pas. » Je dois dire que Mme de Guermantes a vu plus juste que moi. Vous d'êtes pas un homme commode à avoir et j'étais persuadé que vous nous feriez faux bond.

Et le duc était si mauvais mari, si brutal même, disait-on, qu'on lui savait gré, comme on sait gré de leur douceur aux méchants, de ces mots « Mme de Guermantes » avec lesquels il avait l'air d'étendre sur la duchesse une aile protectrice pour qu'elle ne fasse qu'un avec lui. Cependant, me saisissant familièrement par la main, il se mit en devoir de me guider et de m'introduire dans les salons. Telle expression courante peut plaire dans la bouche d'un paysan si elle montre la survivance d'une tradition locale, la trace d'un événement historique, peut-être ignorés de celui qui y fait allusion ; de même, cette politesse de M. de Guermantes, et qu'il allait me témoigner pendant toute la soirée, me charma comme un reste d'habitudes plusieurs fois séculaires, d'habitudes en particulier du XVIIe siècle. Les gens des temps passés nous semblent infiniment loin de nous. Nous n'osons pas leur supposer d'intentions profondes au-delà de ce qu'ils expriment formellement ; nous sommes étonnés quand nous rencontrons un sentiment à peu près pareil à ceux que nous éprouvons chez un héros d'Homère ou une habile feinte tactique chez Hannibal pendant la bataille de Cannes où il laissa enfoncer son flanc pour envelopper son adversaire par surprise ; on dirait que nous nous imaginions ce poète épique et ce général aussi éloignés de nous qu'un animal vu dans un jardin zoologique. Même chez tels personnages de la cour de Louis XIV, quand nous trouvons des marques de courtoisie dans des lettres écrites par eux à quelque homme de rang inférieur et qui ne peut leur être utile à rien, elles nous laissent surpris parce qu'elles nous révèlent tout à coup chez ces grands seigneurs tout un monde de croyances qu'ils n'expriment jamais directement mais qui les gouvernent, et en particulier la croyance qu'il faut par politesse feindre certains sentiments et exercer avec le plus grand scrupule certaines fonctions d'amabilité.

Cet éloignement imaginaire du passé est peut-être une des raisons qui permettent de comprendre que même de grands écrivains aient trouvé une beauté géniale aux œuvres de médiocres mystificateurs comme Ossian. Nous sommes si étonnés que des bardes lointains puissent avoir des idées modernes, que nous nous émerveillons si, dans ce que nous croyons un vieux chant gaélique, nous en rencontrons une que nous n'eussions trouvée qu'ingénieuse chez un contemporain. Un traducteur de talent n'a qu'à ajouter à un ancien qu'il restitue plus ou moins fidèlement, des morceaux qui, signés d'un nom contemporain et publiés à part, paraîtraient seulement agréables : aussitôt il donne une émouvante grandeur à son poète, lequel joue ainsi sur le clavier de plusieurs siècles. Ce traducteur n'était capable que d'un livre médiocre, si ce livre eût été publié comme un original de lui. Donné pour une traduction, il semble celle d'un chef-d'œuvre. Le passé n'est pas fugace, il reste sur place. Ce n'est pas seulement des mois après le commencement d'une guerre que des lois votées sans hâte peuvent agir efficacement sur elle, ce n'est pas seulement quinze ans après un crime resté obscur qu'un magistrat peut encore trouver les éléments qui serviront à l'éclaircir ; après des siècles et des siècles, le savant qui étudie dans une région lointaine la toponymie, les coutumes des habitants, pourra saisir encore en elles telle légende bien antérieure au christianisme, déjà incomprise, sinon même oubliée, au temps d'Hérodote et qui, dans l'appellation donnée à une roche, dans un rite religieux, demeure au milieu du présent comme une émanation plus dense, immémoriale et stable. Il y en avait une aussi, bien moins antique, émanation de la vie de cour, sinon dans les manières souvent vulgaires de M. de Guermantes, du moins dans l'esprit qui les dirigeait. Je devais la goûter encore, comme une odeur ancienne, quand je le retrouvai un peu plus tard au salon. Car je n'y étais pas allé tout de suite.

En quittant le vestibule, j'avais dit à M. de Guermantes que j'avais un grand désir de voir ses Elstir. « Je suis à vos ordres, M. Elstir est-il donc de vos amis ? Je suis fort marri de n'avoir pas su qu'il vous intéressait à ce point. Car je le connais un peu, c'est un homme aimable, ce que nos pères appelaient l'honnête homme, j'aurais pu lui demander de me faire la grâce de venir, et le prier à dîner. Il aurait certainement été très flatté de passer la soirée en votre compagnie. » Fort peu ancien régime quand il s'efforçait ainsi de l'être, le duc le redevenait ensuite sans le vouloir. M'ayant demandé si je désirais qu'il me montrât ces tableaux, il me conduisit, s'effaçant gracieusement devant chaque porte, s'excusant quand, pour me montrer le chemin, il était obligé de passer devant, petite scène qui (depuis le temps où Saint-Simon raconte qu'un ancêtre des Guermantes lui fit les honneurs de son hôtel avec les mêmes scrupules dans l'accomplissement des devoirs frivoles du gentilhomme) avait dû, avant de glisser jusqu'à nous, être jouée par bien d'autres Guermantes pour bien d'autres visiteurs. Et comme j'avais dit au duc que je serais bien aise d'être seul un moment devant les tableaux, il s'était retiré discrètement en me disant que je n'aurais qu'à venir le retrouver au salon.

Seulement une fois en tête à tête avec les Elstir, j'oubliai tout à fait l'heure du dîner ; de nouveau comme à Balbec j'avais devant moi les fragments de ce monde aux couleurs inconnues qui n'était que la projection de la manière de voir particulière à ce grand peintre et que ne traduisaient nullement ses paroles. Les parties du mur couvertes de peintures de lui, toutes homogènes les unes aux autres, étaient comme les images lumineuses d'une lanterne magique laquelle eût été, dans le cas présent, la tête de l'artiste et dont on n'eût pu soupçonner l'étrangeté tant qu'on n'aurait fait que connaître l'homme, c'est-à-dire tant qu'on n'eût fait que voir la lanterne coiffant la lampe, avant qu'aucun verre coloré eût encore été placé. Parmi ces tableaux, quelques-uns de ceux qui semblaient les plus ridicules aux gens du monde m'intéressaient plus que les autres en ce qu'ils recréaient ces illusions d'optique qui nous prouvent que nous n'identifierions pas les objets si nous ne faisions pas intervenir le raisonnement. Que de fois en voiture ne découvrons-nous pas une longue rue claire qui commence à quelques mètres de nous, alors que nous n'avons devant nous qu'un pan de mur violemment éclairé qui nous a donné le mirage de la profondeur! Dès lors n'est-il pas logique, non par artifice de symbolisme mais par retour sincère à la racine même de l'impression, de représenter une chose par cette autre que dans l'éclair d'une illusion première nous avons prise pour elle? Les surfaces et les volumes sont en réalité indépendants des noms d'objets que notre mémoire leur impose quand nous les avons reconnus. Elstir tâchait d'arracher à ce qu'il venait de sentir ce qu'il savait ; son effort avait souvent été de dissoudre cet agrégat de raisonnements que nous appelons vision.

Les gens qui détestaient ces « horreurs » s'étonnaient qu'Elstir admirât Chardin, Perroneau, tant de peintres qu'eux, les gens du monde, aimaient. Ils ne se rendaient pas compte qu'Elstir avait pour son compte refait devant le réel (avec l'indice particulier de son goût pour certaines recherches) le même effort qu'un Chardin ou un Perroneau, et qu'en conséquence, quand il cessait de travailler pour lui-même, il admirait en eux des tentatives du même genre, des sortes de fragments anticipés d'œuvres de lui. Mais les gens du monde n'ajoutaient pas par la pensée à l'œuvre d'Elstir cette perspective du Temps qui leur permettait d'aimer ou tout au moins de regarder sans gêne la peinture de Chardin. Pourtant les plus vieux auraient pu se dire qu'au cours de leur vie ils avaient vu, au fur et à mesure que les années les en éloignaient, la distance infranchissable entre ce qu'ils jugeaient un chef-d'œuvre d'Ingres et ce qu'ils croyaient devoir rester à jamais une horreur (par exemple l'*Olympia* de Manet) diminuer jusqu'à ce que les deux toiles eussent l'air jumelles. Mais on ne profite d'aucune leçon parce qu'on ne sait pas descendre jusqu'au général et qu'on se figure toujours se trouver en présence d'une expérience qui n'a pas de précédents dans le passé.

Je fus ému de retrouver dans deux tableaux (plus réalistes, ceux-là, et d'une manière antérieure) un même monsieur, une fois en frac dans son salon, une autre fois en veston et en chapeau haut de forme dans une fête populaire au bord de l'eau où il n'avait évidemment que faire, et qui prouvait que pour Elstir il n'était pas seulement un modèle habituel, mais un ami, peut-être un protecteur, qu'il aimait, comme autrefois Carpaccio tels seigneurs notoires — et parfaitement ressemblants — de Venise, à faire figurer dans ses peintures ; de même encore que Beethoven trouvait du plaisir à inscrire en tête d'une œuvre préférée le nom chéri de l'archiduc Rodolphe. Cette fête au bord de l'eau avait quelque chose d'enchanteur. La rivière, les robes des femmes, les voiles des barques, les reflets innombrables des unes et des autres voisinaient parmi ce carré de peinture qu'Elstir avait découpé dans une merveilleuse après-midi. Ce qui ravissait dans la robe d'une femme cessant un moment de danser à cause de la chaleur et de l'essoufflement, était chatoyant aussi, et de la même manière, dans la toile d'une voile arrêtée, dans l'eau du petit port, dans le ponton de bois, dans les feuillages et dans le ciel. Comme, dans un des tableaux que j'avais vus à Balbec, l'hôpital, aussi beau sous son ciel de lapis que la cathédrale elle-même, semblait, plus hardi qu'Elstir théoricien, qu'Elstir homme de goût et amoureux du Moyen Age, chanter : « Il n'y a pas de gothique, il n'y a pas de chef-d'œuvre, l'hôpital sans style vaut le glorieux portail », de même j'entendais : « La dame un peu vulgaire qu'un dilettante en promenade éviterait de regarder, excepterait du tableau poétique que la nature compose devant lui, cette femme est belle aussi, sa robe reçoit la même lumière que la voile du bateau, il n'y a pas de choses plus ou moins précieuses, la robe commune et la voile en elle-même jolie sont deux miroirs du même reflet. Tout le prix est dans les regards du peintre. » Or celui-ci avait su immortellement arrêter le mouvement des heures à cet instant lumineux où la dame avait eu chaud et avait cessé de danser, où l'arbre était cerné d'un pourtour d'ombre, où les voiles semblaient glisser sur un vernis d'or. Mais justement parce que l'instant pesait sur nous avec tant de force, cette toile si fixée donnait l'impression la plus fugitive, on sentait que la dame allait bientôt s'en retourner, les bateaux disparaître, l'ombre changer de place, la nuit venir, que le plaisir finit, que la vie passe et que les instants, montrés à la fois par tant de lumières qui y voisinent ensemble, ne se retrouvent pas. Je reconnaissais encore un aspect, tout autre il est vrai, de ce qu'est l'Instant, dans quelques aquarelles à sujets mythologiques, datant des débuts d'Elstir et dont était aussi orné ce salon. Les gens du monde « avancés » allaient « jusqu'à » cette manière-là, mais pas plus loin. Ce n'était certes pas ce qu'Elstir avait fait de mieux, mais déjà la sincérité avec laquelle le sujet avait été pensé ôtait à sa froideur. C'est ainsi, que, par exemple, les Muses étaient représentées comme le seraient des êtres appartenant à une espèce fossile mais qu'il n'eût pas été rare, aux temps mythologiques, de voir passer le soir, par deux ou par trois, le long de quelque sentier montagneux. Quelquefois un poète, d'une race ayant aussi une individualité particulière pour un zoologiste (caractérisée par une certaine insexualité), se promenait avec une Muse, comme, dans la nature, des créatures d'espèces différentes mais amies et qui vont de compagnie. Dans une de ces aquarelles, on voyait un poète épuisé d'une longue course en montagne, qu'un Centaure, qu'il a rencontré, touché de sa fatigue, prend sur son dos et ramène. Dans plus d'une autre, l'immense paysage (où la scène mythique, les héros fabuleux tiennent une place minuscule et sont comme perdus) est rendu, des sommets à la mer, avec une exactitude qui donne plus que l'heure, jusqu'à la minute qu'il est, grâce au degré précis du déclin du soleil, à la fidélité fugitive des ombres. Par là l'artiste donne, en l'instantanéisant, une sorte de réalité historique vécue au symbole de la fable, le peint et le relate au passé défini.

Pendant que je regardais les peintures d'Elstir, les coups de sonnette des invités qui arrivaient avaient tinté, ininterrompus, et m'avaient bercé doucement. Mais le silence qui leur succéda et qui durait déjà depuis très longtemps finit — moins rapidement il est vrai — par m'éveiller de ma rêverie, comme celui qui succède à la musique de Lindor tire Bartholo de son sommeil. J'eus peur qu'on m'eût oublié, qu'on fût à table et j'allai rapidement vers le salon. A la porte du cabinet des Elstir je trouvai un domestique qui attendait, vieux ou poudré, je ne sais, l'air d'un ministre espagnol, mais me témoignant du même respect qu'il eût mis aux pieds d'un roi. Je sentis à son air qu'il m'eût attendu une heure encore, et je pensai avec effroi au retard que j'avais apporté au dîner, alors surtout que j'avais promis d'être à onze heures chez M. de Charlus.

Le ministre espagnol (non sans que je rencontrasse, en route, le valet de pied persécuté par le concierge, et qui, rayonnant de bonheur quand je lui demandai des nouvelles de sa fiancée, me dit que justement demain était le jour de sortie d'elle et de lui, qu'il pourrait passer toute la journée avec elle, et célébra la bonté de Madame la duchesse) me conduisit au salon où je craignais de trouver M. de Guermantes de mauvaise humeur. Il m'accueillit, au contraire, avec une joie évidemment en partie factice et dictée par la politesse, mais par ailleurs sincère, inspirée et par son estomac qu'un tel retard avait affamé, et par la conscience d'une impatience pareille chez tous ses invités lesquels remplissaient complètement le salon. Je sus, en effet, plus tard, qu'on m'avait attendu près de trois quarts d'heure. Le duc de Guermantes pensa sans doute que prolonger le supplice général de deux minutes ne l'aggraverait pas, et que la politesse l'ayant poussé à reculer si longtemps le moment de se mettre à table, cette politesse serait plus complète si, en ne faisant pas servir immédiatement, il réussissait à me persuader que je n'étais pas en retard et qu'on n'avait pas attendu pour moi. Aussi me demanda-t-il, comme si nous avions une heure avant le dîner et si certains invités n'étaient pas encore là, comment je trouvais les Elstir. Mais en même temps et sans laisser apercevoir ses tiraillements d'estomac, pour ne pas perdre une seconde de plus, de concert avec la duchesse il procédait aux présentations. Alors seulement je m'aperçus que venait de se produire autour de moi, de moi qui jusqu'à ce jour — sauf le stage dans le salon de Mme Swann — avais été habitué chez ma mère, à Combray et à Paris, aux façons ou protectrices ou sur la défensive de bourgeoisies rechignées qui me traitaient en enfant, un changement de décor comparable à celui qui introduit tout à coup Parsifal au milieu des filles fleurs. Celles qui m'entouraient, entièrement décolletées (leur chair apparaissait des deux côtés d'une sinueuse branche de mimosa ou sous les larges pétales d'une rose), ne me dirent bonjour qu'en coulant vers moi de longs regards caressants comme si la timidité seule les eût empêchées de m'embrasser. Beaucoup n'en étaient pas moins fort honnêtes au point de vue des mœurs ; beaucoup, non toutes, car les plus vertueuses n'avaient pas pour celles qui étaient légères cette répulsion qu'eût éprouvée ma mère. Les caprices de la conduite, niés par de saintes amies, malgré l'évidence, semblaient, dans le monde des Guermantes, importer beaucoup moins que les relations qu'on avait su conserver. On feignait d'ignorer que le corps d'une maîtresse de maison était marié par qui voulait, pourvu que le « salon » fût demeuré intact.

Comme le duc se gênait fort peu avec ses invités (de qui et à qui il n'avait plus dès longtemps rien à apprendre), mais beaucoup avec moi dont le genre de supériorité, lui étant inconnu, lui causait un peu le même genre de respect qu'aux grands seigneurs de la cour de Louis XIV les ministres bourgeois, il considérait évidemment que le fait de ne pas connaître ses convives n'avait aucune importance, sinon pour eux, du moins pour moi, et, tandis que je me préoccupais, à cause de lui, de l'effet que je ferais sur eux, il se souciait seulement de celui qu'ils feraient sur moi.

Tout d'abord, d'ailleurs, se produisit un double petit imbroglio. Au moment même, en effet, où j'étais entré dans le salon, M. de Guermantes, sans même me laisser le temps de dire bonjour à la duchesse, m'avait mené, comme pour faire une bonne surprise à cette personne à laquelle il semblait dire : « Voici votre ami : vous voyez, je vous l'amène par la peau du cou », vers une dame assez petite. Or, bien avant que, poussé par le duc, je fusse arrivé devant elle, cette dame n'avait cessé de m'adresser avec ses larges et doux yeux noirs les mille sourires entendus que nous adressons à une vieille connaissance qui peut-être ne nous reconnaît pas. Comme c'était justement mon cas et que je ne parvenais pas à me rappeler qui elle était, je détournais la tête tout en m'avançant de façon à ne pas avoir à répondre jusqu'à ce que la présentation m'eût tiré d'embarras. Pendant ce temps, la dame continuait à tenir en équilibre instable son sourire destiné à moi. Elle avait l'air d'être pressée de s'en débarrasser et que je dise enfin : « Ah! Madame, je crois bien! Comme maman sera heureuse que nous nous soyons retrouvés! » J'étais aussi impatient de savoir son nom qu'elle d'avoir vu que je la saluais enfin en pleine connaissance de cause et que son sourire indéfiniment prolongé comme un *sol* dièse pouvait enfin cesser. Mais M. de Guermantes s'y prit si mal, au moins à mon avis, qu'il me sembla qu'il n'avait nommé que moi et que j'ignorais toujours qui était la pseudo-inconnue, laquelle n'eut pas le bon esprit de se nommer, tant les raisons de notre intimité, obscures pour moi, lui paraissaient claires. En effet, dès que je fus auprès d'elle, elle ne me tendit pas sa main, mais prit familièrement la mienne et me parla sur le même ton que si j'eusse été aussi au courant qu'elle des bons souvenirs à quoi elle se reportait mentalement. Elle me dit combien Albert, que je compris être son fils, allait regretter de n'avoir pu venir. Je cherchai parmi mes anciens camarades lequel s'appelait Albert, je ne trouvai que Bloch, mais ce ne pouvait être Mme Bloch mère que j'avais devant moi, puisque celle-ci était morte depuis de longues années. Je m'efforçais vainement à deviner ce passé commun à elle et à moi auquel elle se reportait en pensée. Mais je ne l'apercevais pas mieux à travers le jais translucide des larges et douces prunelles qui ne laissaient passer que le sourire, qu'on ne distingue un paysage situé derrière une vitre noire même enflammée de soleil. Elle me demanda si mon père ne se fatiguait pas trop, si je ne voudrais pas un jour aller au théâtre avec Albert, si j'étais moins souffrant, et comme mes réponses, titubant dans l'obscurité mentale où je me trouvais, ne devinrent distinctes que pour dire que je n'étais pas bien ce soir, elle avança elle-même une chaise pour moi en faisant mille frais auxquels ne m'avaient jamais habitué les autres amis de mes parents. Enfin le mot de l'énigme me fut donné par le duc : « Elle vous trouve charmant », murmura-t-il à mon oreille, laquelle fut frappée comme si ces mots ne lui étaient pas inconnus. C'étaient ceux que Mme de Villeparisis nous avait dits, à ma grand'mère et à moi, quand nous avions fait la connaissance de la princesse de Luxembourg. Alors je compris tout, la dame présente n'avait rien de commun avec Mme de Luxembourg, mais au langage de celui qui me la servait, je discernai l'espèce de la bête. C'était une Altesse. Elle ne connaissait nullement ma famille ni moi-même, mais issue de la race la plus noble et possédant la plus grande fortune du monde (car, fille du prince de Parme, elle avait épousé un cousin également princier), elle désirait, dans sa gratitude au Créateur, témoigner au prochain, de si pauvre ou de si humble extraction fût-il, qu'elle ne le méprisait pas. A vrai dire, les sourires auraient pu me le faire deviner, j'avais vu la princesse de Luxembourg acheter des petits pains de seigle sur la plage pour en donner à ma grand'mère, comme à une biche du Jardin d'Acclimatation. Mais ce n'était encore que la seconde princesse du sang à qui j'étais présenté, et j'étais excusable de ne pas avoir dégagé les traits généraux de l'amabilité des grands. D'ailleurs eux-mêmes n'avaient-ils pas pris la peine de m'avertir de ne pas trop compter sur cette amabilité, puisque la duchesse de Guermantes, qui m'avait fait tant de bonjours avec la main à l'Opéra-Comique, avait eu l'air furieux que je la saluasse dans la rue, comme les gens qui, ayant une fois donné un louis à quelqu'un, pensent qu'avec celui-là ils sont en règle pour toujours. Quant à M. de Charlus, ses hauts et ses bas étaient encore plus contrastés. Enfin j'ai connu, on le verra, des altesses et des majestés d'une autre sorte, reines qui jouent à la reine, et parlent non selon les habitudes de leurs congénères, mais comme les reines dans Sardou.

Si M. de Guermantes avait mis tant de hâte à me présenter, c'est que le fait qu'il y ait dans une réunion quelqu'un d'inconnu à une Altesse royale, est intolérable et ne peut se prolonger une seconde. C'était cette même hâte que Saint-Loup avait mise à se faire présenter à ma grand'mère. D'ailleurs, par un reste hérité de la vie des cours qui s'appelle la politesse mondaine et qui n'est pas superficiel, mais où, par un retournement du dehors au dedans, c'est la superficie qui devient essentielle et profonde, le duc et la duchesse de Guermantes considéraient comme un devoir plus essentiel que ceux, assez souvent négligés, au moins par l'un d'eux, de la charité, de la chasteté, de la pitié et de la justice, celui, plus inflexible, de ne guère parler à la princesse de Parme qu'à la troisième personne.

A défaut d'être encore jamais de ma vie allé à Parme (ce que je désirais depuis de lointaines vacances de Pâques), en connaître la princesse, qui, je le savais, possédait le plus beau palais de cette cité unique où tout d'ailleurs devait être homogène, isolée qu'elle était du reste du monde, entre les parois polies, dans l'atmosphère, étouffante comme un soir d'été sans air sur une place de petite ville italienne, de son nom compact et trop doux, cela aurait dû substituer tout d'un coup à ce que je tâchais de me figurer, ce qui existait réellement à Parme, en une sorte d'arrivée fragmentaire et sans avoir bougé ; c'était, dans l'algèbre du voyage à la ville de Giorgione, comme une première équation à cette inconnue. Mais si j'avais depuis des années — comme un parfumeur à un bloc uni de matière grasse — fait absorber à ce nom de princesse de Parme le parfum de milliers de violettes, en revanche, dès que je vis la princesse, que j'aurais été jusque-là convaincu être au moins la Sanseverina, une seconde opération commença, laquelle ne fut, à vrai dire, parachevée que quelques mois plus tard, et qui consista, à l'aide de nouvelles malaxations chimiques, à expulser toute huile essentielle de violettes et tout parfum stendhalien du nom de la princesse et à y incorporer à la place l'image d'une petite femme noire, occupée d'œuvres, d'une amabilité tellement humble qu'on comprenait tout de suite dans quel orgueil altier cette amabilité prenait son origine. Du reste, pareille, à quelques différences près, aux autres grandes dames, elle était aussi peu stendhalienne que, par exemple, à Paris, dans le quartier de l'Europe, la rue de Parme, qui ressemble beaucoup moins au nom de Parme qu'à toutes les rues avoisinantes, et fait moins penser à la Chartreuse où meurt Fabrice qu'à la salle des pas perdus de la gare Saint-Lazare.

Son amabilité tenait à deux causes. L'une, générale, était l'éducation que cette fille de souverains avait reçue. Sa mère (non seulement alliée à toutes les familles royales de l'Europe, mais encore — contraste avec la maison ducale de Parme — plus riche qu'aucune princesse régnante) lui avait, dès son âge le plus tendre, inculqué les préceptes orgueilleusement humbles d'un snobisme évangélique ; et maintenant chaque trait du visage de la fille, la courbe de ses épaules, les mouvements de ses bras semblaient répéter : « Rappelle-toi que si Dieu t'a fait naître sur les marches d'un trône, tu ne dois pas en profiter pour mépriser ceux à qui la divine Providence a voulu (qu'elle en soit louée !) que tu fusses supérieure par la naissance et par les richesses. Au contraire, sois bonne pour les petits. Tes aïeux étaient princes de Clèves et de Juliers dès 647 ; Dieu a voulu dans sa bonté que tu possédasses presque toutes les actions du canal de Suez et trois fois autant de Royal Dutch qu'Edmond de Rothschild ; ta filiation en ligne directe est établie par les généalogistes depuis l'an 63 de l'ère chrétienne ; tu as pour belles-sœurs deux impératrices. Aussi n'aie jamais l'air en parlant de te rappeler de si grands privilèges, non qu'ils soient précaires (car on ne peut rien changer à l'ancienneté de la race et on aura toujours besoin de pétrole), mais il est inutile d'enseigner que tu es mieux née que quiconque et que tes placements sont de premier ordre, puisque tout le monde le sait. Sois secourable aux malheureux. Fournis à tous ceux que la bonté céleste t'a fait la grâce de placer au-dessous de toi ce que tu peux leur donner sans déchoir de ton rang, c'est-à-dire des secours en argent, même des soins d'infirmière, mais bien entendu jamais d'invitations à tes soirées, ce qui ne leur ferait aucun bien, mais, en diminuant ton prestige, ôterait de son efficacité à ton action bienfaisante. »

Aussi, même dans les moments où elle ne pouvait

pas faire de bien, la princesse cherchait à montrer, ou plutôt à faire croire par tous les signes extérieurs du langage muet, qu'elle ne se croyait pas supérieure aux personnes au milieu de qui elle se trouvait. Elle avait avec chacun cette charmante politesse qu'ont avec les inférieurs les gens bien élevés et à tout moment, pour se rendre utile, poussait sa chaise dans le but de laisser plus de place, tenait mes gants, m'offrait tous ces services, indignes des fières bourgeoises, et que rendent bien volontiers les souveraines ou, instinctivement et par pli professionnel, les anciens domestiques.

L'autre raison de l'amabilité que me montra la princesse de Parme était plus particulière, mais nullement dictée par une mystérieuse sympathie pour moi. Mais cette seconde raison, je n'eus pas le loisir de l'approfondir à ce moment-là. Déjà, en effet, le duc, qui semblait pressé d'achever les présentations, m'avait entraîné vers une autre des filles fleurs. En entendant son nom je lui dis que j'avais passé devant son château, non loin de Balbec. « Oh! comme j'aurais été heureuse de vous le montrer », dit-elle presque à voix basse comme pour se montrer plus modeste, mais d'un ton senti, tout pénétré du regret de l'occasion manquée d'un plaisir tout spécial, et elle ajouta avec un regard insinuant : « J'espère que tout n'est pas perdu. Et je dois dire que ce qui vous aurait intéressé davantage c'eût été le château de ma tante Brancas ; il a été construit par Mansard ; c'est la perle de la province. » Ce n'était pas seulement elle qui eût été contente de montrer son château, mais sa tante Brancas qui n'eût pas été moins ravie de me faire les honneurs du sien, à ce que m'assura cette dame qui pensait évidemment que, surtout dans un temps où la terre tend à passer aux mains de financiers qui ne savent pas vivre, il importe que les grands maintiennent les hautes traditions de l'hospitalité seigneuriale, par des paroles qui n'engagent à rien. C'était aussi parce qu'elle cherchait, comme toutes les personnes de son milieu, à dire les choses qui pouvaient faire le plus de plaisir à l'interlocuteur, à lui donner la plus haute idée de lui-même, à ce qu'il crût qu'il flattait ceux à qui il écrivait, qu'il honorait ses hôtes, qu'on brûlait de le connaître. Vouloir donner aux autres cette idée agréable d'eux-mêmes existe à vrai dire quelquefois même dans la bourgeoisie. On y rencontre cette disposition bienveillante, à titre de qualité individuelle compensatrice d'un défaut, non pas, hélas, chez les amis les plus sûrs, mais du moins chez les plus agréables compagnes. Elle fleurit en tous cas tout isolément. Dans une partie importante de l'aristocratie, au contraire, ce trait de caractère a cessé d'être individuel; cultivé par l'éducation, entretenu par l'idée d'une grandeur propre qui ne peut craindre de s'humilier, qui ne connaît pas de rivales, sait que par l'aménité elle peut faire des heureux et se complaît à en faire, il est devenu le caractère générique d'une classe. Et même ceux que des défauts personnels trop opposés empêchent de le garder dans leur cœur, en portent la trace inconsciente dans leur vocabulaire ou leur gesticulation.

— C'est une très bonne femme, me dit M. de Guermantes de la princesse de Parme, et qui sait être « grande dame » comme personne.

Pendant que j'étais présenté aux femmes, il y avait un monsieur qui donnait de nombreux signes d'agitation : c'était le comte Hannibal de Bréauté-Consalvi. Arrivé tard, il n'avait pas eu le temps de s'informer des convives et quand j'étais entré au salon, voyant en moi un invité qui ne faisait pas partie de la société de la duchesse et devait par conséquent avoir des titres tout à fait extraordinaires pour y pénétrer, il installa son monocle sous l'arcade cintrée de ses sourcils, pensant que celui-ci l'aiderait, beaucoup plus qu'à me voir, à discerner quelle espèce d'homme j'étais. Il savait que Mme de Guermantes avait, apanage précieux des femmes vraiment supérieures, ce qu'on appelle un « salon », c'est-à-dire ajoutait parfois aux gens de son monde quelque notabilité que venait de mettre en vue la découverte d'un remède ou la production d'un chef-d'œuvre. Le faubourg Saint-Germain restait encore sous l'impression d'avoir appris qu'à la réception pour le roi et la reine d'Angleterre, la duchesse n'avait pas craint de convier M. Detaille. Les femmes d'esprit du Faubourg se consolaient malaisément de n'avoir pas été invitées tant elles eussent été délicieusement intéressées d'approcher ce génie étrange. Mme de Courvoisier prétendait qu'il y avait aussi M. Ribot, mais c'était une invention destinée à faire croire qu'Oriane cherchait à faire nommer son mari ambassadeur. Enfin, pour comble de scandale, M. de Guermantes, avec une galanterie digne du maréchal de Saxe, s'était présenté au foyer de la Comédie-Française et avait prié Mlle Reichenberg de venir réciter des vers devant le roi, ce qui avait eu lieu et constituait un fait sans précédent dans les annales des raouts. Au souvenir de tant d'imprévu, qu'il approuvait d'ailleurs pleinement, étant lui-même autant qu'un ornement et, de la même façon que la duchesse de Guermantes, mais dans le sexe masculin, une consécration pour un salon, M. de Bréauté, se demandant qui je pouvais bien être, sentait un champ très vaste ouvert à ses investigations. Un instant le nom de M. Widor passa devant son esprit ; mais il jugea que j'étais bien jeune pour être organiste, et M. Widor, trop peu marquant pour être « reçu ». Il lui parut plus vraisemblable de voir tout simplement en moi le nouvel attaché de la légation de Suède duquel on lui avait parlé ; et il se préparait à me demander des nouvelles du roi Oscar par qui il avait été à plusieurs reprises fort bien accueilli ; mais quand le duc, pour me présenter, eut dit mon nom à M. de Bréauté, celui-ci, voyant que ce nom lui était absolument inconnu, ne douta plus dès lors que, me trouvant là, je ne fusse quelque célébrité. Oriane décidément n'en faisait pas d'autres, et savait l'art d'attirer les hommes en vue dans son salon, au pourcentage de un pour cent bien entendu, sans quoi elle l'eût déclassé. M. de Bréauté commença donc à se pourlécher les babines et à renifler de ses narines friandes, mis en appétit non seulement par le bon dîner qu'il était sûr de faire, mais par le caractère de la réunion que ma présence ne pouvait manquer de rendre intéressante et qui lui fournirait un sujet de conversation piquant le lendemain au déjeuner du duc de Chartres. Il n'était pas encore fixé sur le point de savoir si c'était moi dont on venait d'expérimenter le sérum contre le cancer ou de mettre en répétition le prochain lever de rideau au Théâtre-Français, mais, grand intellectuel, grand amateur de « récits de voyages », il ne cessait pas de multiplier devant moi les révérences, les signes d'intelligence, les sourires filtrés par son monocle ; soit dans l'idée fausse qu'un homme de valeur l'estimerait davantage s'il parvenait à lui inculquer l'illusion que pour lui, comte de Bréauté-Consalvi, les privilèges de la pensée n'étaient pas moins dignes de respect que ceux de la naissance ; soit tout simplement par besoin et difficulté d'exprimer sa satisfaction, dans l'ignorance de la langue qu'il devait me parler, en somme comme s'il se fût trouvé en présence de quelqu'un des « naturels » d'une terre inconnue où aurait atterri son radeau et avec lesquels, par espoir du profit, il tâcherait tout en observant curieusement leurs coutumes et sans interrompre les démonstrations d'amitié ni perdre de vue de pousser comme eux de grands cris, de troquer des œufs d'autruche et des épices contre des verroteries. Après avoir répondu de mon mieux à sa joie, je serrai la main du duc de Châtellerault que j'avais déjà rencontré chez Mme de Villeparisis, de laquelle il me dit que c'était une fine mouche. Il était extrêmement Guermantes par la blondeur des cheveux, le profil busqué, les points où la peau de la joue s'altère, tout ce qui se voit déjà dans les portraits de cette famille que nous ont laissés le XVIe et le XVIIe siècle. Mais comme je n'aimais plus la duchesse, sa réincarnation en un jeune homme était sans attrait pour moi. Je lisais le crochet que faisait le nez du duc de Châtellerault comme la signature d'un peintre que j'aurais longtemps étudié, mais qui ne m'intéressait plus du tout. Puis je dis aussi bonjour au prince de Foix, et, pour le malheur de mes phalanges qui n'en sortirent que meurtries, je les laissai s'engager dans l'étau qu'était une poignée de main à l'allemande, accompagnée d'un sourire ironique ou bonhomme, du prince de Faffenheim, l'ami de M. de Norpois, et que, par la manie de surnoms propre à ce milieu, on appelait si universellement le prince Von, que lui-même signait « prince Von », ou, quand il écrivait à des intimes, « Von ». Encore cette abréviation-là se comprenait-elle à la rigueur, à cause de la longueur d'un nom composé. On se rendait moins compte des raisons qui faisaient remplacer Élisabeth tantôt par Lili, tantôt par Bebeth, comme dans un autre monde pullulaient les Kikim. On s'explique que des hommes, cependant assez oisifs et frivoles en général, eussent adopté « Quiou » pour ne pas perdre, en disant « Montesquiou », leur temps. Mais on voit moins ce qu'ils en gagnaient à prénommer un de leurs cousins Dinand au lieu de Ferdinand. Il ne faudrait pas croire du reste que pour donner des prénoms les Guermantes procédassent invariablement par la répétition d'une syllabe. Ainsi deux sœurs, la comtesse de Montpeyroux et la vicomtesse de Vélude, lesquelles étaient toutes deux d'une énorme grosseur, ne s'entendaient jamais appeler, sans s'en fâcher le moins du monde et sans que personne songeât à en sourire, tant l'habitude était ancienne, que « Petite » et « Mignonne ». Mme de Guermantes, qui adorait Mme de Montpeyroux, eût, si celle-ci eût été gravement atteinte, demandé avec des larmes à sa sœur : « On me dit que "Petite" est très mal. » Mme de l'Éclin portant les cheveux en bandeaux qui lui cachaient entièrement les oreilles, on ne l'appelait jamais que « ventre affamé ». Quelquefois on se contentait d'ajouter un *a* au nom ou au prénom du mari pour désigner la femme. L'homme le plus avare, le plus sordide, le plus inhumain du Faubourg ayant pour prénom Raphaël, sa charmante, sa fleur sortant aussi du rocher signait toujours Raphaëla ; mais ce sont là seulement simples échantillons de règles innombrables dont nous pourrons toujours, si l'occasion s'en présente, expliquer quelques-unes.

Ensuite je demandai au duc de me présenter au prince d'Agrigente. « Comment, vous ne connaissez pas cet excellent Gri-gri », s'écria M. de Guermantes, et il dit mon nom à M. d'Agrigente. Celui de ce dernier, si souvent cité par Françoise, m'était toujours apparu comme une transparente verrerie, sous laquelle je voyais, frappés au bord de la mer violette par les rayons obliques d'un soleil d'or, les cubes roses d'une cité antique dont je ne doutais pas que le prince — de passage à Paris par un bref miracle — ne fût lui-même, aussi lumineusement sicilien et glorieusement patiné, le souverain effectif. Hélas, le vulgaire hanneton auquel on me présenta, et qui pirouetta pour me dire bonjour avec une lourde désinvolture qu'il croyait élégante, était aussi indépendant de son nom que d'une œuvre d'art qu'il eût possédée, sans porter sur soi aucun reflet d'elle, sans peut-être l'avoir jamais regardée. Le prince d'Agrigente était si entièrement dépourvu de quoi que ce fût de princier et qui pût faire penser à Agrigente, que c'en était à supposer que son nom, entièrement distinct de lui, relié par rien à sa personne, avait eu le pouvoir d'attirer à soi tout ce qu'il aurait pu y avoir de vague poésie en cet homme, comme chez tout autre, et de l'enfermer après cette opération dans les syllabes enchantées. Si l'opération avait eu lieu, elle avait été en tous cas bien faite, car il ne restait plus un atome de charme à retirer de ce parent des Guermantes. De sorte qu'il se trouvait à la fois le seul homme au monde qui fût prince d'Agrigente et peut-être l'homme au monde qui l'était le moins. Il était d'ailleurs fort heureux de l'être, mais comme un banquier est heureux d'avoir de nombreuses actions d'une mine, sans se soucier d'ailleurs si cette mine répond aux jolis noms de mine Ivanhoe et de mine Primerose, ou si elle s'appelle seulement la mine Premier. Cependant, tandis que s'achevaient les présentations si longues à raconter mais qui, commencées dès mon entrée au salon, n'avaient duré que quelques instants, et que Mme de Guermantes, d'un ton presque suppliant, me disait : « Je suis sûre que Basin vous fatigue à vous mener ainsi de l'une à l'autre, nous voulons que vous connaissiez nos amis, mais nous voulons surtout ne pas vous fatiguer pour que vous reveniez souvent », le duc, d'un mouvement assez gauche et timoré, donna (ce qu'il aurait bien voulu faire depuis une heure remplie pour moi par la contemplation des Elstir) le signe qu'on pouvait servir.

Il faut ajouter qu'un des invités manquait, M. de Grouchy, dont la femme, née Guermantes, était venue seule de son côté, le mari devant arriver directement de la chasse où il avait passé la journée. Ce M. de Grouchy, descendant de celui du Premier Empire duquel on a dit faussement que son absence au début de Waterloo avait été la cause principale de la défaite de Napoléon, était d'une excellente famille, insuffisante pourtant aux yeux de certains entichés de noblesse. Ainsi le prince de Guermantes, qui devait être bien des années plus tard moins difficile pour lui-même, avait-il coutume de dire à ses nièces : « Quel malheur pour cette pauvre Mme de Guermantes (la vicomtesse de Guermantes, mère de Mme de Grouchy) qu'elle n'ait jamais pu marier ses enfants! — Mais, mon oncle, l'aînée a épousé M. de Grouchy. — Je n'appelle pas cela un mari! Enfin, on prétend que l'oncle François a demandé la cadette, cela fera qu'elles ne seront pas toutes restées filles. »

Aussitôt l'ordre de servir donné, dans un vaste déclic giratoire, multiple et simultané, les portes de la salle à manger s'ouvrirent à deux battants ; un maître d'hôtel qui avait l'air d'un maître des cérémonies s'inclina devant la princesse de Parme et annonça la nouvelle : « Madame est servie », d'un ton pareil à celui dont il aurait dit : « Madame se meurt », mais qui ne jeta aucune tristesse dans l'assemblée, car ce fut d'un air folâtre, et comme l'été à Robinson, que les couples s'avancèrent l'un derrière l'autre vers la salle à manger, se séparant quand ils avaient gagné leur place où des valets de pied poussaient derrière eux leur chaise ; la dernière, Mme de Guermantes s'avança vers moi, pour que je la conduisisse à table et sans que j'éprouvasse l'ombre de la timidité que j'aurais pu craindre, car, en chasseresse à qui une grande adresse musculaire a rendu la grâce facile, voyant sans doute que je m'étais mis du côté qu'il ne fallait pas, elle pivota avec tant de justesse autour de moi que je trouvai son bras sur le mien et fus naturellement encadré dans un rythme de mouvements précis et nobles. Je leur obéis avec d'autant plus d'aisance que les Guermantes n'y attachaient pas plus d'importance qu'au savoir un vrai savant, chez qui on est moins intimidé que chez un ignorant ; d'autres portes s'ouvrirent par où entra la soupe fumante, comme si le dîner avait lieu dans un théâtre de pupazzi habilement machiné et où l'arrivée tardive du jeune invité mettait, sur un signe du maître, tous les rouages en action.

C'est timide et non majestueusement souverain qu'avait été ce signe du duc, auquel avait répondu le déclenchement de cette vaste, ingénieuse, obéissante et fastueuse horlogerie mécanique et humaine. L'indécision du geste ne nuisit pas pour moi à l'effet du spectacle qui lui était subordonné. Car je sentais que ce qui l'avait rendu hésitant et embarrassé était la crainte de me laisser voir qu'on n'attendait que moi pour dîner et qu'on m'avait attendu longtemps, de même que Mme de Guermantes avait peur qu'ayant regardé tant de tableaux, on ne me fatiguât et ne m'empêchât de prendre mes aises en me présentant à jet continu. De sorte que c'était le manque de grandeur dans le geste qui dégageait la grandeur véritable, cette indifférence du duc à son propre luxe, ses égards au contraire pour un hôte, insignifiant en lui-même mais qu'il voulait honorer.

Ce n'est pas que M. Guermantes ne fût par certains côtés fort ordinaire et n'eût même des ridicules d'homme trop riche, l'orgueil d'un parvenu qu'il n'était pas. Mais de même qu'un fonctionnaire ou qu'un prêtre voient leur médiocre talent multiplié à l'infini (comme une vague par toute la mer qui se presse derrière elle) par ces forces auxquelles ils s'appuient, l'Administration française et l'Église catholique, de même M. de Guermantes était porté par cette autre force, la politesse aristocratique la plus vraie. Cette politesse exclut bien des gens. Mme de Guermantes n'eût pas reçu Mme de Cambremer ou M. de Forcheville. Mais du moment que quelqu'un, comme c'était mon cas, paraissait susceptible d'être agrégé au milieu Guermantes, cette politesse découvrait des trésors de simplicité hospitalière plus magnifiques encore s'il est possible que ces vieux salons, ces merveilleux meubles restés là.

Quand il voulait faire plaisir à quelqu'un, M. de Guermantes avait ainsi pour faire de lui, ce jour-là, le personnage principal, un art qui savait mettre à profit la circonstance et le lieu. Sans doute à Guermantes ses « distinctions » et ses « grâces » eussent pris une autre forme. Il eût fait atteler pour m'emmener faire seul avec lui une promenade avant dîner. Telles qu'elles étaient, on se sentait touché par ses façons, comme on l'est, en lisant des Mémoires du temps, par celles de Louis XIV quand il répond avec bonté, d'un air riant et avec une demi-révérence, à quelqu'un qui vient le solliciter. Encore faut-il, dans les deux cas, comprendre que cette politesse n'allait pas au-delà de ce que ce mot signifie.

Louis XIV (auquel les entichés de noblesse de son temps reprochent pourtant son peu de souci de l'étiquette, si bien, dit Saint-Simon, qu'il n'a été qu'un fort petit roi pour le rang, en comparaison de Philippe de Valois, Charles V, etc.) fait rédiger les instructions les plus minutieuses pour que les princes du sang et les ambassadeurs sachent à quels souverains ils doivent laisser la main. Dans certains cas, devant l'impossibilité d'arriver à une entente, on préfère convenir que le fils de Louis XIV, Monseigneur, ne recevra chez lui tel souverain étranger que dehors, en plein air, pour qu'il ne soit pas dit qu'en entrant dans le château l'un a précédé l'autre ; et l'Électeur palatin, recevant le duc de Chevreuse à dîner, feint, pour ne pas lui laisser la main, d'être malade et dîne avec lui mais couché, ce qui tranche la difficulté. M. le duc évitant les occasions de rendre le service à Monsieur, celui-ci, sur le conseil du roi son frère dont il est du reste tendrement aimé, prend un prétexte pour faire monter son cousin à son lever et le forcer à lui passer sa chemise. Mais dès qu'il s'agit d'un sentiment profond, des choses du cœur, le devoir, si inflexible tant qu'il s'agit de politesse, change entièrement. Quelques heures après la mort de ce frère, une des personnes qu'il a le plus aimées, quand Monsieur, selon l'expression du duc de Montfort, est « encore tout chaud »,

Louis XIV chante des airs d'opéras, s'étonne que la duchesse de Bourgogne, laquelle a peine à dissimuler sa douleur, ait l'air si mélancolique, et voulant que la gaîté recommence aussitôt, pour que les courtisans se décident à se remettre au jeu ordonne au duc de Bourgogne de commencer une partie de brelan. Or, non seulement dans les actions mondaines et concentrées, mais dans le langage le plus involontaire, dans les préccupations, dans l'emploi du temps de M. de Guermantes, on retrouvait le même contraste : les Guermantes n'éprouvaient pas plus de chagrins que les autres mortels, on peut même dire que leur sensibilité véritable était moindre ; en revanche, on voyait tous les jours leur nom dans les mondanités du *Gaulois* à cause du nombre prodigieux d'enterrements où ils eussent trouvé coupable de ne pas se faire inscrire. Comme le voyageur retrouve, presque semblables, les maisons couvertes de terre, les terrasses que purent connaître Xénophon ou saint Paul, de même dans les manières de M. de Guermantes, homme attendrissant de gentillesse et révoltant de dureté, esclave des plus petites obligations et délié des pactes les plus sacrés, je retrouvai encore intacte après plus de deux siècles écoulés cette déviation particulière à la vie de cour sous Louis XIV et qui transporte les scrupules de conscience du domaine des affections et de la moralité aux questions de pure forme.

L'autre raison de l'amabilité que me montra la princesse de Parme était plus particulière. C'est qu'elle était persuadée d'avance que tout ce qu'elle voyait chez la duchesse de Guermantes, choses et gens, était d'une qualité supérieure à tout ce qu'elle avait chez elle. Chez toutes les autres personnes, elle agissait, il est vrai, comme s'il en avait été ainsi ; pour le plat le plus simple, pour les fleurs les plus ordinaires, elle ne se contentait pas de s'extasier, elle demandait la permission d'envoyer dès le lendemain chercher la recette ou regarder l'espèce par son cuisinier ou son jardinier en chef, personnages à gros appointements, ayant leur voiture à eux et surtout leurs prétentions professionnelles, et qui se trouvaient fort humiliés de venir s'informer d'un plat dédaigné ou prendre modèle sur une variété d'œillets laquelle n'était pas moitié aussi belle, aussi « panachée » de « chinages », aussi grande quant aux dimensions des fleurs que celles qu'ils avaient obtenues depuis longtemps chez la princesse. Mais si de la part de celle-ci, chez tout le monde, cet étonnement devant les moindres choses était factice et destiné à montrer qu'elle ne tirait pas de la supériorité de son rang et de ses richesses un orgueil défendu par ses anciens précepteurs, dissimulé par sa mère et insupportable à Dieu, en revanche, c'est en toute sincérité qu'elle regardait le salon de la duchesse de Guermantes comme un lieu privilégié où elle ne pouvait marcher que de surprises en délices. D'une façon générale d'ailleurs, mais qui serait bien insuffisante à expliquer cet état d'esprit, les Guermantes étaient assez différents du reste de la société aristocratique : ils étaient plus précieux et plus rares. Ils m'avaient donné au premier aspect l'impression contraire, je les avais trouvés vulgaires, pareils à tous les hommes et à toutes les femmes, mais parce que préalablement j'avais vu en eux, comme en Balbec, en Florence, en Parme, des noms. Évidemment, dans ce salon, toutes les femmes que j'avais imaginées comme des statuettes de Saxe ressemblaient tout de même davantage à la grande majorité des femmes. Mais de même que Balbec ou Florence, les Guermantes, après avoir déçu l'imagination parce qu'ils ressemblaient plus à leurs pareils qu'à leur nom, pouvaient ensuite, quoique à un moindre degré, offrir à l'intelligence certaines particularités qui les distinguaient. Leur physique même, la couleur d'un rose spécial allant quelquefois jusqu'au violet, de leur chair, une certaine blondeur quasi éclairante des cheveux délicats, même chez les hommes, massés en touffes dorées et douces, moitié le lichens pariétaires et de pelage félin (éclat lumineux à quoi correspondait un certain brillant de l'intelligence, car, si l'on disait le teint et les cheveux des Guermantes, on disait aussi l'esprit des Guermantes comme l'esprit des Mortemart), une certaine qualité sociale plus fine — dès avant Louis XIV — et d'autant plus reconnue de tous qu'ils la promulguaient eux-mêmes, tout cela faisait que, dans la matière même, si précieuse fût-elle, de la société aristocratique où on les trouvait engainés çà et là, les Guermantes restaient reconnaissables, faciles à discerner et à suivre, comme les filons dont la blondeur veine le jaspe et l'onyx, ou plutôt encore comme le souple ondoiement de cette chevelure de clarté dont les crins dépeignés courent, comme de flexibles rayons, dans les flancs de l'agate mousse.

Les Guermantes — du moins ceux qui étaient dignes du nom — n'étaient pas seulement d'une qualité de chair, de cheveu, de transparent regard, exquise, mais avaient une manière de se tenir, de marcher, de saluer, de regarder avant de serrer la main, de serrer la main, par quoi ils étaient aussi différents en tout cela d'un homme du monde quelconque que celui-ci d'un fermier en blouse. Et malgré leur amabilité on se disait : N'ont-ils pas vraiment le droit, quoiqu'ils le dissimulent, quand ils nous voient marcher, saluer, sortir, toutes ces choses qui, accomplies par eux, devenaient aussi gracieuses que le vol de l'hirondelle ou l'inclinaison de la rose, de penser : « Ils sont d'une autre race que nous, et nous sommes, nous, les princes de la terre » ? Plus tard, je compris que les Guermantes me croyaient en effet d'une race autre, mais qui excitait leur envie, parce que je possédais des mérites que j'ignorais et qu'ils faisaient profession de tenir pour seuls importants. Plus tard encore j'ai senti que cette profession de foi n'était qu'à demi sincère et que chez eux le dédain ou l'étonnement coexistaient avec l'admiration et l'envie. La flexibilité physique essentielle aux Guermantes était double : grâce à l'une, toujours en action, à tout moment, et si par exemple un Guermantes mâle allait saluer une dame, il obtenait une silhouette de lui-même faite de l'équilibre instable de mouvements asymétriques et nerveusement compensés, une jambe traînant un peu, soit exprès, soit parce qu'ayant été souvent cassée à la chasse elle imprimait au torse, pour rattraper l'autre jambe, une déviation à laquelle la remontée d'une épaule faisait contrepoids, pendant que le monocle s'installait dans l'œil, haussait un sourcil au même moment où le toupet des cheveux s'abaissait pour le salut ; l'autre flexibilité, comme la forme de la vague, du vent ou du sillage que garde à jamais la coquille ou le bateau, s'était pour ainsi dire stylisée en une sorte de mobilité fixée, incurvant le nez busqué qui sous les yeux bleus à fleur de tête, au-dessus des lèvres trop minces, d'où sortait, chez les femmes, une voix rauque, rappelait l'origine fabuleuse assignée au XVIe siècle par le bon vouloir de généalogistes parasites et hellénisants à cette race, ancienne sans doute, mais pas au point qu'ils prétendaient quand ils lui donnaient pour origine la fécondation mythologique d'une nymphe par un divin Oiseau.

Les Guermantes n'étaient pas moins spéciaux au

point de vue intellectuel qu'au point de vue physique. Sauf le prince Gilbert, l'époux aux idées surannées de « Marie Gilbert » et qui faisait asseoir sa femme à gauche quand ils se promenaient en voiture, parce qu'elle était de moins bon sang, pourtant royal, que lui (mais il était une exception et faisait, absent, l'objet des railleries de la famille et d'anecdotes toujours nouvelles), les Guermantes, tout en vivant dans le pur « gratin » de l'aristocratie, affectaient de ne faire aucun cas de la noblesse. Les théories de la duchesse de Guermantes, laquelle à vrai dire à force d'être Guermantes devenait dans une certaine mesure quelque chose d'autre et de plus agréable, mettaient tellement au-dessus de tout l'intelligence et étaient en politique si socialistes qu'on se demandait où dans son hôtel se cachait le Génie chargé d'assurer le maintien de la vie aristocratique, et qui, toujours invisible, mais évidemment tapi tantôt dans l'antichambre, tantôt dans le salon, tantôt dans le cabinet de toilette, rappelait aux domestiques de cette femme qui ne croyait pas aux titres de lui dire « Madame la duchesse », à cette personne qui n'aimait que la lecture et n'avait point de respect humain, d'aller dîner chez sa belle-sœur quand sonnaient huit heures et de se décolleter pour cela.

Le même Génie de la famille présentait à Mme de Guermantes la situation des duchesses, du moins des premières d'entre elles, et comme elle multimillionnaires, le sacrifice à d'ennuyeux thés, dîners en ville, raouts, d'heures où elle eût pu lire des choses intéressantes, comme des nécessités désagréables analogues à la pluie, et que Mme de Guermantes acceptait en exerçant sur elles sa verve frondeuse, mais sans aller jusqu'à rechercher les raisons de son acceptation. Ce curieux effet du hasard que le maître d'hôtel de Mme de Guermantes dît toujours : « Madame la duchesse » à cette femme qui ne croyait qu'à l'intelligence, ne paraissait pourtant pas la choquer. Jamais elle n'avait pensé à le prier de lui dire « Madame » tout simplement. En poussant la bonne volonté jusqu'à ses extrêmes limites, on eût pu croire que, distraite, elle entendait seulement « Madame » et que l'appendice verbal qui y était ajouté n'était pas perçu. Seulement, si elle faisait la sourde, elle n'était pas muette. Or, chaque fois qu'elle avait une commission à donner à son mari, elle disait au maître d'hôtel : « Vous rappellerez à Monsieur le duc... »

Le Génie de la famille avait d'ailleurs d'autres occupations, par exemple de faire parler morale. Certes il y avait des Guermantes plus particulièrement intelligents, des Guermantes plus particulièrement moraux, et ce n'étaient pas d'habitude les mêmes. Mais les premiers — même un Guermantes qui avait fait des faux et trichait au jeu et était le plus délicieux de tous, ouvert à toutes les idées neuves et justes — traitaient encore mieux de la morale que les seconds, et de la même façon que Mme de Villeparisis, dans les moments où le Génie de la famille s'exprimait par la bouche de la vieille dame. Dans des moments identiques on voyait tout d'un coup les Guermantes prendre un ton presque aussi vieillot, aussi bonhomme et, à cause de leur charme plus grand, plus attendrissant que celui de la marquise, pour dire d'une domestique : « On sent qu'elle a un bon fond, c'est une fille qui n'est pas commune, elle doit être la fille de gens bien, elle est certainement restée toujours dans le droit chemin. » A ces moments-là le Génie de la famille se faisait intonation. Mais parfois il était aussi tournure, air de visage, le même chez la duchesse que chez son grand-père le maréchal, une sorte d'insaisissable convulsion, pareille à celle du Serpent, génie carthaginois de la famille Barca, et par quoi j'avais été plusieurs fois saisi d'un battement de cœur, dans mes promenades matinales, quand, avant d'avoir reconnu Mme de Guermantes, je me sentais regardé par elle du fond d'une petite crémerie. Ce Génie était intervenu dans une circonstance qui avait été loin d'être indifférente non seulement aux Guermantes, mais aux Courvoisier, partie adverse de la famille et, quoique d'aussi bon sang que les Guermantes, tout l'opposé d'eux (c'est même par sa grand'mère Courvoisier que les Guermantes expliquaient le parti pris du prince de Guermantes de toujours parler naissance et noblesse comme si c'était la seule chose qui importât). Non seulement les Courvoisier n'assignaient pas à l'intelligence le même rang que les Guermantes, mais ils ne possédaient pas d'elle la même idée. Pour un Guermantes (fût-il bête), être intelligent, c'était avoir la dent dure, être capable de dire des méchancetés, d'emporter le morceau, c'était aussi pouvoir vous tenir tête aussi bien sur la peinture, sur la musique, sur l'architecture, parler anglais. Les Courvoisier se faisaient de l'intelligence une idée moins favorable et, pour peu qu'on ne fût pas de leur monde, être intelligent n'était pas loin de signifier « avoir probablement assassiné père et mère ». Pour eux l'intelligence était l'espèce de « pince-monseigneur » grâce à laquelle des gens qu'on ne connaissait ni d'Ève ni d'Adam forçaient les portes des salons les plus respectés, et on savait chez les Courvoisier qu'il finissait toujours par vous en cuire d'avoir reçu de telles « espèces ». Aux plus insignifiantes assertions des gens intelligents qui n'étaient pas du monde, les Courvoisier opposaient une méfiance systématique. Quelqu'un ayant dit une fois :

« Mais Swann est plus jeune que Palamède. — Du moins il vous le dit ; et s'il vous le dit, soyez sûr que c'est qu'il y trouve son intérêt », avait répondu Mme de Gallardon. Bien plus, comme on disait de deux étrangères très élégantes que les Guermantes recevaient, qu'on avait fait passer d'abord celle-ci puisqu'elle était l'aînée : « Mais est-elle même l'aînée ? » avait demandé Mme de Gallardon, non pas positivement comme si ce genre de personnes n'avaient pas d'âge, mais comme si, vraisemblablement dénuées d'état civil et religieux, de traditions certaines, elles fussent plus ou moins jeunes comme les petites chattes d'une même corbeille entre lesquelles un vétérinaire seul pourrait se reconnaître. Les Courvoisier, mieux que les Guermantes, maintenaient d'ailleurs en un sens l'intégrité de la noblesse à la fois grâce à l'étroitesse de leur esprit et à la méchanceté de leur cœur. De même que les Guermantes (pour qui, au-dessous des familles royales et de quelques autres comme les Ligne, les La Trémoïlle, etc., tout le reste se confondait dans un vague fretin) étaient insolents avec des gens de race ancienne qui habitaient autour de Guermantes, précisément parce qu'ils ne faisaient pas attention à ces mérites de second ordre dont s'occupaient énormément les Courvoisier, le manque de ces mérites leur importait peu. Certaines femmes qui n'avaient pas un rang très élevé dans leur province, mais brillamment mariées, riches, jolies, aimées des duchesses, étaient pour Paris, où l'on est peu au courant des « père et mère », un excellent et élégant article d'importation. Il pouvait arriver, quoique rarement, que de telles femmes fussent, par le canal de la princesse de Parme, ou en vertu de leur agrément propre, reçues chez certaines Guermantes. Mais, à leur égard, l'indignation des Courvoisier ne désarmait jamais. Rencontrer entre cinq et six, chez leur cousine, des gens avec les parents de qui leurs parents n'aimaient pas à frayer dans le Perche, devenait pour eux un motif de rage croissante et un thème d'inépuisables déclamations. Dès le moment, par exemple, où la charmante comtesse G... entrait chez les Guermantes, le visage de Mme de Villebon prenait exactement l'expression qu'il eût dû prendre si elle avait eu à réciter le vers :

Et s'il n'en reste qu'un, je serai celui-là,

vers qui lui était du reste inconnu. Cette Courvoisier avait avalé presque tous les lundis des éclairs chargés de crème à quelques pas de la comtesse G..., mais sans résultat. Et Mme de Villebon confessait en cachette qu'elle ne pouvait concevoir comment sa cousine Guermantes recevait une femme qui n'était même pas de la deuxième société, à Châteaudun. « Ce n'est vraiment pas la peine que ma cousine soit si difficile sur ses relations, c'est à se moquer du monde », concluait Mme de Villebon avec une autre expression de visage, celle-là souriante et narquoise dans le désespoir, sur laquelle un petit jeu de devinettes eût plutôt mis un autre vers, que la comtesse ne connaissait naturellement pas davantage :

Grâce aux dieux ! Mon malheur passe mon espérance.

Au reste, anticipons sur les événements en disant que la « persévérance », rime d' « espérance » dans le vers suivant, de Mme de Villebon à snober Mme G... ne fut pas tout à fait inutile. Aux yeux de Mme G... elle doua Mme de Villebon d'un prestige tel, d'ailleurs purement imaginaire, que, quand la fille de Mme G..., qui était la plus jolie et la plus riche des bals de l'époque, fut à marier, on s'étonna de lui voir refuser tous les ducs. C'est que sa mère, se souvenant des avanies hebdomadaires qu'elle avait essuyées rue de Grenelle en souvenir de Châteaudun, ne souhaitait véritablement qu'un mari pour sa fille : un fils Villebon.

Un seul point sur lequel Guermantes et Courvoisier se rencontraient était dans l'art, infiniment varié d'ailleurs, de marquer les distances. Les manières des Guermantes n'étaient pas entièrement uniformes chez tous. Mais, par exemple, tous les Guermantes, de ceux qui l'étaient vraiment, quand on vous présentait à eux, procédaient à une sorte de cérémonie, à peu près comme si le fait qu'ils vous eussent tendu la main eût été aussi considérable que s'il s'était agi de vous sacrer chevalier. Au moment où un Guermantes, n'eût-il que vingt ans, mais marchant déjà sur les traces de ses aînés, entendait votre nom prononcé par le présentateur, il laissait tomber sur vous, comme s'il n'était nullement décidé à vous dire bonjour, un regard généralement bleu, toujours de la froideur d'un acier qu'il semblait prêt à vous plonger dans les plus profonds replis du cœur. C'est du reste ce que les Guermantes croyaient faire en effet, se jugeant tous des psychologues de premier ordre. Ils pensaient de plus accroître par cette inspection l'amabilité du salut qui allait suivre et qui ne vous serait délivré qu'à bon escient. Tout ceci se passait à une distance de vous qui, petite s'il se fût agi d'une passe d'armes, semblait énorme pour une poignée de main et glaçait dans le deuxième cas comme elle eût fait dans le premier, de sorte que quand le Guermantes, après une rapide tournée accomplie dans les dernières cachettes de votre âme et de votre honorabilité, vous avait jugé digne de vous rencontrer désormais avec lui, sa main, dirigée vers vous au bout d'un bras tendu dans toute sa longueur, avait l'air de vous présenter un fleuret pour un combat singulier, et cette main était en somme placée si loin du Guermantes à ce moment-là que, quand il inclinait alors la tête, il était difficile de distinguer si c'était vous ou sa propre main qu'il saluait. Certains Guermantes, n'ayant pas le sentiment de la mesure, ou incapables de ne pas se répéter sans cesse, exagéraient en recommençant cette cérémonie chaque fois qu'ils vous rencontraient. Étant donné qu'ils n'avaient plus à procéder à l'enquête psychologique préalable pour laquelle le « Génie de la famille » leur avait délégué ses pouvoirs et dont ils devaient se rappeler les résultats, l'insistance du regard perforateur précédant la poignée de main ne pouvait s'expliquer que par l'automatisme qu'avait acquis leur regard ou par quelque don de fascination qu'ils pensaient posséder. Les Courvoisier, dont le physique était différent, avaient vainement essayé de s'assimiler ce salut scrutateur et s'étaient rabattus sur la raideur hautaine ou la négligence rapide. En revanche, c'était aux Courvoisier que certaines très rares Guermantes semblaient avoir emprunté le salut des dames. En effet, au moment où on vous présentait à une de ces Guermantes-là, elle vous faisait un grand salut dans lequel elle approchait de vous, à peu près selon un angle de quarante-cinq degrés, la tête et le buste, le bas du corps (qu'elle avait fort haut) jusqu'à la ceinture qui faisait pivot, restant immobile. Mais à peine avait-elle projeté ainsi vers vous la partie supérieure de sa personne, qu'elle la rejetait en arrière de la verticale par un brusque retrait d'une longueur à peu près égale. Le renversement consécutif neutralisait ce qui vous avait paru vous être concédé, le terrain que vous aviez cru gagner ne restait même pas acquis comme en matière de duel, les positions primitives étaient gardées. Cette même annulation de l'amabilité par la reprise des distances (qui était d'origine Courvoisier et destinée à montrer que les avances faites dans le premier mouvement n'étaient qu'une feinte d'un instant) se manifestait aussi clairement, chez les Courvoisier comme chez les Guermantes, dans les lettres qu'on recevait d'elles, au moins pendant les premiers temps de leur connaissance. Le « corps » de la lettre pouvait contenir des phrases qu'on n'écrirait, semble-t-il, qu'à un ami, mais c'est en vain que vous eussiez cru pouvoir vous vanter d'être celui de la dame, car la lettre commençait par : « Monsieur » et finissait par : « Croyez, Monsieur, à mes sentiments distingués. » Dès lors, entre ce froid début et cette fin glaciale qui changeaient le sens de tout le reste, pouvaient se succéder (si c'était une réponse à une lettre de condoléance de vous) les plus touchantes peintures du chagrin que la Guermantes avait eu à perdre sa sœur, de l'intimité qui existait entre elles, des beautés du pays où elle villégiaturait, des consolations qu'elle trouvait dans le charme de ses petits-enfants, tout cela n'était plus qu'une lettre comme on en trouve dans des recueils et dont le caractère intime n'entraînait pourtant pas plus d'intimité entre vous et l'épistolière que si celle-ci avait été Pline le Jeune ou Mme de Simiane.

Il est vrai que certaines Guermantes vous écrivaient dès les premières fois « mon cher ami », « mon ami » : ce n'étaient pas toujours les plus simples d'entre elles, mais plutôt celles qui, ne vivant qu'au milieu des rois et, d'autre part, étant « légères », prenaient dans leur orgueil la certitude que tout ce qui venait d'elles faisait plaisir et dans leur corruption l'habitude de ne marchander aucune des satisfactions qu'elles pouvaient offrir. Du reste, comme il suffisait qu'on eût eu une trisaïeule commune sous Louis XIII pour qu'un jeune Guermantes dît en parlant de la marquise de Guermantes « la tante Adam », les Guermantes étaient si nombreux que même pour ces simples rites, celui du salut de présentation par exemple, il existait bien des variétés. Chaque sous-groupe un peu raffiné avait le sien, qu'on se transmettait des parents aux enfants comme une recette de vulnéraire et une manière particulière de préparer les confitures. C'est ainsi qu'on a vu la poignée de main de Saint-Loup se déclencher comme malgré lui au moment où il entendait votre nom, sans participation de regard, sans adjonction de salut. Tout malheureux roturier qui pour une raison spéciale — ce qui arrivait du reste assez rarement — était présenté à quelqu'un du sous-groupe Saint-Loup, se creusait la tête, devant ce minimum si brusque de bonjour, revêtant volontairement les apparences de l'inconscience, pour savoir ce que le ou la Guermantes pouvait avoir contre lui. Et il était bien étonné d'apprendre qu'il ou elle avait jugé à propos d'écrire tout spécialement au présentateur pour lui dire combien vous lui aviez plu et qu'il ou elle espérait bien vous revoir. Aussi particularisés que le geste mécanique de Saint-Loup étaient les entrechats compliqués et rapides (jugés ridicules par M. de Charlus) du marquis de Fierbois, les pas graves et mesurés du prince de Guermantes. Mais il est impossible de décrire ici la richesse de cette chorégraphie des Guermantes à cause de l'étendue même de leur corps de ballet.

Pour en revenir à l'antipathie qui animait les Courvoisier contre la duchesse de Guermantes, les premiers auraient pu avoir la consolation de la plaindre tant qu'elle fut jeune fille, car elle était alors peu fortunée. Malheureusement, de tout temps une sorte d'émanation fuligineuse et *sui generis* enfouissait, dérobait aux yeux, la richesse des Courvoisier qui, si grande qu'elle fût, demeurait obscure. Une Courvoisier fort riche avait beau épouser un gros parti, il arrivait toujours que le jeune ménage n'avait pas de domicile personnel à Paris, y « descendait » chez ses beaux-parents, et pour le reste de l'année vivait en province au milieu d'une société sans mélange mais sans éclat. Pendant que Saint-Loup, qui n'avait guère plus que des dettes, éblouissait Doncières par ses attelages, un Courvoisier fort riche n'y prenait jamais que le tram. Inversement (et d'ailleurs bien des années auparavant) Mlle de Guermantes (Oriane), qui n'avait pas grand'chose, faisait plus parler de ses toilettes que toutes les Courvoisier réunies, des leurs. Le scandale même de ses propos faisait une espèce de réclame à sa manière de s'habiller et de se coiffer. Elle avait osé dire au grand-duc de Russie : « Hé bien! Monseigneur, il paraît que vous voulez faire assassiner Tolstoï ? » dans un dîner auquel on n'avait point convié les Courvoisier, d'ailleurs peu renseignés sur Tolstoï. Ils ne l'étaient pas beaucoup plus sur les auteurs grecs, si l'on en juge par la duchesse de Gallardon douairière (belle-mère de la princesse de Gallardon, alors encore jeune fille) qui, n'ayant pas été en cinq ans honorée d'une seule visite d'Oriane, répondit à quelqu'un qui lui demandait la raison de son absence : « Il paraît qu'elle récite de l'Aristote (elle voulait dire de l'Aristophane) dans le monde. Je ne tolère pas ça chez moi! »

On peut imaginer combien cette « sortie » de Mlle de Guermantes sur Tolstoï, si elle indignait les Courvoisier, émerveillait les Guermantes, et, par delà, tout ce qui leur tenait non seulement de près, mais de loin. La comtesse douairière d'Argencourt, née

Seineport, qui recevait un peu tout le monde parce qu'elle était bas-bleu et quoique son fils fût un terrible snob, racontait le mot devant des gens de lettres en disant : « Oriane de Guermantes, qui est fine comme l'ambre, maligne comme un singe, douée pour tout, qui fait des aquarelles dignes d'un grand peintre et des vers comme en font peu de grands poètes, et vous savez, comme famille, c'est tout ce qu'il y a de plus haut, sa grand'mère était Mlle de Montpensier, et elle est la dix-huitième Oriane de Guermantes sans une mésalliance, c'est le sang le plus pur, le plus vieux de France. » Aussi ces faux hommes de lettres, ces demi-intellectuels que recevait Mme d'Argencourt, se représentant Oriane de Guermantes, qu'ils n'auraient jamais l'occasion de connaître personnellement, comme quelque chose de plus merveilleux et de plus extraordinaire que la princesse Badroul Boudour, non seulement se sentaient prêts à mourir pour elle en apprenant qu'une personne si noble glorifiait par-dessus tout Tolstoï, mais sentaient aussi que reprenaient dans leur esprit une nouvelle force leur propre amour de Tolstoï, leur désir de résistance au tsarisme. Ces idées libérales avaient pu s'anémier en eux, ils avaient pu douter de leur prestige, n'osant plus les confesser, quand soudain de Mlle de Guermantes elle-même, c'est-à-dire d'une jeune fille si indiscutablement précieuse et autorisée, portant les cheveux à plat sur le front (ce que jamais une Courvoisier n'eût consenti à faire) leur venait un tel secours. Un certain nombre de réalités bonnes ou mauvaises gagnent ainsi beaucoup à recevoir l'adhésion de personnes qui ont autorité sur nous. Par exemple chez les Courvoisier, les rites de l'amabilité dans la rue se composaient d'un certain salut, fort laid et peu aimable en lui-même, mais dont on savait que c'était la manière distinguée de dire bonjour, de sorte que tout le monde, effaçant de soi le sourire, le bon accueil, s'efforçait d'imiter cette froide gymnastique. Mais les Guermantes, en général, et particulièrement Oriane, tout en connaissant mieux que personne ces rites, n'hésitaient pas, si elles vous apercevaient d'une voiture, à vous faire un gentil bonjour de la main, et dans un salon, laissant les Courvoisier faire leurs saluts empruntés et raides, esquissaient de charmantes révérences, vous tendaient la main comme à un camarade en souriant de leurs yeux bleus, de sorte que tout d'un coup, grâce aux Guermantes, entrait dans la substance du chic, jusque-là un peu creuse et sèche, tout ce que naturellement on eût aimé et qu'on s'était efforcé de proscrire, la bienvenue, l'épanchement d'une amabilité vraie, la spontanéité. C'est de la même manière, mais par une réhabilitation cette fois peu justifiée, que les personnes qui portent le plus en elles le goût instinctif de la mauvaise musique et des mélodies, si banales soient-elles, qui ont quelque chose de caressant et de facile, arrivent, grâce à la culture symphonique, à mortifier en elles ce goût. Mais une fois arrivées à ce point, quand, émerveillées avec raison par l'éblouissant coloris orchestral de Richard Strauss, elles voient ce musicien accueillir avec une indulgence digne d'Auber les motifs les plus vulgaires, ce que ces personnes aimaient trouve soudain dans une autorité si haute une justification qui les ravit et elles s'enchantent sans scrupules et avec une double gratitude, en écoutant *Salomé*, de ce qu'il leur était interdit d'aimer dans *les Diamants de la Couronne.*

Authentique ou non, l'apostrophe de Mlle de Guermantes au grand-duc, colportée de maison en maison, était une occasion de raconter avec quelle élégance excessive Oriane était arrangée à ce dîner. Mais si le luxe (ce qui précisément le rendait inaccessible aux Courvoisier) ne naît pas de la richesse, mais de la prodigalité, encore la seconde dure-t-elle plus longtemps si elle est enfin soutenue par la première, laquelle lui permet alors de jeter tous ses feux. Or, étant donné les principes affichés ouvertement non seulement par Oriane, mais par Mme de Villeparisis, à savoir que la noblesse ne compte pas, qu'il est ridicule de se préoccuper du rang, que la fortune ne fait pas le bonheur, que seuls l'intelligence, le cœur, le talent ont de l'importance, les Courvoisier pouvaient espérer qu'en vertu de cette éducation qu'elle avait reçue de la marquise, Oriane épouserait quelqu'un qui ne serait pas du monde, un artiste, un repris de justice, un va-nu-pieds, un libre penseur, qu'elle entrerait définitivement dans la catégorie de ce que les Courvoisier appelaient « les dévoyés ». Ils pouvaient d'autant plus l'espérer que, Mme de Villeparisis traversant en ce moment au point de vue social une crise difficile (aucune des rares personnes brillantes que je rencontrai chez elle ne lui était encore revenue), elle affichait une horreur profonde à l'égard de la société qui la tenait à l'écart. Même quand elle parlait de son neveu le prince de Guermantes qu'elle voyait, elle n'avait pas assez de railleries pour lui parce qu'il était féru de sa naissance. Mais au moment même où il s'était agi de trouver un mari à Oriane, ce n'étaient plus les principes affichés par la tante et la nièce qui avaient mené l'affaire ; ç'avait été le mystérieux « Génie de la famille ». Aussi infailliblement que si Mme de Villeparisis et Oriane n'eussent jamais parlé que titres de rente et généalogies, au lieu de mérite littéraire et de qualités du cœur, et comme si la marquise, pour quelques jours, avait été — comme elle serait plus tard — morte et en bière, dans l'église de Combray, où chaque membre de la famille n'était plus qu'un Guermantes, avec une privation d'individualité et de prénoms qu'attestait sur les grandes tentures noires le seul G de pourpre, surmonté de la couronne ducale, c'était sur l'homme le plus riche et le mieux né, sur le plus grand parti du faubourg Saint-Germain, sur le fils aîné du duc de Guermantes, le prince des Laumes, que le Génie de la famille avait porté le choix de l'intellectuelle, de la frondeuse, de l'évangélique Mme de Villeparisis. Et pendant deux heures, le jour du mariage, Mme de Villeparisis eut chez elle toutes les nobles personnes dont elle se moquait, dont elle se moqua même avec les quelques bourgeois intimes qu'elle avait conviés et auxquels le prince des Laumes mit alors des cartes avant de « couper le câble » dès l'année suivante. Pour mettre le comble au malheur des Courvoisier, les maximes qui font de l'intelligence et du talent les seules supériorités sociales, recommencèrent à se débiter chez la princesse des Laumes, aussitôt après le mariage. Et à cet égard, soit dit en passant, le point de vue que défendait Saint-Loup quand il vivait avec Rachel, fréquentait les amis de Rachel, aurait voulu épouser Rachel, comportait — quelque horreur qu'il inspirât dans la famille — moins de mensonge que celui des demoiselles Guermantes en général, prônant l'intelligence, n'admettant presque pas qu'on mît en doute l'égalité des hommes, alors que tout cela aboutissait à point nommé au même résultat que si elles eussent professé des maximes contraires, c'est-à-dire à épouser un duc richissime. Saint-Loup agissait, au contraire, conformément à ses théories, ce qui faisait dire qu'il était dans une mauvaise voie. Certes, du point de vue moral, Rachel était en effet peu satisfaisante.

Mais il n'est pas certain que si une personne ne valait pas mieux, mais eût été duchesse ou eût possédé beaucoup de millions, Mme de Marsantes n'eût pas été favorable au mariage.

Or, pour en revenir à Mme des Laumes (bientôt après duchesse de Guermantes par la mort de son beau-père), ce fut un surcroît de malheur infligé aux Courvoisier que les théories de la jeune princesse, en restant ainsi dans son langage, n'eussent dirigé en rien sa conduite ; car ainsi cette philosophie (si l'on peut ainsi dire) ne nuisit nullement à l'élégance aristocratique du salon Guermantes. Sans doute toutes les personnes que Mme de Guermantes ne recevait pas se figuraient que c'était parce qu'elles n'étaient pas assez intelligentes, et telle riche Américaine qui n'avait jamais possédé d'autre livre qu'un petit exemplaire ancien, et jamais ouvert, des poésies de Parny, posé, parce qu'il était « du temps », sur un meuble de son petit salon, montrait quel cas elle faisait des qualités de l'esprit par les regards dévorants qu'elle attachait sur la duchesse de Guermantes quand celle-ci entrait à l'Opéra. Sans doute aussi Mme de Guermantes était sincère quand elle élisait une personne à cause de son intelligence. Quand elle disait d'une femme : il paraît qu'elle est « charmante », ou d'un homme qu'il était tout ce qu'il y a de plus intelligent, elle ne croyait pas avoir d'autres raisons de consentir à les recevoir que ce charme ou cette intelligence, le Génie des Guermantes n'intervenant pas à cette dernière minute : plus profond, situé à l'entrée obscure de la région où les Guermantes jugeaient, ce Génie vigilant empêchait les Guermantes de trouver l'homme intelligent ou de trouver la femme charmante s'ils n'avaient pas de valeur mondaine, actuelle ou future. L'homme était déclaré savant, mais comme un dictionnaire, ou, au contraire, commun avec un esprit de commis voyageur, la femme jolie avait un genre terrible, ou parlait trop. Quant aux gens qui n'avaient pas de situation, quelle horreur, c'étaient des snobs. M. de Bréauté, dont le château était tout voisin de Guermantes, ne fréquentait que des altesses. Mais il se moquait d'elles et ne rêvait que vivre dans les musées. Aussi Mme de Guermantes était-elle indignée quand on traitait M. de Bréauté de snob. « Snob, Babal! Mais vous êtes fou, mon pauvre ami, c'est tout le contraire, il déteste les gens brillants, on ne peut pas lui faire faire une connaissance. Même chez moi! si je l'invite avec quelqu'un de nouveau, il ne vient qu'en gémissant. »

Ce n'est pas que, même en pratique, les Guermantes ne fissent pas de l'intelligence un tout autre cas que les Courvoisier. D'une façon positive, cette différence entre les Guermantes et les Courvoisier donnait déjà d'assez beaux fruits. Ainsi la duchesse de Guermantes, du reste enveloppée d'un mystère devant lequel rêvaient de loin tant de poètes, avait donné cette fête dont nous avons déjà parlé, où le roi d'Angleterre s'était plu mieux que nulle part ailleurs, car elle avait eu l'idée, qui ne serait jamais venue à l'esprit, et la hardiesse, qui eût fait reculer le courage de tous les Courvoisier, d'inviter, en dehors des personnalités que nous avons citées, le musicien Gaston Lemaire et l'auteur dramatique Grandmougin. Mais c'est surtout au point de vue négatif que l'intellectualité se faisait sentir. Si le coefficient nécessaire d'intelligence et de charme allait en s'abaissant au fur et à mesure que s'élevait le rang de la personne qui désirait être invitée chez la duchesse de Guermantes, jusqu'à approcher de zéro quand il s'agissait des principales têtes couronnées, en revanche plus on descendait au-dessous de ce niveau royal, plus le coefficient s'élevait. Par exemple, chez la princesse de Parme, il y avait une quantité de personnes que l'Altesse recevait parce qu'elle les avait connues enfant, ou parce qu'elles étaient alliées à telle duchesse, ou attachées à la personne de tel souverain, ces personnes fussent-elles laides, d'ailleurs, ennuyeuses ou sottes ; or, pour un Courvoisier la raison « aimé de la princesse de Parme », « sœur de mère avec la duchesse d'Arpajon », « passant tous les ans trois mois chez la reine d'Espagne », aurait suffi à leur faire inviter de telles gens, mais Mme de Guermantes, qui recevait poliment leur salut depuis dix ans chez la princesse de Parme, ne leur avait jamais laissé passer son seuil, estimant qu'il en est d'un salon au sens social du mot comme au sens matériel où il suffit de meubles qu'on ne trouve pas jolis, mais qu'on laisse comme remplissage et preuve de richesse, pour le rendre affreux. Un tel salon ressemble à un ouvrage où on ne sait pas s'abstenir des phrases qui démontrent du savoir, du brillant, de la facilité. Comme un livre, comme une maison, la qualité d'un « salon », pensait avec raison Mme de Guermantes, a pour pierre angulaire le sacrifice.

Beaucoup des amies de la princesse de Parme et avec qui la duchesse de Guermantes se contentait depuis des années du même bonjour convenable, ou de leur rendre des cartes, sans jamais les inviter, ni aller à leurs fêtes, s'en plaignaient discrètement à l'Altesse, laquelle, les jours où M. de Guermantes venait seul la voir, lui en touchait un mot. Mais le rusé seigneur, mauvais mari pour la duchesse en tant qu'il avait des maîtresses, mais compère à toute épreuve en ce qui touchait le bon fonctionnement de son salon (et l'esprit d'Oriane, qui en était l'attrait principal), répondait : « Mais est-ce que ma femme la connaît ? Ah ! alors, en effet, elle aurait dû. Mais je vais dire la vérité à Madame : Oriane au fond n'aime pas la conversation des femmes. Elle est entourée d'une cour d'esprits supérieurs — moi, je ne suis pas son mari, je ne suis que son premier valet de chambre. Sauf un tout petit nombre qui sont, elles, très spirituelles, les femmes l'ennuient. Voyons, Madame, Votre Altesse, qui a tant de finesse, ne me dira pas que la marquise de Souvré ait de l'esprit. Oui, je comprends bien, la princesse la reçoit par bonté. Et puis elle la connaît. Vous dites qu'Oriane l'a vue, c'est possible, mais très peu je vous assure. Et puis je vais dire à la princesse, il y a aussi un peu de ma faute. Ma femme est très fatiguée, et elle aime tant être aimable que, si je la laissais faire, ce serait des visites à n'en plus finir. Pas plus tard qu'hier soir, elle avait de la température, elle avait peur de faire de la peine à la duchesse de Bourbon en n'allant pas chez elle. J'ai dû montrer les dents, j'ai défendu qu'on attelât. Tenez, savez-vous, Madame, j'ai bien envie de ne pas même dire à Oriane que vous m'avez parlé de Mme de Souvré. Oriane aime tant Votre Altesse qu'elle ira aussitôt inviter Mme de Souvré, ce sera une visite de plus, cela nous forcera à entrer en relations avec la sœur dont je connais très bien le mari. Je crois que je ne dirai rien du tout à Oriane, si la princesse m'y autorise. Nous lui éviterons comme cela beaucoup de fatigue et d'agitation. Et je vous assure que cela ne privera pas Mme de Souvré. Elle va partout, dans les endroits les plus brillants. Nous, nous ne recevons même pas, de petits dîners de rien, Mme de Souvré s'ennuierait à périr. » La princesse de Parme, naïvement persuadée que le duc de Guermantes ne transmettrait pas sa demande à la duchesse et désolée de n'avoir pu obtenir l'invitation que désirait Mme de Souvré, était d'autant plus flattée d'être une des habituées d'un salon si peu accessible. Sans doute cette satisfaction n'allait pas sans ennuis. Ainsi chaque fois que la princesse de Parme invitait Mme de Guermantes, elle avait à se mettre l'esprit à la torture pour n'avoir personne qui pût déplaire à la duchesse et l'empêcher de revenir.

Les jours habituels, après le dîner où elle avait toujours (de très bonne heure, ayant gardé les habitudes anciennes) quelques convives, le salon de la princesse de Parme était ouvert aux habitués, et d'une façon générale à toute la grande aristocratie française et étrangère. La réception consistait en ceci qu'au sortir de la salle à manger, la princesse s'asseyait sur un canapé devant une grande table ronde, causait avec deux des femmes les plus importantes qui avaient dîné, ou bien jetait les yeux sur un « magazine », jouait aux cartes (ou feignait d'y jouer, suivant une habitude de cour allemande), soit en faisant une patience, soit en prenant pour partenaire vrai ou supposé un personnage marquant. Vers neuf heures la porte du grand salon ne cessait plus de s'ouvrir à deux battants, de se refermer, de se rouvrir de nouveau, pour laisser passage aux visiteurs qui avaient dîné quatre à quatre (ou, s'ils dînaient en ville, escamotaient le café en disant qu'ils allaient revenir, comptant en effet « entrer par une porte et sortir par l'autre ») pour se plier aux heures de la princesse. Celle-ci cependant, attentive à son jeu ou à la causerie, faisait semblant de ne pas voir les arrivantes, et ce n'est qu'au moment où elles étaient à deux pas d'elle, qu'elle se levait gracieusement en souriant avec bonté pour les femmes. Celles-ci cependant faisaient devant l'Altesse debout une révérence qui allait jusqu'à la génuflexion, de manière à mettre leurs lèvres à la hauteur de la belle main qui pendait très bas et à la baiser. Mais à ce moment la princesse, de même que si elle eût chaque fois été surprise par un protocole qu'elle connaissait pourtant très bien, relevait l'agenouillée comme de vive force, avec une grâce et une douceur sans égales, et l'embrassait sur les joues. Grâce et douceur qui avaient pour condition, dira-t-on, l'humilité avec laquelle l'arrivante pliait le genou. Sans doute ; et il semble que dans une société égalitaire la politesse disparaîtrait, non, comme on croit, par le défaut de l'éducation, mais parce que chez les uns disparaîtrait la déférence due au prestige qui doit être imaginaire pour être efficace, et surtout chez les autres l'amabilité qu'on prodigue et qu'on affine quand on sent qu'elle a pour celui qui la reçoit un prix infini, lequel dans un monde fondé sur l'égalité tomberait subitement à rien, comme tout ce qui n'avait qu'une valeur fiduciaire. Mais cette disparition de la politesse dans une société nouvelle n'est pas certaine, et nous sommes quelquefois trop disposés à croire que les conditions actuelles d'un état de choses en sont les seules possibles. De très bons esprits ont cru qu'une république ne pourrait avoir de diplomatie et d'alliances, et que la classe paysanne ne supporterait pas la séparation de l'Église et de l'État. Après tout, la politesse dans une société égalitaire ne serait pas un miracle plus grand que le succès des chemins de fer et l'utilisation militaire de l'aéroplane. Puis, si même la politesse disparaissait, rien ne prouve que ce serait un malheur. Enfin une société ne serait-elle pas secrètement hiérarchisée au fur et à mesure qu'elle serait en fait plus démocratique ? C'est fort possible. Le pouvoir politique des papes a beaucoup grandi depuis qu'ils n'ont plus ni États, ni armée ;

les cathédrales exerçaient un prestige bien moins grand sur un dévot du XVIIe siècle que sur un athée du XXe, et si la princesse de Parme avait été souveraine d'un État, sans doute eussé-je eu l'idée d'en parler à peu près autant que d'un président de la République, c'est-à-dire pas du tout.

Une fois l'impétrante relevée et embrassée par la princesse, celle-ci se rasseyait, se remettait à sa patience, non sans avoir, si la nouvelle venue était d'importance, causé un moment avec elle en la faisant asseoir sur un fauteuil.

Quand le salon devenait trop plein, la dame d'honneur chargée du service d'ordre donnait de l'espace en guidant les habitués dans un immense hall sur lequel donnait le salon et qui était rempli de portraits, de curiosités relatives à la maison de Bourbon. Les convives habituels de la princesse jouaient alors volontiers le rôle de cicerone et disaient des choses intéressantes, que n'avaient pas la patience d'écouter les jeunes gens, plus attentifs à regarder les Altesses vivantes (et au besoin à se faire présenter à elles par la dame d'honneur et les filles d'honneur) qu'à considérer les reliques des souveraines mortes. Trop occupés des connaissances qu'ils pourraient faire et des invitations qu'ils pêcheraient peut-être, ils ne savaient absolument rien, même après des années, de ce qu'il y avait dans ce précieux musée des archives de la monarchie, et se rappelaient seulement confusément qu'il était orné de cactus et de palmiers géants qui faisaient ressembler ce centre des élégances au Palmarium du Jardin d'Acclimatation.

Sans doute la duchesse de Guermantes, par mortification, venait parfois faire, ces soirs-là, une visite de digestion à la princesse, qui la gardait tout le temps à côté d'elle, tout en badinant avec le duc. Mais quand la duchesse venait dîner, la princesse se gardait bien d'avoir ses habitués et fermait sa porte en sortant de table, de peur que des visiteurs trop peu choisis déplussent à l'exigeante duchesse. Ces soirs-là, si des fidèles non prévenus se présentaient à la porte de l'Altesse, le concierge répondait : « Son Altesse Royale ne reçoit pas ce soir », et on repartait. D'avance, d'ailleurs, beaucoup d'amis de la princesse savaient que, à cette date-là, ils ne seraient pas invités. C'était une série particulière, une série fermée à tant de ceux qui eussent souhaité d'y être compris. Les exclus pouvaient, avec une quasi-certitude, nommer les élus, et se disaient entre eux d'un ton piqué : « Vous savez bien qu'Oriane de Guermantes ne se déplace jamais sans tout son état-major. » A l'aide de celui-ci, la princesse de Parme cherchait à entourer la duchesse comme d'une muraille protectrice contre les personnes desquelles le succès auprès d'elle serait plus douteux. Mais à plusieurs des amis préférés de la duchesse, à plusieurs membres de ce brillant « état-major », la princesse de Parme était gênée de faire des amabilités, vu qu'ils en avaient fort peu pour elle. Sans doute la princesse de Parme admettait fort bien qu'on pût se plaire davantage dans la société de Mme de Guermantes que dans la sienne propre. Elle était bien obligée de constater qu'on s'écrasait aux « jours » de la duchesse et qu'elle-même y rencontrait souvent trois ou quatre Altesses qui se contentaient de mettre leur carte chez elle. Et elle avait beau retenir les mots d'Oriane, imiter ses robes, servir, à ses thés, les mêmes tartes aux fraises, il y avait des fois où elle restait seule toute la journée avec une dame d'honneur et un conseiller de légation étranger. Aussi, lorsque (comme ç'avait été par exemple le cas pour Swann jadis) quelqu'un ne finissait jamais la journée sans être allé passer deux heures chez la duchesse et faisait une visite une fois tous les deux ans à la princesse de Parme, celle-ci n'avait pas grande envie, même pour amuser Oriane, de faire à ce Swann quelconque les « avances » de l'inviter à dîner. Bref, convier la duchesse était pour la princesse de Parme une occasion de perplexités, tant elle était rongée par la crainte qu'Oriane trouvât tout mal. Mais en revanche, et pour la même raison, quand la princesse de Parme venait dîner chez Mme de Guermantes, elle était sûre d'avance que tout serait bien, délicieux, elle n'avait qu'une peur, c'était de ne pas savoir comprendre, retenir, plaire, de ne pas savoir assimiler les idées et les gens. A ce titre ma présence excitait son attention et sa cupidité, aussi bien que l'eût fait une nouvelle manière de décorer la table avec des guirlandes de fruits, incertaine qu'elle était si c'était l'une ou l'autre, la décoration de la table ou ma présence, qui était plus particulièrement l'un de ces charmes, secret du succès des réceptions d'Oriane, et, dans le doute, bien décidée à tenter d'avoir à son prochain dîner l'un et l'autre. Ce qui justifiait du reste pleinement la curiosité ravie que la princesse de Parme apportait chez la duchesse, c'était cet élément comique, dangereux, excitant, où la princesse se plongeait avec une sorte de crainte, de saisissement et de délices (comme, au bord de la mer, dans un de ces « bains de vagues » dont les guides baigneurs signalent le péril, tout simplement parce qu'aucun d'eux ne sait nager), d'où elle sortait tonifiée, heureuse, rajeunie, et qu'on appelait l'esprit des Guermantes. L'esprit des Guermantes — entité aussi inexistante que la quadrature du cercle, selon la duchesse, qui se jugeait la seule Guermantes à le posséder — était une réputation comme les rillettes de Tours ou les biscuits de Reims. Sans doute (une particularité intellectuelle n'usant pas pour se propager des mêmes modes que la couleur des cheveux ou du teint) certains intimes de la duchesse, et qui n'étaient pas de son sang, possédaient pourtant cet esprit, lequel en revanche n'avait pu envahir certains Guermantes par trop réfractaires à n'importe quelle sorte d'esprit. Les détenteurs, non apparentés à la duchesse, de l'esprit des Guermantes avaient généralement pour caractéristique d'avoir été des hommes brillants, doués pour une carrière à laquelle, que ce fût les arts, la diplomatie, l'éloquence parlementaire, l'armée, ils avaient préféré la vie de coterie. Peut-être cette préférence aurait-elle pu être expliquée par un certain manque d'originalité, ou d'initiative, ou de vouloir, ou de santé, ou de chance, ou par le snobisme.

Chez certains (il faut d'ailleurs reconnaître que c'était l'exception), si le salon Guermantes avait été la pierre d'achoppement de leur carrière, c'était contre leur gré. Ainsi un médecin, un peintre et un diplomate de grand avenir n'avaient pu réussir dans leur carrière, pour laquelle ils étaient pourtant plus brillamment doués que beaucoup, parce que leur intimité chez les Guermantes faisait que les deux premiers passaient pour des gens du monde, et le troisième pour un réactionnaire, ce qui les avait empêchés tous trois d'être reconnus par leurs pairs. L'antique robe et la toque rouge que revêtent et coiffent encore les collèges électoraux des Facultés n'est pas, ou du moins n'était pas, il n'y a pas encore si longtemps, que la survivance purement extérieure d'un passé aux idées étroites, d'un sectarisme fermé.

Sous la toque à glands d'or comme les grands prêtres sous le bonnet conique des Juifs, les « professeurs » étaient encore, dans les années qui précédèrent l'affaire Dreyfus, enfermés dans des idées rigoureusement pharisiennes. Du Boulbon était au fond un artiste, mais il était sauvé parce qu'il n'aimait pas le monde. Cottard fréquentait les Verdurin, mais Mme Verdurin était une cliente, puis il était protégé par sa vulgarité, enfin chez lui il ne recevait que la Faculté, dans des agapes sur lesquelles flottait une odeur d'acide phénique. Mais dans les corps fortement constitués, où d'ailleurs la rigueur des préjugés n'est que la rançon de la plus belle intégrité, des idées morales les plus élevées, qui fléchissent dans des milieux plus tolérants, plus libres et, bien vite, plus dissolus, un professeur, dans sa robe en satin écarlate doublé d'hermine comme celle d'un Doge (c'est-à-dire un duc) de Venise enfermé dans le palais ducal, était aussi vertueux, aussi attaché à de nobles principes, mais aussi impitoyable pour tout élément étranger, que cet autre duc, excellent mais terrible, qu'était M. de Saint-Simon. L'étranger, c'était le médecin mondain, ayant d'autres manières, d'autres relations. Pour bien faire, le malheureux dont nous parlons ici, afin de ne pas être accusé par ses collègues de les mépriser (quelle idée d'homme du monde!) s'il leur cachait la duchesse de Guermantes, espérait les désarmer en donnant des dîners mixtes où l'élément médical était noyé dans l'élément mondain. Il ne savait pas qu'il signait ainsi sa perte, ou plutôt il l'apprenait quand le conseil des Dix (un peu plus élevé en nombre) avait à pourvoir à la vacance d'une chaire, et que c'était toujours le nom d'un médecin plus normal, fût-il plus médiocre, qui sortait de l'urne fatale, et que le « veto » retentissait dans l'antique Faculté, aussi solennel, aussi ridicule, aussi terrible que le « juro » sur lequel mourut Molière. Ainsi encore du peintre à jamais étiqueté homme du monde, quand des gens du monde qui faisaient de l'art avaient réussi à se faire étiqueter artistes ; ainsi pour le diplomate ayant trop d'attaches réactionnaires.

Mais ce cas était le plus rare. Le type des hommes distingués qui formaient le fond du salon Guermantes était celui de gens ayant renoncé volontairement (ou le croyant du moins) au reste, à tout ce qui était incompatible avec l'esprit des Guermantes, la politesse des Guermantes, avec ce charme indéfinissable odieux à tout « corps » tant soit peu « constitué ».

Et les gens qui savaient qu'autrefois l'un de ces habitués du salon de la duchesse avait eu la médaille d'or au Salon, que l'autre, secrétaire de la Conférence des avocats, avait fait des débuts retentissants à la Chambre, qu'un troisième avait habilement servi la France comme chargé d'affaires, auraient pu considérer comme des ratés des gens qui n'avaient plus rien fait depuis vingt ans. Mais ces « renseignés » étaient peu nombreux, et les intéressés eux-mêmes auraient été les derniers à le rappeler, trouvant ces anciens titres de nulle valeur, en vertu même de l'esprit des Guermantes : celui-ci ne faisait-il pas taxer de raseur, de pion, ou bien au contraire de garçon de magasin, tels ministres éminents, l'un un peu solennel, l'autre amateur de calembours, dont les journaux chantaient les louanges, mais à côté de qui Mme de Guermantes bâillait et donnait des signes d'impatience si l'imprudence d'une maîtresse de maison lui avait donné l'un ou l'autre pour voisin ? Puisque être un homme d'État de premier ordre n'était nullement une recommandation auprès de la duchesse, ceux de ses amis qui avaient donné leur démission de la « Carrière » ou de l'armée, qui ne s'étaient pas représentés à la Chambre, jugeaient, en venant tous les jours déjeuner et causer avec leur grande amie, en la retrouvant chez des Altesses d'ailleurs peu appréciées d'eux, du moins le disaient-ils, qu'ils avaient choisi la meilleure part, encore que leur air mélancolique, même au milieu de la gaîté, contredît un peu le bien-fondé de ce jugement.

Encore faut-il reconnaître que la délicatesse de vie sociale, la finesse des conversations chez les Guermantes avaient, si mince cela fût-il, quelque chose de réel. Aucun titre officiel n'y valait l'agrément de certains des préférés de Mme de Guermantes que les ministres les plus puissants n'auraient pu réussir à attirer chez eux. Si dans ce salon tant d'ambitions intellectuelles et même de nobles efforts avaient été enterrés pour jamais, du moins, de leur poussière, la plus rare floraison de mondanité y avait pris naissance. Certes, des hommes d'esprit, comme Swann par exemple, se jugeaient supérieurs à des hommes de valeur, qu'ils dédaignaient, mais c'est que ce que la duchesse plaçait au-dessus de tout, ce n'était pas l'intelligence, c'était — forme supérieure selon elle, plus rare, plus exquise, de l'intelligence élevée jusqu'à une variété verbale de talent — l'esprit. Et autrefois chez les Verdurin, quand Swann jugeait Brichot et Elstir, l'un comme un pédant, l'autre comme un mufle, malgré tout le savoir de l'un et tout le génie de l'autre, c'était l'infiltration de l'esprit Guermantes qui l'avait fait les classer ainsi. Jamais il n'eût osé présenter ni l'un ni l'autre à la duchesse, sentant d'avance de quel air elle eût accueilli les tirades de Brichot, les « calembredaines » d'Elstir, l'esprit des Guermantes rangeant les propos prétentieux et prolongés du genre sérieux ou du genre farceur dans la plus intolérable imbécillité.

Quant aux Guermantes selon la chair, selon le sang, si l'esprit des Guermantes ne les avait pas gagnés aussi complètement qu'il arrive, par exemple, dans les cénacles littéraires où tout le monde a une manière de prononcer, d'énoncer et, par voie de conséquence, de penser, ce n'est pas certes que l'originalité soit plus forte dans les milieux mondains et y mette obstacle à l'imitation. Mais l'imitation a pour conditions, non pas seulement l'absence d'une originalité irréductible, mais encore une finesse relative d'oreille qui permette de discerner d'abord ce qu'on imite ensuite. Or, il y avait quelques Guermantes auxquels ce sens musical faisait aussi entièrement défaut qu'aux Courvoisier.

Pour prendre comme exemple l'exercice qu'on appelle, dans une autre acception du mot imitation, « faire des imitations » (ce qui se disait chez les Guermantes « faire des charges »), Mme de Guermantes avait beau le réussir à ravir, les Courvoisier étaient aussi incapables de s'en rendre compte que s'ils eussent été une bande de lapins, au lieu d'hommes et de femmes, parce qu'ils n'avaient jamais su remarquer le défaut ou l'accent que la duchesse cherchait à contrefaire. Quand elle « imitait » le duc de Limoges, les Courvoisier protestaient : « Oh! non, il ne parle tout de même pas comme cela, j'ai encore dîné hier soir avec lui chez Bebeth, il m'a parlé toute la soirée, il ne parlait pas comme cela », tandis que les Guermantes un peu cultivés s'écriaient : « Dieu qu'Oriane est drolatique! Le plus fort c'est que pendant qu'elle l'imite, elle lui ressemble! Je crois l'entendre. Oriane, encore un peu Limoges! » Or, ces Guermantes-là (sans même aller jusqu'à ceux, tout à fait remarquables, qui, lorsque la duchesse imitait le duc de Limoges, disaient avec admiration : « Ah! on peut dire que vous le *tenez* » ou « que tu le tiens ») avaient beau ne pas avoir d'esprit, selon Mme de Guermantes (en quoi elle était dans le vrai), à force d'entendre et de raconter les mots de la duchesse, ils étaient arrivés à imiter tant bien que mal sa manière de s'exprimer, de juger, ce que Swann eût appelé, comme la duchesse elle-même, sa manière de « rédiger », jusqu'à présenter dans leur conversation quelque chose qui pour les Courvoisier paraissait affreusement similaire à l'esprit d'Oriane et était traité par eux d'esprit des Guermantes. Comme ces Guermantes étaient pour elle non seulement des parents, mais des admirateurs, Oriane (qui tenait fort le reste de sa famille à l'écart, et vengeait maintenant par ses dédains les méchancetés que celle-ci lui avait faites quand elle était jeune fille) allait les voir quelquefois, et généralement en compagnie du duc, à la belle saison, quand elle sortait avec lui. Ces visites étaient un événement. Le cœur battait un peu plus vite à la princesse d'Épinay qui recevait dans son grand salon du rez-de-chaussée, quand elle apercevait de loin, telles les premières lueurs d'un inoffensif incendie ou les « reconnaissances » d'une invasion non espérée, traversant lentement la cour, d'une démarche oblique, la duchesse coiffée d'un ravissant chapeau et inclinant une ombrelle d'où pleuvait une odeur d'été. « Tiens, Oriane », disait-elle comme un « garde-à-vous » qui cherchait à avertir ses visiteuses avec prudence, et pour qu'on eût le temps de sortir en ordre, qu'on évacuât les salons sans panique. La moitié des personnes présentes n'osait pas rester, se levait. « Mais non, pourquoi? rasseyez-vous donc, je suis charmée de vous garder encore un peu », disait la princesse d'un air dégagé et à l'aise (pour faire la grande dame), mais d'une voix devenue factice. « Vous pourriez avoir à vous parler. — Vraiment, vous êtes pressée? hé bien, j'irai chez vous », répondait la maîtresse de maison à celles qu'elle aimait autant voir partir. Le duc et la duchesse saluaient fort poliment des gens qu'ils voyaient là depuis des années sans les connaître pour cela davantage, et qui leur disaient à peine bonjour, par discrétion. A peine étaient-ils partis que le duc demandait aimablement des renseignements sur eux, pour avoir l'air de s'intéresser à la qualité intrinsèque des personnes qu'il ne recevait pas par la méchanceté du destin ou à cause de l'état nerveux d'Oriane pour lequel la fréquentation des femmes était mauvaise : « Qu'est-ce que c'était que cette petite dame en chapeau rose? — Mais, mon cousin, vous l'avez vue souvent, c'est la vicomtesse de Tours, née Lamarzelle. — Mais savez-vous qu'elle est jolie, elle a l'air spirituel ; s'il n'y avait pas un petit défaut dans la lèvre supérieure, elle serait tout bonnement ravissante. S'il y a un vicomte de Tours, il ne doit pas s'embêter. Oriane, savez-vous à qui ses sourcils et la plantation de ses cheveux m'ont fait penser? A votre cousine Hedwige de Ligne. » La duchesse de Guermantes, qui languissait dès qu'on parlait de la beauté d'une autre femme qu'elle, laissait tomber la conversation. Elle avait compté sans le goût qu'avait son mari pour faire voir qu'il était parfaitement au fait des gens qu'il ne recevait pas, par quoi il croyait se montrer plus « sérieux » que sa femme. « Mais, disait-il tout d'un coup avec force, vous avez prononcé le nom de Lamarzelle. Je me rappelle que, quand j'étais à la Chambre, un discours tout à fait remarquable fut prononcé... — C'était l'oncle de la jeune femme que vous venez de voir.

— Ah! quel talent!... Non, mon petit », disait-il à la vicomtesse d'Égremont, que Mme de Guermantes ne pouvait souffrir mais qui, ne bougeant pas de chez la princesse d'Épinay où elle s'abaissait volontairement à un rôle de soubrette (quitte à battre la sienne en rentrant), restait, confuse, éplorée, mais restait quand le couple ducal était là, débarrassait des manteaux, tâchait de se rendre utile, par discrétion offrait de passer dans la pièce voisine, « ne faites pas de thé pour nous, causons tranquillement, nous sommes des gens simples, à la bonne franquette. Du reste ajoutait-il en se tournant vers Mme d'Épinay (en laissant l'Égremont rougissante, humble, ambitieuse et zélée), nous n'avons qu'un quart d'heure à vous donner. » Ce quart d'heure était occupé tout entier à une sorte d'exposition des mots que la duchesse avait eus pendant la semaine et qu'elle-même n'eût certainement pas cités, mais que fort habilement le duc, en ayant l'air de la gourmander à propos des incidents qui les avaient provoqués, l'amenait comme involontairement à redire.

La princesse d'Épinay, qui aimait sa cousine et savait qu'elle avait un faible pour les compliments, s'extasiait sur son chapeau, son ombrelle, son esprit. « Parlez-lui de sa toilette tant que vous voudrez », disait le duc du ton bourru qu'il avait adopté et qu'il tempérait d'un malicieux sourire pour qu'on ne prît pas son mécontentement au sérieux, « mais, au nom du ciel, pas de son esprit, je me passerais fort d'avoir une femme aussi spirituelle. Vous faites probablement allusion au mauvais calembour qu'elle a fait sur mon frère Palamède, ajoutait-t-il sachant fort bien que la princesse et le reste de la famille ignoraient encore ce calembour, et enchanté de faire valoir sa femme. D'abord je trouve indigne d'une personne qui a dit quelquefois, je le reconnais, d'assez jolies choses, de faire de mauvais calembours, mais surtout sur mon frère qui est très susceptible, et si cela doit avoir pour résultat de me fâcher avec lui, c'est vraiment bien la peine! »

— Mais nous ne savons pas! Un calembour d'Oriane? Cela doit être délicieux. Oh! dites-le.

— Mais non, mais non, reprenait le duc encore boudeur quoique plus souriant, je suis ravi que vous ne l'ayez pas appris. Sérieusement j'aime beaucoup mon frère.

— Écoutez, Basin, disait la duchesse dont le moment de donner la réplique à son mari était venu, je ne sais pourquoi vous dites que cela peut fâcher Palamède, vous savez très bien le contraire. Il est beaucoup trop intelligent pour se froisser de cette plaisanterie stupide qui n'a quoi que ce soit de désobligeant. Vous allez faire croire que j'ai dit une méchanceté, j'ai tout simplement répondu quelque chose de pas drôle, mais c'est vous qui y donnez de l'importance par votre indignation. Je ne vous comprends pas.

— Vous nous intriguez horriblement, de quoi s'agit-il?

— Oh! évidemment de rien de grave! s'écriait M. de Guermantes. Vous avez peut-être entendu dire que mon frère voulait donner Brézé, le château de sa femme, à sa sœur Marsantes.

— Oui, mais on nous a dit qu'elle ne le désirait pas, qu'elle n'aimait pas le pays où il est, que le climat ne lui convenait pas.

— Hé bien, justement quelqu'un disait tout cela à ma femme et que si mon frère donnait ce château à notre sœur, ce n'était pas pour lui faire plaisir, mais pour la taquiner. C'est qu'il est si taquin, Charlus, disait cette personne. Or, vous savez que Brézé, c'est royal, cela peut valoir plusieurs millions, c'est une ancienne terre du roi, il y a là une des plus belles forêts de France. Il y a beaucoup de gens qui voudraient qu'on leur fît des taquineries de ce genre. Aussi en entendant ce mot de « taquin » appliqué à Charlus parce qu'il donnait un si beau château, Oriane n'a pu s'empêcher de s'écrier, involontairement, je dois le confesser, elle n'y a pas mis de méchanceté, car c'est venu vite comme l'éclair : « Taquin... taquin... Alors c'est Taquin le Superbe! » Vous comprenez, ajoutait en reprenant son ton bourru et non sans avoir jeté un regard circulaire pour juger de l'effet produit par l'esprit de sa femme, le duc qui était d'ailleurs assez sceptique quant à la connaissance que Mme d'Épinay avait de l'histoire ancienne, vous comprenez, c'est à cause de Tarquin le Superbe, le roi de Rome ; c'est stupide, c'est un mauvais jeu de mots, indigne d'Oriane. Et puis moi qui suis plus circonspect que ma femme, si j'ai moins d'esprit, je pense aux suites, si le malheur veut qu'on répète cela à mon frère, ce sera toute une histoire. D'autant plus, ajouta-t-il, que comme justement Palamède est très hautain et aussi très pointilleux, très enclin aux commérages, même en dehors de la question du château, il faut reconnaître que Taquin le Superbe lui convient assez bien. C'est ce qui sauve les mots de Madame, c'est que même quand elle veut s'abaisser à de vulgaires à peu près, elle reste spirituelle malgré tout et elle peint assez bien les gens.

Ainsi grâce, une fois à Taquin le Superbe, une autre fois à un autre mot, ces visites du duc et de la duchesse à leur famille renouvelaient la provision des récits, et l'émoi qu'elles avaient causé durait bien longtemps après le départ de la femme d'esprit et de son impresario. On se régalait d'abord, avec les privilégiés qui avaient été de la fête (les personnes qui étaient restées là), des mots qu'Oriane avait dits. « Vous ne connaissiez pas Taquin le Superbe ? » demandait la princesse d'Épinay. « Si, répondait en rougissant la marquise de Baveno : la princesse de Sarsina-La Rochefaucauld m'en avait parlé, pas tout à fait dans les mêmes termes. Mais cela a du être bien plus intéressant de l'entendre raconter ainsi devant ma cousine », ajoutait-elle comme elle aurait dit « de l'entendre accompagner par l'auteur ». « Nous parlions du dernier mot d'Oriane qui était ici tout à l'heure », disait-on à une visiteuse qui allait se trouver désolée de ne pas être venue une heure auparavant.

— Comment, Oriane était ici ?

— Mais oui, vous seriez venue un peu plus tôt..., lui répondait la princesse d'Épinay, sans reproche, mais en laissant comprendre tout ce que la maladroite avait raté. C'était sa faute si elle n'avait pas assisté à la Création du monde ou à la dernière représentation de Mme Carvalho. « Qu'est-ce que vous dites du dernier mot d'Oriane ? j'avoue que j'apprécie beaucoup Taquin le Superbe », et le « mot » se mangeait encore froid le lendemain à déjeuner, entre intimes qu'on invitait pour cela, et reparaissait sous diverses sauces pendant la semaine. Même la princesse faisant cette semaine-là sa visite annuelle à la princesse de Parme en profitait pour demander à l'Altesse si elle connaissait le mot et le lui racontait. « Ah ! Taquin le Superbe », disait la princesse de Parme, les yeux écarquillés par une admiration a priori, mais qui implorait un supplément d'explication auquel ne se refusait pas la princesse d'Épinay. « J'avoue que Taquin le Superbe me plaît infiniment comme rédaction », concluait la princesse. En réalité, le mot de « rédaction » ne convenait nullement pour ce calembour, mais la princesse d'Épinay, qui avait la prétention d'avoir assimilé l'esprit des Guermantes, avait pris à Oriane les expressions « rédigé, rédaction » et les employait sans beaucoup de discernement. Or la princesse de Parme, qui n'aimait pas beaucoup Mme d'Épinay qu'elle trouvait laide, savait avare et croyait méchante, sur la foi des Courvoisier, reconnut ce mot de « rédaction » qu'elle avait entendu prononcer par Mme de Guermantes et qu'elle n'eût pas su appliquer toute seule. Elle eut l'impression que c'était, en effet, la « rédaction » qui faisait le charme de Taquin le Superbe, et sans oublier tout à fait son antipathie pour la dame laide et avare, elle ne put se défendre d'un tel sentiment d'admiration pour une femme qui possédait à ce point l'esprit des Guermantes, qu'elle voulut inviter la princesse d'Épinay à l'Opéra. Seule la retint la pensée qu'il conviendrait peut-être de consulter d'abord Mme de Guermantes. Quant à Mme d'Épinay qui, bien différente des Courvoisier, faisait mille grâces à Oriane et l'aimait, mais était jalouse de ses relations et un peu agacée des plaisanteries que la duchesse lui faisait devant tout le monde sur son avarice, elle raconta en rentrant chez elle combien la princesse de Parme avait eu de peine à comprendre Taquin le Superbe et combien il fallait qu'Oriane fût snob pour avoir dans son intimité une pareille dinde. « Je n'aurais jamais pu fréquenter la princesse de Parme si j'avais voulu, parce que M. d'Épinay ne me l'aurait jamais permis à cause de son immoralité, dit-elle aux amis qu'elle avait à dîner, faisant allusion à certains débordements purement imaginaires de la princesse. Mais même si j'avais eu un mari moins sévère, j'avoue que je n'aurais pas pu. Je ne sais pas comment Oriane fait pour la voir constamment. Moi, j'y vais une fois par an et j'ai bien de la peine à arriver au bout de la visite. »

Quant à ceux des Courvoisier qui se trouvaient chez Victurnienne au moment de la visite de Mme de Guermantes, l'arrivée de la duchesse les mettait généralement en fuite à cause de l'exaspération que leur causaient les « salamalecs exagérés » qu'on faisait pour Oriane. Un seul resta le jour de Taquin le Superbe. Il ne comprit pas complètement la plaisanterie, mais tout de même à moitié, car il était instruit. Et les Courvoisier allèrent répétant qu'Oriane avait appelé l'oncle Palamède « Ta*r*quin le Superbe », ce qui le peignait selon eux assez bien. « Mais pourquoi faire tant d'histoires avec Oriane ? » ajoutaient-ils. On n'en aurait pas fait davantage pour une reine. En somme, qu'est-ce qu'Oriane ? Je ne dis pas que les Guermantes ne soient pas de vieille souche, mais les Courvoisier ne le leur cèdent en rien, ni comme illustration, ni comme ancienneté, ni comme alliances. Il ne faut pas oublier qu'au Camp du drap d'or, comme le roi d'Angleterre demandait à François Ier quel était le plus noble des seigneurs là présents : « Sire, répondit le roi de France, c'est Courvoisier. » D'ailleurs tous les Courvoisier fussent-ils restés, que les mots les eussent laissés d'autant plus insensibles que les incidents qui les faisaient généralement naître auraient été considérés par eux d'un point de vue tout à fait différent. Si, par exemple, une Courvoisier se trouvait manquer de chaises, dans une réception qu'elle donnait, ou si elle se trompait de nom en parlant à une visiteuse qu'elle n'avait pas reconnue, ou si un de ses domestiques lui adressait une phrase ridicule, la Courvoisier, ennuyée à l'extrême, rougissante, frémissant d'agitation, déplorait un pareil contretemps. Et quand elle avait un visiteur et qu'Oriane devait venir, elle disait sur un ton anxieusement et impérieusement interrogatif : « Est-ce que vous la connaissez ? » craignant, si le visiteur ne la connaissait pas, que sa présence donnât une mauvaise impression à Oriane. Mais Mme de Guermantes tirait, au contraire, de tels incidents, l'occasion de récits qui faisaient rire les Guermantes aux larmes, de sorte qu'on était obligé de l'envier d'avoir manqué de chaises, d'avoir fait ou laissé faire à son domestique une gaffe, d'avoir eu chez soi quelqu'un que personne ne connaissait, comme on est obligé de se féliciter que les grands écrivains aient été tenus à distance par les hommes et trahis par les femmes quand leurs humiliations et leurs souffrances ont été, sinon l'aiguillon de leur génie, du moins la matière de leurs œuvres.

Les Courvoisier n'étaient pas davantage capables de s'élever jusqu'à l'esprit d'innovation que la duchesse de Guermantes introduisait dans la vie mondaine et qui, en l'adaptant selon un sûr instinct aux nécessités du moment, en faisait quelque chose d'artistique, là où l'application purement raisonnée de règles rigides eût donné d'aussi mauvais résultats qu'à quelqu'un qui, voulant réussir en amour ou dans la politique, reproduirait à la lettre dans sa propre vie les exploits de Bussy d'Amboise. Si les Courvoisier donnaient un dîner de famille ou un dîner pour un prince, l'adjonction d'un homme d'esprit, d'un ami de leur fils, leur semblait une anomalie capable de produire le plus mauvais effet. Une Courvoisier dont le père avait été ministre de l'Empereur, ayant à donner une matinée en l'honneur de la princesse Mathilde, déduisit par esprit de géométrie qu'elle ne pouvait inviter que des bonapartistes. Or elle n'en connaissait presque pas. Toutes les femmes élégantes de ses relations, tous les hommes agréables furent impitoyablement bannis, parce que, d'opinion ou d'attaches légitimistes, ils auraient, selon la logique des Courvoisier, pu déplaire à l'Altesse Impériale. Celle-ci, qui recevait chez elle la fleur du faubourg Saint-Germain, fut assez étonnée quand elle trouva seulement chez Mme de Courvoisier une pique-assiette célèbre, veuve d'un ancien préfet de l'Empire, la veuve du directeur des postes et quelques personnes connues pour leur fidélité à Napoléon III, leur bêtise et leur ennui. La princesse Mathilde n'en répandit pas moins le ruissellement généreux et doux de sa grâce souveraine sur ces laiderons calamiteux que la duchesse de Guermantes se garda bien, elle, de convier, quand ce fut son tour de recevoir la princesse, et qu'elle remplaça, sans raisonnements a priori sur le bonapartisme, par le plus riche bouquet de toutes les beautés, de toutes les valeurs, de toutes les célébrités qu'une sorte de flair, de tact et de doigté lui faisait sentir devoir être agréables à la nièce de l'Empereur, même quand elles étaient de la propre famille du roi. Il n'y manqua même pas le duc d'Aumale, et quand, en se retirant, la princesse, relevant Mme de Guermantes qui lui faisait la révérence et voulait lui baiser la main, l'embrassa sur les deux joues, ce fut du fond du cœur qu'elle put assurer à la duchesse qu'elle n'avait jamais passé une meilleure journée ni assisté à une fête plus réussie. La princesse de Parme était Courvoisier par l'incapacité d'innover en matière sociale, mais, à la différence des Courvoisier, la surprise que lui causait perpétuellement la duchesse de Guermantes engendrait non comme chez eux l'antipathie, mais l'émerveillement. Cet étonnement était encore accru du fait de la culture infiniment arriérée de la princesse. Mme de Guermantes était elle-même beaucoup moins avancée qu'elle ne le croyait. Mais il suffisait qu'elle le fût plus que Mme de Parme pour stupéfier celle-ci, et comme chaque génération de critiques se borne à prendre le contrepied des vérités admises par leurs prédécesseurs, elle n'avait qu'à dire que Flaubert, cet ennemi des bourgeois, était avant tout un bourgeois, ou qu'il y avait beaucoup de musique italienne dans Wagner, pour procurer à la princesse, au prix d'un surmenage toujours nouveau, comme à quelqu'un qui nage dans la tempête, des horizons qui lui paraissaient inouïs et lui restaient confus. Stupéfaction d'ailleurs devant les paradoxes proférés non seulement au sujet des œuvres artistiques, mais même des personnes de leur connaissance, et aussi des actions mondaines. Sans doute l'incapacité où était Mme de Parme de séparer le véritable esprit des Guermantes des formes rudimentairement apprises de cet esprit (ce qui la faisait croire à la haute valeur intellectuelle de certains et surtout de certaines Guermantes dont ensuite elle était confondue d'entendre la duchesse lui dire en souriant que c'était de simples cruches), telle était une des causes de l'étonnement que la princesse avait toujours à entendre Mme de Guermantes juger les personnes. Mais il y en avait une autre et que, moi qui connaissais à cette époque plus de livres que de gens et mieux la littérature que le monde, je m'expliquai en pensant que la duchesse, vivant de cette vie mondaine dont le désœuvrement et la stérilité sont à une activité sociale véritable ce qu'est en art la critique à la création, étendait aux personnes de son entourage l'instabilité de points de vue, la soif malsaine du raisonneur qui pour étancher son esprit trop sec va chercher n'importe quel paradoxe encore un peu frais et ne se gênera point de soutenir l'opinion désaltérante que la plus belle *Iphigénie* est celle de Piccini et non celle de Gluck, au besoin la véritable *Phèdre* celle de Pradon.

Quand une femme intelligente, instruite, spirituelle, avait épousé un timide butor qu'on voyait rarement et qu'on n'entendait jamais, Mme de Guermantes s'inventait un beau jour une volupté spirituelle non pas seulement en décriant la femme, mais en « découvrant » le mari. Dans le ménage Cambremer par exemple, si elle eût vécu alors dans ce milieu, elle eût décrété que Mme de Cambremer était stupide, et en revanche, que la personne intéressante, méconnue, délicieuse, vouée au silence par une femme jacassante, mais la valant mille fois, était le marquis, et la duchesse eût éprouvé à déclarer cela le même genre de rafraîchissement que le critique qui, depuis soixante-dix ans qu'on admire *Hernani*, confesse lui préférer *Le Lion amoureux*. A cause du même besoin maladif de nouveautés arbitraires, si depuis sa jeunesse on plaignait une femme modèle, une vraie sainte, d'avoir été mariée à un coquin, un beau jour Mme de Guermantes affirmait que ce coquin était un homme léger, mais plein de cœur, que la dureté implacable de sa femme avait poussé à de vraies inconséquences. Je savais que ce n'était pas seulement entre les œuvres, dans la longue série des siècles, mais jusqu'au sein d'une même œuvre, que la critique joue à replonger dans l'ombre ce qui depuis trop longtemps était radieux et à en faire sortir ce qui semblait voué à l'obscurité définitive. Je n'avais pas seulement vu Bellini, Winterhalter, les architectes jésuites, un ébéniste de la Restauration, venir prendre la place de génies qu'on avait dits fatigués simplement parce que les oisifs intellectuels s'en étaient fatigués, comme sont toujours fatigués et changeants les neurasthéniques. J'avais vu préférer en Sainte-Beuve tour à tour le critique et le poète, Musset renié quant à ses vers, sauf pour de petites pièces fort insignifiantes, et exalté comme conteur. Sans doute certains essayistes ont tort de mettre au-dessus des scènes les plus célèbres du *Cid* ou de *Polyeucte* telle tirade du *Menteur* qui donne, comme un plan ancien, des renseignements sur le Paris de l'époque, mais leur prédilection, justifiée sinon par des motifs de beauté, au moins par un intérêt documentaire, est encore trop rationnelle pour la critique folle. Elle donne tout Molière pour un vers de *l'Étourdi*, et, même en trouvant le *Tristan* de Wagner assommant, en sauvera une « jolie note de cor » au moment où passe la chasse. Cette dépravation m'aida à comprendre celle dont faisait preuve Mme de Guermantes quand elle décidait qu'un homme de leur monde reconnu pour un brave cœur, mais sot, était un monstre d'égoïsme, plus fin qu'on ne croyait, qu'un autre connu pour sa générosité pouvait symboliser l'avarice, qu'une bonne mère ne tenait pas à ses enfants, et qu'une femme qu'on croyait vicieuse avait les plus nobles sentiments. Comme gâtées par la nullité de la vie mondaine, l'intelligence et la sensibilité de Mme de Guermantes étaient trop vacillantes pour que le dégoût ne succédât pas assez vite chez elle à l'engouement (quitte à se sentir de nouveau attirée vers le genre d'esprit qu'elle avait tour à tour recherché et délaissé) et pour que le charme qu'elle avait trouvé à un homme de cœur ne se changeât pas, s'il la fréquentait trop, cherchait trop en elle des directions qu'elle était incapable de lui donner, en un agacement qu'elle croyait produit par son admirateur et qui ne l'était que par l'impuissance où on est de trouver du plaisir quand on se contente de le chercher. Les variations de jugement de la duchesse n'épargnaient personne, excepté son mari. Lui seul ne l'avait jamais aimée ; en lui elle avait senti toujours un caractère de fer, indifférent aux caprices qu'elle avait, dédaigneux de sa beauté, violent, une de ces volontés à ne plier jamais et sous la seule loi desquelles les nerveux savent trouver le calme. D'autre part M. de Guermantes, poursuivant un même type de beauté féminine, mais le cherchant dans des maîtresses souvent renouvelées, n'avait, une fois qu'il les avait quittées, et pour se moquer d'elles, qu'une associée durable, identique, qui l'irritait souvent par son bavardage, mais dont il savait que tout le monde la tenait pour la plus belle, la plus vertueuse, la plus intelligente, la plus instruite de l'aristocratie, pour une femme que lui M. de Guermantes était trop heureux d'avoir trouvée, qui couvrait tous ses désordres, recevait comme personne, et maintenait à leur salon son rang de premier salon du faubourg Saint-Germain. Cette opinion des autres, il la partageait lui-même ; souvent de mauvaise humeur contre sa femme, il était fier d'elle. Si, aussi avare que fastueux, il lui refusait le plus léger argent pour des charités, pour les domestiques, il exigeait qu'elle eût les toilettes les plus magnifiques et les plus beaux attelages. Enfin il tenait à mettre en valeur l'esprit de sa femme. Or, chaque fois que Mme de Guermantes venait d'inventer, relativement aux mérites et aux défauts, brusquement intervertis par elle, d'un de leurs amis, un nouveau et friand paradoxe, elle brûlait d'en faire l'essai devant des personnes capables de le goûter, d'en faire savourer l'originalité psychologique et briller la malveillance lapidaire. Sans doute ces opinions nouvelles ne contenaient pas d'habitude plus de vérité que les anciennes, souvent moins ; mais justement ce qu'elles avaient d'arbitraire et d'inattendu leur conférait quelque chose d'intellectuel qui les rendait émouvantes à communiquer. Seulement, le patient sur qui venait de s'exercer la psychologie de la duchesse était généralement un intime dont ceux à qui elle souhaitait de transmettre sa découverte ignoraient entièrement qu'il ne fût plus au comble de la faveur ; aussi la réputation qu'avait Mme de Guermantes d'incomparable amie, sentimentale, douce et dévouée, rendait difficile de commencer l'attaque ; elle pouvait tout au plus intervenir ensuite comme contrainte et forcée, en donnant la réplique pour apaiser, pour contredire en apparence, pour appuyer en fait un partenaire qui avait pris sur lui de la provoquer ; c'était justement le rôle où excellait M. de Guermantes.

Quant aux actions mondaines, c'était encore un autre plaisir arbitrairement théâtral que Mme de Guermantes éprouvait à émettre sur elles de ces jugements imprévus qui fouettaient de surprises incessantes et délicieuses la princesse de Parme. Mais ce plaisir de la duchesse, ce fut moins à l'aide de la critique littéraire que d'après la vie politique et la chronique parlementaire, que j'essayai de comprendre quel il pouvait être. Les édits successifs et contradictoires par lesquels Mme de Guermantes renversait sans cesse l'ordre des valeurs chez les personnes de son milieu ne suffisant plus à la distraire, elle cherchait aussi, dans la manière dont elle dirigeait sa propre conduite sociale, dont elle rendait compte de ses moindres décisions mondaines, à goûter ces émotions artificielles, à obéir à ces devoirs factices qui stimulent la sensibilité des assemblées et s'imposent à l'esprit des politiciens. On sait que quand un ministre explique à la Chambre qu'il a cru bien faire en suivant une ligne de conduite qui semble en effet toute simple à l'homme de bon sens qui le lendemain dans son journal lit le compte rendu de la séance, ce lecteur de bon sens se sent pourtant remué tout d'un coup, et commence à douter d'avoir eu raison d'approuver le ministre, en voyant que le discours de celui-ci a été écouté au milieu d'une vive agitation et ponctué par des expressions de blâme telles que : « C'est très grave », prononcées par un député dont le nom et les titres sont si longs et suivis de mouvements si accentués que, dans l'interruption tout entière, les mots « c'est très grave! » tiennent moins de place qu'un hémistiche dans un alexandrin. Par exemple autrefois, quand M. de Guermantes, prince des Laumes, siégeait à la Chambre, on lisait quelquefois dans les journaux de Paris, bien que ce fût surtout destiné à la circonscription de Méséglise et afin de montrer aux électeurs qu'ils n'avaient pas porté leurs votes sur un mandataire inactif ou muet :

MONSIEUR DE GUERMANTES-BOUILLON, PRINCE DES LAUMES : « Ceci est grave! » (*Très bien! Très bien! au centre et sur quelques bancs à droite, vives exclamations à l'extrême gauche.*)

Le lecteur de bon sens garde encore une lueur de fidélité au sage ministre, mais son cœur est ébranlé de nouveaux battements par les premiers mots du nouvel orateur qui répond au ministre :

— L'étonnement, la stupeur, ce n'est pas trop dire (*vive sensation dans la partie droite de l'hémicycle*), que m'ont causés les paroles de celui qui est encore, je suppose, membre du Gouvernement... (*Tonnerre d'applaudissements ; quelques députés s'empressent vers le banc des ministres ; M. le Sous-Secrétaire d'État aux Postes et Télégraphes fait de sa place avec la tête un signe affirmatif.*)

Ce « tonnerre d'applaudissements » emporte les dernières résistances du lecteur de bon sens ; il trouve insultante pour la Chambre, monstrueuse, une façon de procéder qui en soi-même est insignifiante. Au besoin, quelque fait normal, par exemple : vouloir faire payer les riches plus que les pauvres, la lumière sur une iniquité, préférer la paix à la guerre, il le trouvera scandaleux et y verra une offense à certains principes auxquels il n'avait pas pensé en effet, qui ne sont pas inscrits dans le cœur de l'homme, mais qui émeuvent fortement à cause des acclamations qu'ils déchaînent et des compactes majorités qu'ils rassemblent.

Il faut d'ailleurs reconnaître que cette subtilité des hommes politiques qui me servit à m'expliquer le milieu Guermantes et plus tard d'autres milieux, n'est que la perversion d'une certaine finesse d'interprétation souvent désignée par la locution « lire entre les lignes ». Si dans les assemblées il y a absurdité par perversion de cette finesse, il y a stupidité par manque de cette finesse dans le public qui prend tout « à la lettre », qui ne soupçonne pas une révocation quand un haut dignitaire est relevé de ses fonctions « sur sa demande » et qui se dit : « Il n'est pas révoqué puisque c'est lui qui l'a demandé », une défaite quand les Russes par un mouvement stratégique se replient devant les Japonais sur des positions plus fortes et préparées à l'avance, un refus quand, une province ayant demandé l'indépendance à l'empereur d'Allemagne, celui-ci lui accorde l'autonomie religieuse. Il est possible d'ailleurs, pour revenir à ces séances de la Chambre, que, quand elles s'ouvrent, les députés eux-mêmes soient pareils à l'homme de bon sens qui en lira le compte rendu. Apprenant que des ouvriers en grève ont envoyé leurs délégués auprès d'un ministre, peut-être se demandent-ils naïvement : « Ah! voyons, que se sont-ils dit ? espérons que tout s'est arrangé », au moment où le ministre monte à la tribune dans un profond silence qui déjà met en goût d'émotions artificielles. Les premiers mots du ministre : « Je n'ai pas besoin de dire à la Chambre que j'ai un trop haut sentiment des devoirs du gouvernement pour avoir reçu cette délégation dont l'autorité de ma charge n'avait pas à connaître », sont un coup de théâtre, car c'était la seule hypothèse que le bon sens des députés n'eût pas faite. Mais justement parce que c'est un coup de théâtre, il est accueilli par de tels applaudissements que ce n'est qu'au bout de quelques minutes que peut se faire entendre le ministre, le ministre qui recevra, en retournant à son banc, les félicitations de ses collègues. On est aussi ému que le jour où il a négligé d'inviter à une grande fête officielle le président du Conseil municipal qui lui faisait opposition, et on déclare que dans l'une comme dans l'autre circonstance il a agi en véritable homme d'État.

M. de Guermantes, à cette époque de sa vie, avait, au grand scandale des Courvoisier, fait souvent partie des collègues qui venaient féliciter le ministre. J'ai entendu plus tard raconter que, même à un moment où il joua un assez grand rôle à la Chambre et où on songeait à lui pour un ministère ou une ambassade, il était, quand un ami venait lui demander un service, infiniment plus simple, jouait politiquement beaucoup moins au grand personnage que tout autre qui n'eût pas été le duc de Guermantes. Car s'il disait que la noblesse était peu de chose, qu'il considérait ses collègues comme des égaux, il n'en pensait pas un mot. Il recherchait, feignait d'estimer, mais méprisait les situations politiques, et comme il restait pour lui-même M. de Guermantes, elles ne mettaient pas autour de sa personne cet empesé des grands emplois qui rend d'autres inabordables. Et par là, son orgueil protégeait contre toute atteinte non pas seulement ses façons d'une familiarité affichée, mais ce qu'il pouvait avoir de simplicité véritable.

Pour en revenir à ses décisions artificielles et émouvantes comme celles des politiciens, Mme de Guermantes ne déconcertait pas moins les Guermantes, les Courvoisier, tout le Faubourg et plus que personne la princesse de Parme, par des décrets inattendus sous lesquels on sentait des principes qui frappaient d'autant plus qu'on s'en était moins avisé. Si le nouveau ministre de Grèce donnait un bal travesti, chacun choisissait un costume, et on se demandait quel serait celui de la duchesse. L'une pensait qu'elle voudrait être en duchesse de Bourgogne, une autre donnait comme probable le travestissement en princesse de Dujabar, une troisième en Psyché. Enfin une Courvoisier ayant demandé : « En quoi te mettras-tu, Oriane ? » provoquait la seule réponse à quoi l'on n'eût pas pensé : « Mais en rien du tout ! » et qui faisait beaucoup marcher les langues comme dévoilant l'opinion d'Oriane sur la véritable position mondaine du nouveau ministre de Grèce et sur la conduite à tenir à son égard, c'est-à-dire l'opinion qu'on aurait dû prévoir, à savoir qu'une duchesse « n'avait pas à » se rendre au bal travesti de ce nouveau ministre. « Je ne vois pas qu'il y ait nécessité à aller chez le ministre de Grèce, que je ne connais pas, je ne suis pas grecque, pourquoi irais-je là-bas ? je n'ai rien à y faire », disait la duchesse.

— Mais tout le monde y va, il paraît que ce sera charmant, s'écriait Mme de Gallardon.

— Mais c'est charmant aussi de rester au coin de son feu, répondait Mme de Guermantes.

Les Courvoisier n'en revenaient pas, mais les

Guermantes, sans imiter, approuvaient : « Naturellement tout le monde n'est pas en position comme Oriane de rompre avec tous les usages. Mais d'un côté on ne peut pas dire qu'elle ait tort de vouloir montrer que nous exagérons en nous mettant à plat ventre devant ces étrangers dont on ne sait pas toujours d'où ils viennent. »

Naturellement, sachant les commentaires que ne manquerait pas de provoquer l'une ou l'autre attitude, Mme de Guermantes avait autant de plaisir à entrer dans une fête où on n'osait pas compter sur elle, qu'à rester chez soi ou à passer la soirée avec son mari au théâtre, le soir d'une fête où « tout le monde allait », ou bien, quand on pensait qu'elle éclipserait les plus beaux diamants par un diadème historique, d'entrer sans un seul bijou et dans une autre tenue que celle qu'on croyait à tort de rigueur. Bien qu'elle fût antidreyfusarde (tout en croyant à l'innocence de Dreyfus, de même qu'elle passait sa vie dans le monde tout en ne croyant qu'aux idées), elle avait produit une énorme sensation à une soirée chez la princesse de Ligne, d'abord en restant assise quand toutes les dames s'étaient levées à l'entrée du général Mercier, et ensuite en se levant et en demandant ostensiblement ses gens quand un orateur nationaliste avait commencé une conférence, montrant par là qu'elle ne trouvait pas que le monde fût fait pour parler politique ; toutes les têtes s'étaient tournées vers elle à un concert du Vendredi Saint où, quoique voltairienne, elle n'était pas restée parce qu'elle avait trouvé indécent qu'on mît en scène le Christ. On sait ce qu'est, même pour les plus grandes mondaines, le moment de l'année où les fêtes commencent : au point que la marquise d'Amoncourt, laquelle, par besoin de parler, manie psychologique, et aussi manque de sensibilité, finissait souvent par dire des sottises, avait pu répondre à quelqu'un qui était venu la condoléancer sur la mort de son père, M. de Montmorency : « C'est peut-être encore plus triste qu'il vous arrive un chagrin pareil au moment où on a à sa glace des centaines de cartes d'invitations. » Hé bien, à ce moment de l'année, quand on invitait à dîner la duchesse de Guermantes, en se pressant pour qu'elle ne fût pas déjà retenue, elle refusait pour la seule raison à laquelle un mondain n'eût jamais pensé : elle allait partir en croisière pour visiter les fjords de la Norvège qui l'intéressaient. Les gens du monde en furent stupéfaits et, sans se soucier d'imiter la duchesse, éprouvèrent pourtant de son action l'espèce de soulagement qu'on a dans Kant quand, après la démonstration la plus rigoureuse du déterminisme, on découvre qu'au-dessus du monde de la nécessité il y a celui de la liberté. Toute invention dont on ne s'était jamais avisé excite l'esprit, même des gens qui ne savent pas en profiter. Celle de la navigation à vapeur était peu de chose auprès d'user de la navigation à vapeur à l'époque sédentaire de la *season*. L'idée qu'on pouvait volontairement renoncer à cent dîners ou déjeuners en ville, au double de « thés », au triple de soirées, aux plus brillants lundis de l'Opéra et mardis des Français pour aller visiter les fjords de la Norvège ne parut pas aux Courvoisier plus explicable que *Vingt mille lieues sous les Mers*, mais leur communiqua la même sensation d'indépendance et de charme. Aussi n'y avait-il pas de jour où l'on n'entendît dire, non seulement « Vous connaissez le dernier mot d'Oriane ? », mais « Vous savez la dernière d'Oriane ? » Et de la « dernière d'Oriane », comme du dernier « mot » d'Oriane, on répétait : « C'est bien d'Oriane », « C'est bien de l'Oriane », « C'est de l'Oriane tout pur ». La dernière d'Oriane, c'était, par exemple, qu'ayant à répondre au nom d'une société patriotique au cardinal X..., évêque de Mâcon (que d'habitude M. de Guermantes, quand il parlait de lui, appelait « Monsieur de Mascon », parce que le duc trouvait cela vieille France), comme chacun cherchait à imaginer comment la lettre serait tournée, et trouvait bien les premiers mots : « Éminence » ou « Monseigneur », mais était embarrassé devant le reste, la lettre d'Oriane, à l'étonnement de tous, débutait par « Monsieur le cardinal » à cause d'un vieil usage académique, ou par « Mon cousin », ce terme étant usité entre les princes de l'Église, les Guermantes et les souverains qui demandaient à Dieu d'avoir les uns et les autres « dans sa sainte et digne garde ». Pour qu'on parlât d'une « dernière d'Oriane », il suffisait qu'à une représentation où il y avait tout Paris et où on jouait une fort jolie pièce, comme on cherchait Mme de Guermantes dans la loge de la princesse de Parme, de la princesse de Guermantes, de tant d'autres qui l'avaient invitée, on la trouvât seule, en noir, avec un tout petit chapeau, à un fauteuil où elle était arrivée pour le lever du rideau. « On entend mieux pour une pièce qui en vaut la peine », expliquait-elle, au scandale des Courvoisier et à l'émerveillement des Guermantes et de la princesse de Parme, qui découvraient subitement que le « genre » d'entendre le commencement d'une pièce était plus nouveau, marquait plus d'originalité et d'intelligence (ce qui n'était pas pour étonner de la part d'Oriane) que d'arriver pour le dernier acte après un grand dîner et une apparition dans une soirée. Tels étaient les différents genres d'étonnement auxquels la princesse de Parme savait qu'elle pouvait se préparer si elle posait une question littéraire ou mondaine à Mme de Guermantes, et qui faisaient que, pendant ces dîners chez la duchesse, l'Altesse ne s'aventurait sur le moindre sujet qu'avec la prudence inquiète et ravie de la baigneuse émergeant entre deux « lames ».

Parmi les éléments qui, absents des deux ou trois autres salons à peu près équivalents qui étaient à la tête du faubourg Saint-Germain, différenciaient d'eux le salon de la duchesse de Guermantes, comme Leibniz admet que chaque monade en reflétant tout l'univers y ajoute quelque chose de particulier, un des moins sympathiques était habituellement fourni par une ou deux très belles femmes qui n'avaient de titre à être là que leur beauté, l'usage qu'avait fait d'elle M. de Guermantes, et desquelles la présence révélait aussitôt, comme dans d'autres salons tels tableaux inattendus, que dans celui-ci le mari était un ardent appréciateur des grâces féminines. Elles se ressemblaient toutes un peu ; car le duc avait le goût des femmes grandes, à la fois majestueuses et désinvoltes, d'un genre intermédiaire entre la *Vénus de Milo* et la *Victoire de Samothrace* ; souvent blondes, rarement brunes, quelquefois rousses, comme la plus récente, laquelle était à ce dîner, cette vicomtesse d'Arpajon qu'il avait tant aimée qu'il la força longtemps à lui envoyer jusqu'à dix télégrammes par jour (ce qui agaçait un peu la duchesse), correspondait avec elle par pigeons voyageurs quand il était à Guermantes, et de laquelle enfin il avait été pendant longtemps si incapable de se passer, qu'un hiver qu'il avait dû passer à Parme, il revenait chaque semaine à Paris, faisant deux jours de voyage pour la voir.

D'ordinaire, ces belles figurantes avaient été ses maîtresses mais ne l'étaient plus (c'était le cas pour Mme d'Arpajon) ou étaient sur le point de cesser de l'être. Peut-être cependant le prestige qu'exerçait sur elles la duchesse et l'espoir d'être reçues dans son salon, quoiqu'elles appartinssent elles-mêmes à des milieux fort aristocratiques mais à un second plan, les avaient-ils décidées, plus encore que la beauté et la générosité de celui-ci, à céder aux désirs du duc. D'ailleurs la duchesse n'eût pas opposé à ce qu'elles pénétrassent chez elle une résistance absolue ; elle savait qu'en plus d'une, elle avait trouvé une alliée, grâce à laquelle elle avait obtenu mille choses dont elle avait envie et que M. de Guermantes refusait impitoyablement à sa femme tant qu'il n'était pas amoureux d'une autre. Aussi ce qui expliquait qu'elles ne fussent reçues chez la duchesse que quand leur liaison était déjà fort avancée tenait plutôt d'abord à ce que le duc, chaque fois qu'il s'était embarqué dans un grand amour, avait cru seulement à une simple passade en échange de laquelle il estimait que c'était beaucoup que d'être invité chez sa femme. Or, il se trouvait l'offrir pour beaucoup moins, pour un premier baiser, parce que des résistances, sur lesquelles il n'avait pas compté, se produisaient, ou au contraire qu'il n'y avait pas eu de résistance. En amour, souvent, la gratitude, le désir de faire plaisir, font donner au-delà de ce que l'espérance et l'intérêt avaient promis. Mais alors la réalisation de cette offre était entravée par d'autres circonstances. D'abord toutes les femmes qui avaient répondu à l'amour de M. de Guermantes, et quelquefois même quand elles ne lui avaient pas encore cédé, avaient été tour à tour séquestrées par lui. Il ne leur permettait plus de voir personne, il passait auprès d'elles presque toutes ses heures, il s'occupait de l'éducation de leurs enfants, auxquels quelquefois, si l'on doit en juger plus tard sur de criantes ressemblances, il lui arriva de donner un frère ou une sœur. Puis si, au début de la liaison, la présentation à Mme de Guermantes, nullement envisagée par le duc, avait joué un rôle dans l'esprit de la maîtresse, la liaison elle-même avait transformé les points de vue de cette femme ; le duc n'était plus seulement pour elle le mari de la plus élégante femme de Paris, mais un homme que la nouvelle maîtresse aimait, un homme aussi qui souvent lui avait donné les moyens et le goût de plus de luxe et qui avait interverti l'ordre antérieur d'importance des questions de snobisme et des questions d'intérêt ; enfin quelquefois, une jalousie de tous genres contre Mme de Guermantes animait les maîtresses du duc. Mais ce cas était le plus rare ; d'ailleurs, quand le jour de la présentation arrivait enfin (à un moment où elle était d'ordinaire déjà assez indifférente au duc, dont les actions, comme celles de tout le monde, étaient plus souvent commandées par les actions antérieures que par le mobile premier qui n'existait plus), il se trouvait souvent que c'était Mme de Guermantes qui avait cherché à recevoir la maîtresse en qui elle espérait et avait si grand besoin de rencontrer, contre son terrible époux, une précieuse alliée. Ce n'est pas que, sauf à de rares moments, chez lui, où, quand la duchesse parlait trop, il laissait échapper des paroles et surtout des silences qui foudroyaient, M. de Guermantes manquât vis-à-vis de sa femme de ce qu'on appelle « les formes ». Les gens qui ne les connaissaient pas pouvaient s'y tromper. Quelquefois, à l'automne, entre les courses de Deauville, les eaux et le départ pour Guermantes et les chasses, dans les quelques semaines qu'on passe à Paris, comme la duchesse aimait le café-concert, le duc allait avec elle y passer une soirée. Le public remarquait tout de suite, dans une de ces petites baignoires découvertes où l'on ne tient que deux, cet Hercule en « smoking » (puisqu'en France on donne à toute chose plus ou moins britannique le nom qu'elle ne porte pas en Angleterre), le monocle à l'œil, dans sa grosse mais belle main, à l'annulaire de laquelle brillait un saphir, un gros cigare dont il tirait de temps à autre une bouffée, les regards habituellement tournés vers la scène, mais, quand il les laissait tomber sur le parterre où il ne connaissait d'ailleurs absolument personne, les émoussant d'un air de douceur, de réserve, de politesse, de considération. Quand un couplet lui semblait drôle et pas trop indécent, le duc se retournait en souriant vers sa femme, partageait avec elle, d'un signe d'intelligence et de bonté, l'innocente gaîté que lui procurait la chanson nouvelle. Et les spectateurs pouvaient croire qu'il n'était pas de meilleur mari que lui, ni de personne plus enviable que la duchesse — cette femme en dehors de laquelle étaient pour le duc tous les intérêts de la vie, cette femme qu'il n'aimait pas, qu'il n'avait jamais cessé de tromper ; quand la duchesse se sentait fatiguée, ils voyaient M. de Guermantes se lever, lui passer lui-même son manteau en arrangeant ses colliers pour qu'ils ne se prissent pas dans la doublure, et lui frayer un chemin jusqu'à la sortie avec des soins empressés et respectueux qu'elle recevait avec la froideur de la mondaine qui ne voit là que du simple savoir-vivre, et parfois même avec l'amertume un peu ironique de l'épouse désabusée qui n'a plus aucune illusion à perdre. Mais malgré ces dehors, autre partie de cette politesse qui a fait passer les devoirs des profondeurs à la superficie, à une certaine époque déjà ancienne, mais qui dure encore pour ses survivants, la vie de la duchesse était difficile. M. de Guermantes ne redevenait généreux, humain que pour une nouvelle maîtresse, qui prenait, comme il arrivait le plus souvent, le parti de la duchesse ; celle-ci voyait redevenir possibles pour elle des générosités envers des inférieurs, des charités pour les pauvres, même pour elle-même, plus tard, une nouvelle et magnifique automobile. Mais de l'irritation qui naissait d'habitude assez vite, pour Mme de Guermantes, des personnes qui lui étaient trop soumises, les maîtresses du duc n'étaient pas exceptées. Bientôt la duchesse se dégoûtait d'elles. Or, à ce moment aussi, la liaison du duc avec Mme d'Arpajon touchait à sa fin. Une autre maîtresse pointait.

Sans doute l'amour que M. de Guermantes avait eu successivement pour toutes recommençait un jour à se faire sentir : d'abord cet amour en mourant les léguait, comme de beaux marbres — des marbres beaux pour le duc, devenu ainsi partiellement artiste, parce qu'il les avait aimés, et était sensible maintenant à des lignes qu'il n'eût pas appréciées sans l'amour — qui juxtaposaient, dans le salon de la duchesse, leurs formes longtemps ennemies, dévorées par les jalousies et les querelles, et enfin réconciliées dans la paix de l'amitié ; puis cette amitié même était un effet de l'amour qui avait fait remarquer à M. de Guermantes, chez celles qui étaient ses maîtresses, des vertus qui existent chez tout être humain mais sont perceptibles à la seule volupté, si bien que l'ex-maîtresse devenue « un excellent camarade » qui ferait n'importe quoi pour nous, est un cliché, comme le médecin ou comme le père qui ne sont pas un médecin ou un père, mais un ami. Mais pendant une première période, la femme que M. de Guermantes commençait à délaisser se plaignait, faisait des scènes, se montrait exigeante, paraissait indiscrète, tracassière. Le duc commençait à la prendre en grippe. Alors

Mme de Guermantes avait lieu de mettre en lumière les défauts vrais ou supposés d'une personne qui l'agaçait. Connue pour bonne, Mme de Guermantes recevait les téléphonages, les confidences, les larmes de la délaissée, et ne s'en plaignait pas. Elle en riait avec son mari, puis avec quelques intimes. Et croyant, par cette pitié qu'elle montrait à l'infortunée, avoir le droit d'être taquine avec elle, en sa présence même, quoi que celle-ci dît, pourvu que cela pût rentrer dans le cadre du caractère ridicule que le duc et la duchesse lui avaient récemment fabriqué, Mme de Guermantes ne se gênait pas d'échanger avec son mari des regards d'ironique intelligence.

Cependant, en se mettant à table, la princesse de Parme se rappela qu'elle voulait inviter à l'Opéra Mme d'Heudicourt, et désirant savoir si cela ne serait pas désagréable à Mme de Guermantes, elle chercha à la sonder.

A ce moment entra M. de Grouchy, dont le train, à cause d'un déraillement, avait eu une panne d'une heure. Il s'excusa comme il put. Sa femme, si elle avait été Courvoisier, fût morte de honte. Mais Mme de Grouchy n'était pas Guermantes « pour des prunes ». Comme son mari s'excusait du retard :

— Je vois, dit-elle en prenant la parole, que même pour les petites choses, être en retard c'est une tradition dans votre famille.

— Asseyez-vous, Grouchy, et ne vous laissez pas démonter, dit le duc.

— Tout en marchant avec mon temps, je suis forcée de reconnaître que la bataille de Waterloo a eu du bon puisqu'elle a permis la restauration des Bourbons, et encore mieux, d'une façon qui les a rendus impopulaires. Mais je vois que vous êtes un véritable Nemrod!

— J'ai en effet rapporté quelques belles pièces. Je me permettrai d'envoyer demain à la duchesse une douzaine de faisans.

Une idée sembla passer dans les yeux de Mme de Guermantes. Elle insista pour que M. de Grouchy ne prît pas la peine d'envoyer les faisans. Et, faisant signe au valet de pied fiancé avec qui j'avais causé en quittant la salle des Elstir :

— Poullein, dit-elle, vous irez chercher les faisans de M. le comte et vous les rapporterez de suite, car, n'est-ce pas, Grouchy, vous permettez que je fasse quelques politesses ? Nous ne mangerons pas douze faisans à nous deux, Basin et moi.

— Mais après-demain serait assez tôt, dit M. de Grouchy.

— Non, je préfère demain, insista la duchesse.

Poullein était devenu blanc ; son rendez-vous avec sa fiancée était manqué. Cela suffisait pour la distraction de la duchesse qui tenait à ce que tout gardât un air humain.

— Je sais que c'est votre jour de sortie, dit-elle à Poullein, vous n'aurez qu'à changer avec Georges qui sortira demain et restera après-demain.

Mais le lendemain la fiancée de Poullein ne serait pas libre. Il lui était bien égal de sortir. Dès que Poullein eut quitté la pièce, chacun complimenta la duchesse de sa bonté avec ses gens.

— Mais je ne fais qu'être avec eux comme je voudrais qu'on fût avec moi.

— Justement ! ils peuvent dire qu'ils ont chez vous une bonne place.

— Pas si extraordinaire que ça. Mais je crois qu'ils m'aiment bien. Celui-là est un peu agaçant parce qu'il est amoureux, il croit devoir prendre des airs mélancoliques.

A ce moment Poullein rentra.

— En effet, dit M. de Grouchy, il n'a pas l'air d'avoir le sourire. Avec eux il faut être bon, mais pas trop bon.

— Je reconnais que je ne suis pas terrible ; dans toute sa journée il n'aura qu'à aller chercher vos faisans, à rester ici à ne rien faire et à en manger sa part.

— Beaucoup de gens voudraient être à sa place, dit M. de Grouchy, car l'envie est aveugle.

— Oriane, dit la princesse de Parme, j'ai eu l'autre jour la visite de votre cousine d'Heudicourt ; évidemment c'est une femme d'une intelligence supérieure ; c'est une Guermantes, c'est tout dire, mais on dit qu'elle est médisante...

Le duc attacha sur sa femme un long regard de stupéfaction voulue. Mme de Guermantes se mit à rire. La princesse finit par s'en apercevoir.

— Mais... est-ce que vous n'êtes pas... de mon avis ?... demanda-t-elle avec inquiétude.

— Mais Madame est trop bonne de s'occuper des mines de Basin. Allons, Basin, n'ayez pas l'air d'insinuer du mal de nos parents.

— Il la trouve trop méchante ? demanda vivement la princesse.

— Oh! pas du tout, répliqua la duchesse. Je ne sais pas qui a dit à Votre Altesse qu'elle était médisante. C'est au contraire une excellente créature qui n'a jamais dit du mal de personne, ni fait de mal à personne.

— Ah! dit Mme de Parme soulagée, je ne m'en étais pas aperçue non plus. Mais comme je sais qu'il est souvent difficile de ne pas avoir un peu de malice quand on a beaucoup d'esprit...

— Ah! cela par exemple elle en a encore moins.

— Moins d'esprit?... demanda la princesse stupéfaite.

— Voyons, Oriane, interrompit le duc d'un ton plaintif en lançant autour de lui à droite et à gauche des regards amusés, vous entendez que la princesse vous dit que c'est une femme supérieure.

— Elle ne l'est pas?

— Elle est au moins supérieurement grosse.

— Ne l'écoutez pas, Madame, il n'est pas sincère. Elle est bête comme un (heun) oie, dit d'une voix forte et enrouée Mme de Guermantes, qui, bien plus vieille France encore que le duc quand elle n'y tâchait pas, cherchait souvent à l'être, mais d'une manière opposée au genre jabot de dentelles et déliquescent de son mari, et en réalité bien plus fine, par une sorte de prononciation presque paysanne qui avait une âpre et délicieuse saveur terrienne. « Mais c'est la meilleure femme du monde. Et puis je ne sais même pas si à ce degré-là cela peut s'appeler de la bêtise. Je ne crois pas que j'aie jamais connu une créature pareille; c'est un cas pour un médecin, cela a quelque chose de pathologique, c'est une espèce d'« innocente », de crétine, de « demeurée » comme dans les mélodrames ou comme dans *l'Arlésienne*. Je me demande toujours, quand elle est ici, si le moment n'est pas venu où son intelligence va s'éveiller, ce qui fait toujours un peu peur. » La princesse s'émerveillait de ces expressions, tout en restant stupéfaite du verdict. « Elle m'a cité, ainsi que Mme d'Épinay, votre mot sur Taquin le Superbe. C'est délicieux », répondit-elle.

M. de Guermantes m'expliqua le mot. J'avais envie de lui dire que son frère, qui prétendait ne pas me connaître, m'attendait le soir même à onze heures. Mais je n'avais pas demandé à Robert si je pouvais parler de ce rendez-vous et, comme le fait que M. de Charlus me l'eût presque fixé était en contradiction avec ce qu'il avait dit à la duchesse, je jugeai plus délicat de me taire.

— Taquin le Superbe n'est pas mal, dit M. de Guermantes, mais Mme d'Heudicourt ne vous a probablement pas raconté un bien plus joli mot qu'Oriane lui a dit l'autre jour, en réponse à une invitation à déjeuner ?

— Oh ! non ! dites-le !

— Voyons, Basin, taisez-vous, d'abord ce mot est stupide et va me faire juger par la princesse comme encore inférieure à ma cruche de cousine. Et puis, je ne sais pas pourquoi je dis ma cousine. C'est une cousine à Basin. Elle est tout de même un peu parente avec moi.

— Oh ! s'écria la princesse de Parme à la pensée qu'elle pourrait trouver Mme de Guermantes bête, et protestant éperdument que rien ne pouvait faire déchoir la duchesse du rang qu'elle occupait dans son admiration.

— Et puis, nous lui avons déjà retiré les qualités de l'esprit ; comme ce mot tend à lui en dénier certaines du cœur, il me semble inopportun.

— Dénier ! inopportun ! comme elle s'exprime bien ! dit le duc avec une ironie feinte et pour faire admirer la duchesse.

— Allons, Basin, ne vous moquez pas de votre femme.

— Il faut dire à Votre Altesse Royale, reprit le duc, que la cousine d'Oriane est supérieure, bonne, grosse, tout ce qu'on voudra, mais n'est pas précisément, comment dirai-je... prodigue.

— Oui, je sais, elle est très rapiate, interrompit la princesse.

— Je ne me serais pas permis l'expression, mais vous avez trouvé le mot juste. Cela se traduit dans son train de maison et particulièrement dans la cuisine, qui est excellente mais mesurée.

— Cela donne même lieu à des scènes assez comiques, interrompit M. de Bréauté. Ainsi, mon cher Basin, j'ai été passer un jour à Heudicourt, où vous étiez attendus, Oriane et vous. On avait fait de somptueux préparatifs, quand, dans l'après-midi, un valet de pied apporta une dépêche que vous ne viendriez pas.

— Cela ne m'étonne pas! dit la duchesse qui non seulement était difficile à avoir, mais aimait qu'on le sût.

— Votre cousine lit le télégramme, se désole, puis aussitôt, sans perdre la carte, et se disant qu'il ne fallait pas de dépenses inutiles envers un seigneur sans importance comme moi, elle rappelle le valet de pied : « Dites au chef de retirer le poulet », lui crie-t-elle. Et le soir je l'ai entendue qui demandait au maître d'hôtel : « Hé bien ? et les restes du bœuf d'hier ? Vous ne les servez pas ? »

— Du reste, il faut reconnaître que la chère y est parfaite, dit le duc, qui croyait en employant cette expression se montrer ancien régime. Je ne connais pas de maison où l'on mange mieux.

— Et moins, interrompit la duchesse.

— C'est très sain et très suffisant pour ce qu'on appelle un vulgaire pedzouille comme moi, reprit le duc ; on reste sur sa faim.

— Ah! si c'est comme cure, alors c'est autre chose. C'est évidemment plus hygiénique que fastueux. D'ailleurs ce n'est pas tellement bon que cela, ajouta Mme de Guermantes, qui n'aimait pas beaucoup qu'on décernât le titre de meilleure table de Paris à une autre qu'à la sienne. Avec ma cousine, il arrive la même chose qu'avec les auteurs constipés qui pondent tous les quinze ans une pièce en un acte ou un sonnet. C'est ce qu'on appelle des petits chefs-d'œuvre, des riens qui sont des bijoux, en un mot, la chose que j'ai le plus en horreur. La cuisine chez Zénaïde n'est pas mauvaise, mais on la trouverait plus quelconque si elle était moins parcimonieuse. Il y a des choses que son chef fait bien, et puis il y a des choses qu'il rate. J'y ai fait comme partout de très mauvais dîners, seulement ils m'ont fait moins mal qu'ailleurs parce que l'estomac est au fond plus sensible à la quantité qu'à la qualité.

— Enfin, pour finir, conclut le duc, Zénaïde insistait pour qu'Oriane vînt déjeuner, et comme ma femme n'aime pas beaucoup sortir de chez elle, elle résistait, s'informait si, sous prétexte de repas intime, on ne l'embarquerait pas déloyalement dans un grand tralala, et tâchait vainement de savoir quels convives il y aurait. « Viens, viens, insistait Zénaïde en vantant les bonnes choses qu'il y aurait à déjeuner. Tu mangeras une purée de marrons, je ne te dis que ça, et il y aura sept petites bouchées à la reine. — Sept petites bouchées, s'écria Oriane. Alors c'est que nous serons au moins huit! »

Au bout de quelques instants, la princesse ayant compris laissa éclater son rire comme un roulement de tonnerre. « Ah! nous serons donc huit, c'est ravissant! Comme c'est bien rédigé! » dit-elle, ayant dans un suprême effort retrouvé l'expression dont s'était servie Mme d'Épinay et qui s'appliquait mieux cette fois.

— Oriane, c'est très joli ce que dit la princesse, elle dit que c'est « bien rédigé ».

— Mais, mon ami, vous ne m'apprenez rien, je

sais que la princesse est très spirituelle, répondit Mme de Guermantes qui goûtait facilement un mot quand à la fois il était prononcé par une Altesse et louangeait son propre esprit. Je suis très fière que Madame apprécie mes modestes rédactions. D'ailleurs, je ne me rappelle pas avoir dit cela. Et si je l'ai dit, c'était pour flatter ma cousine, car si elle avait sept bouchées, les bouches, si j'ose m'exprimer ainsi, devaient dépasser la douzaine.

Pendant ce temps la comtesse d'Arpajon qui m'avait, avant le dîner, dit que sa tante aurait été si heureuse de me montrer son château de Normandie, me disait par-dessus la tête du prince d'Agrigente, qu'où elle voudrait me recevoir, c'était dans la Côte-d'Or, parce que là, à Pont-le-Duc, elle était chez elle.

— Les archives du château vous intéresseraient. Il y a des correspondances excessivement curieuses entre tous les gens les plus marquants des XVIIe, XVIIIe et XIXe siècles. Je passe là des heures merveilleuses, je vis dans le passé, assura la comtesse que M. de Guermantes m'avait prévenu être excessivement forte en littérature.

— Elle possède tous les manuscrits de M. de Bornier, reprit, en parlant de Mme d'Heudicourt, la princesse, qui voulait tâcher de faire valoir les bonnes raisons qu'elle pouvait avoir de se lier avec elle.

— Elle a dû le rêver, je crois qu'elle ne le connaissait même pas, dit la duchesse.

— Ce qui est surtout intéressant, c'est que ces correspondances sont de gens de divers pays, continua la comtesse d'Arpajon qui, alliée aux principales maisons ducales et même souveraines de l'Europe était heureuse de le rappeler.

— Mais si, Oriane, dit M. de Guermantes non

sans intention. Vous vous rappelez bien ce dîner où vous aviez M. de Bornier comme voisin!

— Mais, Basin, interrompit la duchesse, si vous voulez me dire que j'ai connu M. de Bornier, naturellement, il est même venu plusieurs fois pour me voir, mais je n'ai jamais pu me résoudre à l'inviter parce que j'aurais été obligée chaque fois de faire désinfecter au formol. Quant à ce dîner, je ne me le rappelle que trop bien, ce n'était pas du tout hez Zénaïde, qui n'a pas vu Bornier de sa vie et qui doit croire, si on lui parle de *la Fille de Roland*, qu'il s'agit d'une princesse Bonaparte qu'on prétend la fiancée du fils au roi de Grèce ; non, c'était à l'ambassade d'Autriche. Le charmant Hoyos avait cru me faire plaisir en flanquant sur une chaise à côté de moi cet académicien empesté. Je croyais avoir pour voisin un escadron de gendarmes. J'ai été obligée de me boucher le nez comme je pouvais pendant tout le dîner, je n'ai osé respirer qu'au gruyère!

M. de Guermantes, qui avait atteint son but secret, examina à la dérobée sur la figure des convives l'impression produite par le mot de la duchesse.

— Je trouve du reste un charme particulier aux correspondances, continua, malgré l'interposition du visage du prince d'Agrigente, la dame forte en littérature qui avait de si curieuses lettres dans son château. Avez-vous remarqué que souvent les lettres d'un écrivain sont supérieures au reste de son œuvre ? Comment s'appelle donc cet auteur qui a écrit *Salammbô* ?

J'aurais bien voulu ne pas répondre pour ne pas prolonger cet entretien, mais je sentis que je désobligerais le prince d'Agrigente, lequel avait fait semblant de savoir à merveille de qui était *Salammbô* et de me laisser par pure politesse le plaisir de le dire mais qui était dans un cruel embarras.

— Flaubert, finis-je par dire, mais le signe d'assentiment que fit la tête du prince, étouffa le son de ma réponse, de sorte que mon interlocutrice ne sut pas exactement si j'avais dit Paul Bert ou Fulbert, noms qui ne lui donnèrent pas une entière satisfaction.

— En tous cas, reprit-elle, comme sa correspondance est curieuse et supérieure à ses livres! Elle l'explique du reste, car on voit par tout ce qu'on dit de la peine qu'il a à faire un livre, que ce n'était pas un véritable écrivain, un homme doué.

— Vous parlez de correspondances, je trouve admirable celle de Gambetta, dit la duchesse de Guermantes pour montrer qu'elle ne craignait pas de s'intéresser à un prolétaire et à un radical. M. de Bréauté comprit tout l'esprit de cette audace, regarda autour de lui d'un œil à la fois éméché et attendri, après quoi il essuya son monocle.

— Mon Dieu, c'était bougrement embêtant, *la Fille de Roland*, dit M. de Guermantes qui en était resté à M. de Bornier, avec la satisfaction que lui donnait le sentiment de sa supériorité sur une œuvre à laquelle il s'était tant ennuyé, peut-être aussi par le *suave mari magno* que nous éprouvons, au milieu d'un bon dîner, à nous souvenir d'aussi terribles soirées. Mais il y avait quelques beaux vers, un sentiment patriotique.

J'insinuai que je n'avais aucune admiration pour M. de Bornier.

— Ah! vous avez quelque chose à lui reprocher? me demanda curieusement le duc qui croyait toujours quand on disait du mal d'un homme, que cela devait tenir à un ressentiment personnel, et du bien d'une femme que c'était le commencement d'une amourette. Je vois que vous avez une dent contre lui. Qu'est-ce qu'il vous a fait? Racontez-nous ça! Mais si, vous devez avoir quelque cadavre entre vous, puisque vous le dénigrez. C'est long, *la Fille de Roland*, mais c'est assez senti.

— « Senti » est très juste pour un auteur aussi odorant, interrompit ironiquement Mme de Guermantes. Si ce pauvre petit s'est jamais trouvé avec lui, il est assez compréhensible qu'il l'ait dans le nez!

— Je dois du reste avouer à Madame, reprit le duc en s'adressant à la princesse de Parme, que, *Fille de Roland* à part, en littérature et même en musique je suis terriblement vieux jeu, il n'y a pas de si vieux rossignol qui ne me plaise. Vous ne me croiriez peut-être pas, mais le soir, si ma femme se met au piano, il m'arrive de lui demander un vieil air d'Auber, de Boieldieu, même de Beethoven! Voilà ce que j'aime. En revanche, pour Wagner, cela m'endort immédiatement.

— Vous avez tort, dit Mme de Guermantes ; avec des longueurs insupportables Wagner avait du génie. *Lohengrin* est un chef-d'œuvre. Même dans *Tristan* il y a çà et là une page curieuse. Et le Chœur des fileuses du *Vaisseau fantôme* est une pure merveille.

— N'est-ce pas, Babal, dit M. de Guermantes en s'adressant à M. de Bréauté, nous préférons :

Les rendez-vous de noble compagnie
Se donnent tous en ce charmant séjour.

C'est délicieux. Et *Fra Diavolo*, et *la Flûte enchantée*, et *le Chalet*, et *les Noces de Figaro*, et *les Diamants de la Couronne*, voilà de la musique! En littérature, c'est la même chose. Ainsi j'adore Balzac, *le Bal de Sceaux*, *les Mohicans de Paris*.

— Ah! mon cher, si vous partez en guerre sur Balzac, nous ne sommes pas près d'avoir fini, gardez cela pour un jour où Mémé sera là. Lui, c'est encore mieux, il le sait par cœur.

Irrité de l'interruption de sa femme, le duc la tint quelques instants sous le feu d'un silence menaçant. Et ses yeux de chasseur avaient l'air de deux pistolets chargés. Cependant Mme d'Arpajon avait échangé avec la princesse de Parme, sur la poésie tragique et autre, des propos qui ne me parvinrent pas distinctement, quand j'entendis celui-ci prononcé par, Mme d'Arpajon : « Oh! tout ce que Madame voudra, je lui accorde qu'il nous fait voir le monde en laid parce qu'il ne sait pas distinguer entre le laid et le beau, ou plutôt parce que son insupportable vanité lui fait croire que tout ce qu'il dit est beau, je reconnais avec Votre Altesse que, dans la pièce en question, il y a des choses ridicules, inintelligibles, des fautes de goût, que c'est difficile à comprendre, que cela donne à lire autant de peine que si c'était écrit en russe ou en chinois, car évidemment c'est tout excepté du français, mais quand on a pris cette peine, comme on est récompensé, il y a tant d'imagination! » De ce petit discours je n'avais pas entendu le début. Je finis par comprendre non seulement que le poète incapable de distinguer le beau du laid était Victor Hugo, mais encore que la poésie qui donnait autant de peine à comprendre que du russe ou du chinois était :

Lorsque l'enfant paraît, le cercle de famille
Applaudit à grands cris...

pièce de la première époque du poète et qui est peut-être encore plus près de Mme Deshoulières que du Victor Hugo de *la Légende des Siècles*. Loin de trouver Mme d'Arpajon ridicule, je la vis (la première de cette table si réelle, si quelconque, où je m'étais assis avec tant de déception), je la vis, par les yeux de l'esprit, sous ce bonnet de dentelles, d'où s'échappent les boucles rondes de longs repentirs, que portèrent Mme de Rémusat, Mme de Broglie, Mme de Saint-Aulaire, toutes les femmes si distinguées qui dans leurs ravissantes lettres citent avec tant de savoir et d'à-propos Sophocle, Schiller et l'*Imitation*, mais à qui les premières poésies des romantiques causaient cet effroi et cette fatigue inséparables pour ma grand'-mère des derniers vers de Stéphane Mallarmé.

— Mme d'Arpajon aime beaucoup la poésie, dit à Mme de Guermantes la princesse de Parme, impressionnée par le ton ardent avec lequel le discours avait été prononcé.

— Non, elle n'y comprend absolument rien, répondit à voix basse Mme de Guermantes, qui profita de ce que Mme d'Arpajon, répondant à une objection du général de Beautreillis, était trop occupée de ses propres paroles pour entendre celles que chuchota la duchesse. Elle devient littéraire depuis qu'elle est abandonnée. Je dirai à Votre Altesse que c'est moi qui porte le poids de tout ça, parce que c'est auprès de moi qu'elle vient gémir chaque fois que Basin n'est pas allé la voir, c'est-à-dire presque tous les jours. Ce n'est tout de même pas ma faute si elle l'ennuie, et je ne peux pas le forcer à aller chez elle, quoique j'aimerais mieux qu'il lui fût un peu plus fidèle, parce que je la verrais un peu moins. Mais elle l'assomme et ce n'est pas extraordinaire. Ce n'est pas une mauvaise personne, mais elle est ennuyeuse à un degré que vous ne pouvez pas imaginer. Elle me donne tous les jours de tels maux de tête que je suis obligée de prendre chaque fois un cachet de pyramidon. Et tout cela parce qu'il a plu à Basin pendant un an de me trompailler avec elle. Et avoir avec cela un valet de pied qui est amoureux d'une petite grue et qui fait des têtes si je ne demande pas à cette jeune personne de quitter un instant son fructueux trottoir pour venir prendre le thé avec moi! Oh! la vie est assommante, conclut langoureusement la duchesse.

Mme d'Arpajon assommait surtout M. de Guermantes parce qu'il était depuis peu l'amant d'une autre, que j'appris être la marquise de Surgis-le-Duc. Justement le valet de pied privé de son jour de sortie était en train de servir. Et je pensai que, triste encore, il le faisait avec beaucoup de trouble, car je remarquai qu'en passant les plats à M. de Châtellerault, il s'acquittait si maladroitement de sa tâche que le coude du duc se trouva cogner à plusieurs reprises le coude du servant. Le jeune duc ne se fâcha nullement contre le valet de pied rougissant et le regarda au contraire en riant de son œil bleu clair. La bonne humeur me sembla être, de la part du convive, une preuve de bonté. Mais l'insistance de son rire me fit croire qu'au courant de la déception du domestique il éprouvait peut-être au contraire une joie méchante.

— Mais, ma chère, vous savez que ce n'est pas une découverte que vous faites en nous parlant de Victor Hugo, continua la duchesse en s'adressant cette fois à Mme d'Arpajon qu'elle venait de voir tourner la tête d'un air inquiet. N'espérez pas lancer ce débutant. Tout le monde sait qu'il a du talent. Ce qui est détestable c'est le Victor Hugo de la fin, *la Légende des Siècles*, je ne sais plus les titres. Mais *les Feuilles d'Automne*, *les Chants du Crépuscule*, c'est souvent d'un poète, d'un vrai poète. Même dans *les Contemplations*, ajouta la duchesse, que ses interlocuteurs n'osèrent pas contredire et pour cause, il y a encore de jolies choses. Mais j'avoue que j'aime autant ne pas m'aventurer après le *Crépuscule!* Et puis dans les belles poésies de Victor Hugo, et il y en a, on rencontre souvent une idée, même une idée profonde.

Et avec un sentiment juste, faisant sortir la triste pensée de toutes les forces de son intonation, la posant au-delà de sa voix, et fixant devant elle un regard rêveur et charmant, la duchesse dit lentement :

— Tenez :

La douleur est un fruit, Dieu ne le fait pas croître
Sur la branche trop faible encor pour le porter,

ou bien encore :

Les morts durent bien peu...
Hélas, dans le cercueil ils tombent en poussière,
Moins vite qu'en nos cœurs!

Et tandis qu'un sourire désenchanté fronçait d'une gracieuse sinuosité sa bouche douloureuse, la duchesse fixa sur Mme d'Arpajon le regard rêveur de ses yeux clairs et charmants. Je commençais à les connaître, ainsi que sa voix, si lourdement traînante, si âprement savoureuse. Dans ces yeux et dans cette voix je retrouvais beaucoup de la nature de Combray. Certes, dans l'affectation avec laquelle cette voix faisait apparaître par moments une rudesse de terroir, il y avait bien des choses : l'origine toute provinciale d'un rameau de la famille de Guermantes, resté plus longtemps localisé, plus hardi, plus sauvageon, plus provocant ; puis l'habitude de gens vraiment distingués et de gens d'esprit qui savent que la distinction n'est pas de parler du bout des lèvres, et aussi de nobles fraternisant plus volontiers avec leurs paysans qu'avec des bourgeois ; toutes particularités que la situation de reine de Mme de Guermantes lui avait permis d'exhiber plus facilement, de faire sortir toutes voiles dehors. Il paraît que cette même voix existait chez des sœurs à elle, qu'elle détestait, et qui, moins intelligentes et presque bourgeoisement mariées, si on peut se servir de cet adverbe quand il s'agit d'unions avec des nobles obscurs, terrés dans leur province ou à Paris, dans un faubourg Saint-Germain sans éclat, possédaient aussi cette voix mais l'avaient refrénée, corrigée, adoucie autant qu'elles pouvaient, de même qu'il est bien rare qu'un d'entre nous ait le toupet de son originalité et ne mette pas son application à ressembler aux modèles les plus vantés. Mais Oriane était tellement plus intelligente, tellement plus riche, surtout tellement plus à la mode que ses sœurs, elle avait si bien, comme princesse des Laumes, fait la pluie et le beau temps auprès du prince de Galles, qu'elle avait compris que cette voix discordante c'était un charme, et qu'elle en avait fait, dans l'ordre du monde, avec l'audace de l'originalité et du succès, ce que, dans l'ordre du théâtre, une Réjane, une Jeanne Granier (sans comparaison du reste naturellement entre la valeur et le talent de ces deux artistes) ont fait de la leur, quelque chose d'admirable et de distinctif que peut-être des sœurs Réjane et Granier, que personne n'a jamais connues, essayèrent de masquer comme un défaut.

A tant de raisons de déployer son originalité locale, les écrivains préférés de Mme de Guermantes : Mérimée, Meilhac et Halévy, étaient venus ajouter, avec le respect du « naturel », un désir de prosaïsme par où elle atteignait à la poésie et un esprit purement de société qui ressuscitait devant moi des paysages. D'ailleurs la duchesse était fort capable, ajoutant à ces influences une recherche artiste, d'avoir choisi pour la plupart des mots la prononciation qui lui semblait le plus *Ile-de-France*, le plus *champenoise*, puisque, sinon tout à fait au degré de sa belle-sœur Marsantes, elle n'usait guère que du pur vocabulaire dont eût pu se servir un vieil auteur français. Et quand on était fatigué du composite et bigarré langage moderne, c'était, tout en sachant qu'elle exprimait bien moins de choses, un grand repos d'écouter la causerie de Mme de Guermantes, — presque le même, si l'on était seul avec elle et qu'elle restreignît et clarifiât encore son flot, que celui qu'on éprouve à entendre une vieille chanson. Alors en regardant, en écoutant Mme de Guermantes, je voyais, prisonnier dans la perpétuelle et quiète après-midi de ses yeux, un ciel d'Ile-de-France ou de Champagne se tendre, bleuâtre, oblique, avec le même angle d'inclinaison qu'il avait chez Saint-Loup.

Ainsi, par ces diverses formations, Mme de Guermantes exprimait à la fois la plus ancienne France aristocratique, puis, beaucoup plus tard, la façon dont la duchesse de Broglie aurait pu goûter et blâmer Victor Hugo sous la monarchie de Juillet, enfin un vif goût de la littérature issue de Mérimée et de Meilhac. La première de ces formations me plaisait mieux que la seconde, m'aidait davantage à réparer la déception du voyage et de l'arrivée dans ce faubourg Saint-Germain, si différent de ce que j'avais cru, mais je préférais encore la seconde à la troisième. Or, tandis que Mme de Guermantes était Guermantes presque sans le vouloir, son pailleronisme, son goût pour Dumas fils étaient réfléchis et voulus. Comme ce goût était à l'opposé du mien, elle fournissait à mon esprit de la littérature quand elle me parlait du faubourg Saint-Germain, et ne me paraissait jamais si stupidement faubourg Saint-Germain que quand elle me parlait littérature.

Émue par les derniers vers, Mme d'Arpajon s'écria :

Ces reliques du cœur ont aussi leur poussière!

Monsieur, il faudra que vous m'écriviez cela sur mon éventail, dit-elle à M. de Guermantes.

— Pauvre femme, elle me fait de la peine! dit la princesse de Parme à Mme de Guermantes.

— Non, que Madame ne s'attendrisse pas, elle n'a que ce qu'elle mérite.

— Mais... pardon de vous dire cela à vous... cependant elle l'aime vraiment!

— Mais pas du tout, elle en est incapable, elle croit qu'elle l'aime comme elle croit en ce moment qu'elle cite du Victor Hugo parce qu'elle dit un vers de Musset. Tenez, ajouta la duchesse sur un ton mélancolique, personne plus que moi ne serait touché par un sentiment vrai. Mais je vais vous donner un exemple. Hier, elle a fait une scène terrible à Basin, Votre Altesse croit peut-être que c'était parce qu'il en aime d'autres, parce qu'il ne l'aime plus ; pas du tout, c'était parce qu'il ne veut pas présenter ses fils au Jockey! Madame trouve-t-elle que ce soit d'une amoureuse? Non! Je vous dirai plus, ajouta Mme de Guermantes avec précision, c'est une personne d'une rare insensibilité.

Cependant c'est l'œil brillant de satisfaction que M. de Guermantes avait écouté sa femme parler de Victor Hugo « à brûle-pourpoint » et en citer ces quelques vers. La duchesse avait beau l'agacer souvent, dans des moments comme ceux-ci il était fier d'elle. « Oriane est vraiment extraordinaire. Elle peut parler de tout, elle a tout lu. Elle ne pouvait pas deviner que la conversation tomberait ce soir sur Victor Hugo. Sur quelque sujet qu'on l'entreprenne, elle est prête, elle peut tenir tête aux plus savants. Ce jeune homme doit être subjugué. »

— Mais changeons de conversation, ajouta Mme de Guermantes, parce qu'elle est très susceptible. Vous devez me trouver bien démodée, reprit-elle en s'adressant à moi, je sais qu'aujourd'hui c'est considéré comme une faiblesse d'aimer les idées en poésie, la poésie où il y a une pensée.

— C'est démodé ? dit la princesse de Parme avec le léger saisissement que lui causait cette vague nouvelle à laquelle elle ne s'attendait pas, bien qu'elle sût que la conversation de la duchesse de Guermantes lui réservait toujours ces chocs successifs et délicieux, cet essoufflant effroi, cette saine fatigue après lesquels elle pensait instinctivement à la nécessité de prendre un bain de pieds dans une cabine et de marcher vite pour « faire la réaction ».

— Pour ma part, non, Oriane, dit Mme de Brissac, je n'en veux pas à Victor Hugo d'avoir des idées, bien au contraire, mais de les chercher dans ce qui est monstrueux. Au fond c'est lui qui nous a habitués au laid en littérature. Il y a déjà bien assez de laideurs dans la vie. Pourquoi au moins ne pas les oublier pendant que nous lisons ? Un spectacle pénible dont nous nous détournerions dans la vie, voilà ce qui attire Victor Hugo.

— Victor Hugo n'est pas aussi réaliste que Zola, tout de même ? demanda la princesse de Parme.

Le nom de Zola ne fit pas bouger un muscle dans le visage de M. de Beautreillis. L'antidreyfusisme du général était trop profond pour qu'il cherchât à l'exprimer. Et son silence bienveillant quand on abordait ces sujets touchait les profanes par la même délicatesse qu'un prêtre montre en évitant de vous parler de vos devoirs religieux, un financier en s'appliquant à ne pas recommander les affaires qu'il dirige, un hercule en se montrant doux et en ne vous donnant pas de coups de poing.

— Je sais que vous êtes parent de l'amiral Jurien de la Gravière, me dit d'un air entendu Mme de Varambon, la dame d'honneur de la princesse de Parme, femme excellente mais bornée, procurée à la princesse de Parme jadis par la mère du duc. Elle ne m'avait pas encore adressé la parole et je ne pus jamais dans la suite, malgré les admonestations de la princesse de Parme et mes propres protestations, lui ôter de l'esprit l'idée que j'avais quoi que ce fût à voir avec l'amiral académicien, lequel m'était totalement inconnu. L'obstination de la dame d'honneur de la princesse de Parme à voir en moi un neveu de l'amiral Jurien de la Gravière avait en soi quelque chose de vulgairement risible. Mais l'erreur qu'elle commettait n'était que le type excessif et desséché de tant d'erreurs plus légères, mieux nuancées, involontaires ou voulues, qui accompagnent notre nom dans la « fiche » que le monde établit relativement à nous. Je me souviens qu'un ami des Guermantes, ayant vivement manifesté son désir de me connaître, me donna comme raison que je connaissais très bien sa cousine, Mme de Chaussegros, « elle est charmante, elle vous aime beaucoup ». Je me fis un scrupule, bien vain, d'insister sur le fait qu'il y avait erreur, que je ne connaissais pas Mme de Chaussegros. « Alors c'est sa sœur que vous connaissez, c'est la même chose. Elle vous a rencontré en Écosse. » Je n'étais jamais allé en Écosse et pris la peine inutile d'en avertir par honnêteté mon interlocuteur. C'était Mme de Chaussegros elle-même qui avait dit me connaître, et le croyait sans doute de bonne foi, à la suite d'une confusion première, car elle ne cessa jamais plus de me tendre la main quand elle m'apercevait. Et comme, en somme, le milieu que je fréquentais était exactement celui de

Mme de Chaussegros, mon humilité ne rimait à rien. Que je fusse intime avec les Chaussegros était, littéralement, une erreur, mais, au point de vue social, un équivalent de ma situation, si on peut parler de situation pour un aussi jeune homme que j'étais. L'ami des Guermantes eut donc beau ne me dire que des choses fausses sur moi, il ne me rabaissa ni ne me suréleva (au point de vue mondain) dans l'idée qu'il continua à se faire de moi. Et somme toute, pour ceux qui ne jouent pas la comédie, l'ennui de vivre toujours dans le même personnage est dissipé un instant, comme si l'on montait sur les planches, quand une autre personne se fait de vous une idée fausse, croit que nous sommes liés avec une dame que nous ne connaissons pas et que nous sommes notés pour avoir connue au cours d'un charmant voyage que nous n'avons jamais fait. Erreurs multiplicatrices et aimables quand elles n'ont pas l'inflexible rigidité de celle que commettait et commit toute sa vie, malgré mes dénégations, l'imbécile dame d'honneur de Mme de Parme, fixée pour toujours à la croyance que j'étais parent de l'ennuyeux amiral Jurien de la Gravière. « Elle n'est pas très forte, me dit le duc, et puis il ne lui faut pas trop de libations, je la crois légèrement sous l'influence de Bacchus. » En réalité Mme de Varambon n'avait bu que de l'eau, mais le duc aimait à placer ses locutions favorites.

— Mais Zola n'est pas un réaliste, Madame! c'est un poète! dit Mme de Guermantes, s'inspirant des études critiques qu'elle avait lues dans ces dernières années et les adaptant à son génie personnel. Agréablement bousculée jusqu'ici, au cours du bain d'esprit, un bain agité pour elle, qu'elle prenait ce soir, et qu'elle jugeait devoir lui être particulièrement salutaire, se laissant porter par les paradoxes qui déferlaient l'un après l'autre, devant celui-ci, plus énorme que les autres, la princesse de Parme sauta par peur d'être renversée. Et ce fut d'une voix entrecoupée, comme si elle perdait sa respiration, qu'elle dit :

— Zola, un poète!

— Mais oui, répondit en riant la duchesse, ravie par cet effet de suffocation. Que Votre Altesse remarque comme il grandit tout ce qu'il touche. Vous me direz qu'il ne touche justement qu'à ce qui... porte bonheur! Mais il en fait quelque chose d'immense ; il a le fumier épique! C'est l'Homère de la vidange! Il n'a pas assez de majuscules pour écrire le mot de Cambronne.

Malgré l'extrême fatigue qu'elle commençait à éprouver, la princesse était ravie, jamais elle ne s'était sentie mieux. Elle n'aurait pas échangé contre un séjour à Schœnbrunn, la seule chose pourtant qui la flattât, ces divins dîners de Mme de Guermantes rendus tonifiants par tant de sel.

— Il l'écrit avec un grand C, s'écria Mme d'Arpajon.

— Plutôt avec un grand M, je pense, ma petite, répondit Mme de Guermantes, non sans avoir échangé avec son mari un regard gai qui voulait dire : « Est-elle assez idiote! » Tenez, justement, me dit Mme de Guermantes en attachant sur moi un regard souriant et doux et parce qu'en maîtresse de maison accomplie elle voulait, sur l'artiste qui m'intéressait particulièrement, laisser paraître son savoir et me donner au besoin l'occasion de faire montre du mien, tenez, me dit-elle en agitant légèrement son éventail de plumes, tant elle était consciente à ce moment-là qu'elle exerçait pleinement les devoirs de l'hospitalité et, pour ne manquer à aucun, faisant signe aussi qu'on me redonnât des asperges sauce mousseline, tenez, je crois justement que Zola a écrit une étude sur Elstir, ce peintre dont vous avez été regarder quelque tableaux tout à l'heure, — les seuls du reste que j'aime de lui, ajouta-t-elle. En réalité, elle détestait la peinture d'Elstir, mais trouvait d'une qualité unique tout ce qui était chez elle. Je demandai à M. de Guermantes s'il savait le nom du monsieur qui figurait en chapeau haute forme dans le tableau populaire, et que j'avais reconnu pour le même dont les Guermantes possédaient tout à côté le portrait d'apparat, datant à peu près de cette même période où la personnalité d'Elstir n'était pas encore complètement dégagée et s'inspirait un peu de Manet. « Mon Dieu, me répondit-il, je sais que c'est un homme qui n'est pas un inconnu ni un imbécile dans sa spécialité, mais je suis brouillé avec les noms. Je l'ai là sur le bout de la langue, monsieur... monsieur... enfin peu importe, je ne sais plus. Swann vous dirait cela, c'est lui qui a fait acheter ces machines à Mme de Guermantes, qui est toujours trop aimable, qui a toujours trop peur de contrarier si elle refuse quelque chose ; entre nous, je crois qu'il nous a collé des croûtes. Ce que je peux vous dire, c'est que ce monsieur est pour M. Elstir une espèce de Mécène qui l'a lancé, et l'a souvent tiré d'embarras en lui commandant des tableaux. Par reconnaissance — si vous appelez cela de la reconnaissance, ça dépend des goûts — Il l'a peint dans cet endroit-là où avec son air endimanché il fait un assez drôle d'effet. Ça peut être un pontife très calé, mais il ignore évidemment dans quelles circonstances on met un chapeau haute forme. Avec le sien, au milieu de toutes ces filles en cheveux, il a l'air d'un petit notaire de province en goguette. Mais, dites donc, vous me semblez tout à fait féru de ces tableaux. Si j'avais su ça, je me serais tuyauté pour vous répondre. Du reste, il n'y a pas lieu de se mettre autant martel en tête pour creuser la peinture de M. Elstir que s'il s'agissait de *la Source* d'Ingres ou des *Enfants d'Édouard* de Paul Delaroche. Ce qu'on apprécie là-dedans, c'est que c'est finement observé, amusant, parisien, et puis on passe. Il n'y a pas besoin d'être un érudit pour regarder ça. Je sais bien que ce sont de simples pochades, mais je ne trouve pas que ce soit assez travaillé. Swann avait le toupet de vouloir nous faire acheter une *Botte d'Asperges*. Elles sont même restées ici quelques jours. Il n'y avait que cela dans le tableau, une botte d'asperges précisément semblables à celles que vous êtes en train d'avaler. Mais moi, je me suis refusé à avaler les asperges de M. Elstir. Il en demandait trois cents francs. Trois cents francs, une botte d'asperges! Un louis, voilà ce que ça vaut, même en primeurs! Je l'ai trouvée roide. Dès qu'à ces choses-là il ajoute des personnages, cela a un côté canaille, pessimiste, qui me déplaît. Je suis étonné de voir un esprit fin, un cerveau distingué comme vous, aimer cela. »

— Mais je ne sais pas pourquoi vous dites cela, Basin, dit la duchesse qui n'aimait pas qu'on dépréciât ce que ses salons contenaient. Je suis loin de tout admettre sans distinction dans les tableaux d'Elstir. Il y a à prendre et à laisser. Mais ce n'est toujours pas sans talent. Et il faut avouer que ceux que j'ai achetés sont d'une beauté rare.

— Oriane, dans ce genre-là je préfère mille fois la petite étude de M. Vibert que nous avons vue à l'Exposition des aquarellistes. Ce n'est rien si vous voulez, cela tiendrait dans le creux de la main, mais il y a de l'esprit jusqu'au bout des ongles : ce missionnaire décharné, sale, devant ce prélat douillet qui fait jouer son petit chien, c'est tout un petit poème de finesse et même de profondeur.

— Je crois que vous connaissez M. Elstir, me dit la duchesse. L'homme est agréable.

— Il est intelligent, dit le duc, on est étonné, quand on cause avec lui, que sa peinture soit si vulgaire.

— Il est plus qu'intelligent, il est même assez spirituel, dit la duchesse de l'air entendu et dégustateur d'une personne qui s'y connaît.

— Est-ce qu'il n'avait pas commencé un portrait de vous, Oriane ? demanda la princesse de Parme.

— Si, en rouge écrevisse, répondit Mme de Guermantes, mais ce n'est pas cela qui fera passer son nom à la postérité. C'est une horreur, Basin voulait le détruire.

Cette phrase-là, Mme de Guermantes la disait souvent. Mais d'autres fois, son appréciation était autre : « Je n'aime pas sa peinture, mais il a fait autrefois un beau portrait de moi. » L'un de ces jugements s'adressait d'habitude aux personnes qui parlaient à la duchesse de son portrait, l'autre à ceux qui ne lui en parlaient pas et à qui elle désirait en apprendre l'existence. Le premier lui était inspiré par la coquetterie, le second par la vanité.

— Faire une horreur avec un portrait de vous ! Mais alors ce n'est pas un portrait, c'est un mensonge : moi qui sais à peine tenir un pinceau, il me semble que si je vous peignais, rien qu'en représentant ce que je vois, je ferais une chef-d'œuvre, dit naïvement la princesse de Parme.

— Il me voit probablement comme je me vois, c'est-à-dire dépourvue d'agrément, dit Mme de Guermantes avec le regard à la fois mélancolique, modeste et câlin qui lui parut le plus propre à la faire paraître autre que ne l'avait montrée Elstir.

— Ce portrait ne doit pas déplaire à Mme de Gallardon, dit le duc.

— Parce qu'elle ne s'y connaît pas en peinture ? demanda la princesse de Parme qui savait que Mme de Guermantes méprisait infiniment sa cousine. Mais c'est une très bonne femme n'est-ce pas ? Le duc prit un air d'étonnement profond.

— Mais voyons, Basin, vous ne voyez pas que la princesse se moque de vous (la princesse n'y songeait pas). Elle sait aussi bien que vous que Gallardonette est une vieille *poison*, reprit Mme de Guermantes, dont le vocabulaire, habituellement limité à toutes ces vieilles expressions, était savoureux comme ces plats possibles à découvrir dans les livres de Pampille, mais dans la réalité devenus si rares, où les gelées, le beurre, le jus, les quenelles sont authentiques, ne comportent aucun alliage, et même où on fait venir le sel des marais salants de Bretagne : à l'accent, au choix des mots on sentait que le fond de conversation de la duchesse venait directement de Guermantes. Par là, la duchesse différait profondément de son neveu Saint-Loup, envahi par tant d'idées et d'expressions nouvelles ; il est difficile, quand on est troublé par les idées de Kant et la nostalgie de Baudelaire, d'écrire le français exquis d'Henri IV, de sorte que la pureté même du langage de la duchesse était un signe de limitation, et qu'en elle l'intelligence et la sensibilité étaient restées fermées à toutes les nouveautés. Là encore l'esprit de Mme de Guermantes me plaisait justement parce qu'il excluait (et qui composait précisément la matière de ma propre pensée) et tout ce qu'à cause de cela même il avait pu conserver, cette séduisante vigueur des corps souples qu'aucune épuisante réflexion, nul souci moral ou trouble nerveux n'ont altérée. Son esprit d'une formation si antérieure au mien était pour moi l'équivalent de ce que m'avait offert la démarche des jeunes filles de la petite bande au bord de la mer. Mme de Guermantes m'offrait, domestiquée et soumise par l'amabilité, par le respect envers les valeurs spirituelles, l'énergie et le charme d'une cruelle petite fille de l'aristocratie des environs de Combray, qui, dès son enfance, montait à cheval, cassait les reins aux chats, arrachait l'œil aux lapins et, aussi bien qu'elle était restée une fleur de vertu, aurait pu, tant elle avait les mêmes élégances, pas mal d'années auparavant, être la plus brillante maîtresse du prince de Sagan. Seulement elle était incapable de comprendre ce que j'avais cherché en elle — le charme du nom de Guermantes — et le petit peu que j'y avais trouvé, un reste provincial de Guermantes. Nos relations étaient fondées sur un malentendu qui ne pouvait manquer de se manifester dès que mes hommages, au lieu de s'adresser à la femme relativement supérieure qu'elle croyait être, iraient vers quelque autre femme aussi médiocre et exhalant le même charme involontaire. Malentendu si naturel et qui existera toujours entre un jeune homme rêveur et une femme du monde, mais qui le trouble profondément, tant qu'il n'a pas encore reconnu la nature de ses facultés d'imagination et n'a pas pris son parti des déceptions inévitables qu'il doit éprouver auprès des êtres, comme au théâtre, en voyage et même en amour.

M. de Guermantes ayant déclaré (suite aux asperges d'Elstir et à celles qui venaient d'être servies après le poulet financière) que les asperges vertes, poussées à l'air, et qui, comme dit si drôlement l'auteur exquis qui signe E. de Clermont-Tonnerre, « n'ont pas la rigidité impressionnante de leurs sœurs », devraient être mangées avec des œufs, « Ce qui plaît aux uns déplaît aux autres, et *vice versa*, répondit M. de Bréauté. Dans la province de Canton, en Chine, on ne peut pas vous offrir un plus fin régal que des œufs d'ortolan complètement pourris. » M. de Bréauté, auteur d'une étude sur les Mormons parue dans la *Revue des Deux Mondes*, ne fréquentait que les milieux les plus aristocratiques, mais parmi eux seulement ceux qui avaient un certain renom d'intelligence. De sorte qu'à sa présence, du moins assidue, chez une femme, on reconnaissait si celle-ci avait un salon. Il prétendait détester le monde et assurait séparément à chaque duchesse que c'était à cause de son esprit et de sa beauté qu'il la recherchait. Toutes en étaient persuadées. Chaque fois que, la mort dans l'âme, il se résignait à aller à une grande soirée chez la princesse de Parme, il les convoquait toutes pour lui donner du courage et ne paraissait ainsi qu'au milieu d'un cercle intime. Pour que sa réputation d'intellectuel survécût à sa mondanité, appliquant certaines maximes de l'esprit des Guermantes, il partait avec des dames élégantes faire de longs voyages scientifiques à l'époque des bals, et quand une personne snob, par conséquent sans situation encore, commençait à aller partout, il mettait une obstination féroce à ne pas vouloir la connaître, à ne pas se laisser présenter. Sa haine des snobs découlait de son snobisme, mais faisait croire aux naïfs, c'est-à-dire à tout le monde, qu'il en était exempt.

— Babal sait toujours tout! s'écria la duchesse de Guermantes. Je trouve charmant un pays où on veut être sûr que votre crémier vous vende des œufs bien pourris, des œufs de l'année de la comète. Je me vois d'ici y trempant ma mouillette beurrée. Je dois dire que cela arrive chez la tante Madeleine (Mme de Villeparisis) qu'on serve des choses en putréfaction, même des œufs (et comme Mme d'Arpajon se récriait) : Mais voyons, Phili, vous le savez aussi bien que moi.

Le poussin est déjà dans l'œuf. Je ne sais même pas comment ils ont la sagesse de s'y tenir. Ce n'est pas une omelette, c'est un poulailler, mais au moins ce n'est pas indiqué sur le menu. Vous avez bien fait de ne pas venir dîner avant-hier, il y avait une barbue à l'acide phénique ! Ça n'avait pas l'air d'un service de table, mais d'un service de contagieux. Vraiment, Norpois pousse la fidélité jusqu'à l'héroïsme : il en a repris !

— Je crois vous avoir vu chez elle le jour où elle a fait cette sortie à ce M. Bloch (M. de Guermantes, peut-être pour donner à un nom israélite, l'air plus étranger, ne prononça pas le *ch* de Bloch comme un *k*, mais comme dans *hoch* en allemand) qui avait dit de je ne sais plus quel *poite* (poète) qu'il était sublime. Châtellerault avait beau casser les tibias de M. Bloch, celui-ci ne comprenait pas et croyait les coups de genou de mon neveu destinés à une jeune femme assise tout contre lui (ici M. de Guermantes rougit légèrement). Il ne se rendait pas compte qu'il agaçait notre tante avec ses « sublimes » donnés en veux-tu en voilà. Bref, la tante Madeleine, qui n'a pas sa langue dans sa poche, lui a riposté : « Hé, Monsieur, que garderez-vous alors pour M. de Bossuet ? » (M. de Guermantes croyait que devant un nom célèbre, monsieur et une particule étaient essentiellement ancien régime.) C'était à payer sa place.

— Et qu'a répondu ce M. Bloch ? demanda distraitement Mme de Guermantes, qui, à court d'originalité à ce moment-là, crut devoir copier la prononciation germanique de son mari.

— Ah ! je vous assure que M. Bloch n'a pas demandé son reste, il court encore.

— Mais oui, je me rappelle très bien vous avoir vu ce jour-là, me dit d'un ton marqué Mme de Guermantes, comme si de sa part ce souvenir avait quelque chose qui dût beaucoup me flatter. C'est toujours très intéressant chez ma tante. A la dernière soirée où je vous ai justement rencontré, je voulais vous demander si ce vieux monsieur qui a passé près de nous n'était pas François Coppée. Vous devez savoir tous les noms, me dit-elle avec une envie sincère pour mes relations poétiques et aussi par amabilité à mon égard, pour poser davantage aux yeux de ses invités un jeune homme aussi versé dans la littérature. J'assurai à la duchesse que je n'avais vu aucune figure célèbre à la soirée de Mme de Villeparisis. « Comment! me dit étourdiment Mme de Guermantes, avouant par là que son respect pour les gens de lettres et son dédain du monde étaient plus superficiels qu'elle ne disait et peut-être même qu'elle ne croyait, comment! il n'y avait pas de grands écrivains! Vous m'étonnez, il y avait pourtant des têtes impossibles! »

Je me souvenais très bien de ce soir-là, à cause d'un incident absolument insignifiant. Mme de Villeparisis avait présenté Bloch à Mme Alphonse de Rothschild, mais mon camarade n'avait pas entendu le nom et, croyant avoir affaire à une vieille Anglaise un peu folle, n'avait répondu que par monosyllabes aux prolixes paroles de l'ancienne Beauté, quand Mme de Villeparisis, la présentant à quelqu'un d'autre, avait prononcé, très distinctement cette fois : « la baronne Alphonse de Rothschild ». Alors étaient entrées subitement dans les artères de Bloch et d'un seul coup tant d'idées de millions et de prestige, lesquelles eussent dû être prudemment subdivisées, qu'il avait eu comme un coup au cœur, un transport au cerveau et s'était écrié en présence de l'aimable vieille dame : « Si j'avais su! » exclamation dont la stupidité l'avait empêché de dormir pendant huit jours. Ce mot de Bloch avait peu d'intérêt, mais je m'en souvenais comme preuve que parfois dans la vie, sous le coup d'une émotion exceptionnelle, on dit ce que l'on pense.

— Je crois que Mme de Villeparisis n'est pas absolument... morale, dit la princesse de Parme, qui savait qu'on n'allait pas chez la tante de la duchesse et, par ce que celle-ci venait de dire, voyait qu'on pouvait en parler librement. Mais Mme de Guermantes ayant l'air de ne pas approuver, elle ajouta :

— Mais à ce degré-là, l'intelligence fait tout passer.

— Vous vous faites de ma tante l'idée qu'on s'en fait généralement, répondit la duchesse, et qui est, en somme, très fausse. C'est justement ce que me disait Mémé pas plus tard qu'hier. (Elle rougit, un souvenir inconnu de moi embua ses yeux. Je fis la supposition que M. de Charlus lui avait demandé de me désinviter, comme il m'avait fait prier par Robert de ne pas aller chez elle. J'eus l'impression que la rougeur — d'ailleurs incompréhensible pour moi — qu'avait eue le duc en parlant à un moment de son frère ne pouvait pas être attribuée à la même cause.) Ma pauvre tante! Elle gardera la réputation d'une personne de l'ancien régime, d'un esprit éblouissant et d'un dévergondage effréné ; il n'y a pas d'intelligence plus bourgeoise, plus sérieuse, plus terne. Elle passera pour une protectrice des arts, ce qui veut dire qu'elle a été la maîtresse d'un grand peintre, mais il n'a jamais pu lui faire comprendre ce que c'était qu'un tableau ; et quant à sa vie, bien loin d'être une personne dépravée, elle était tellement faite pour le mariage, elle était tellement née conjugale que, n'ayant pu conserver un époux, qui était du reste une canaille, elle n'a jamais eu une liaison qu'elle n'ait prise aussi au sérieux que si c'était une union légitime, avec les mêmes susceptibilités, les mêmes colères, la même fidélité. Remarquez que ce sont quelquefois les plus sincères, il y a en somme plus d'amants que de maris inconsolables.

— Pourtant, Oriane, regardez justement votre beau-frère Palamède dont vous êtes en train de parler ; il n'y a pas de maîtresse qui puisse rêver d'être pleurée comme l'a été cette pauvre Mme de Charlus.

— Ah! répondit la duchesse, que Votre Altesse me permette de ne pas être tout à fait de son avis. Tout le monde n'aime pas être pleuré de la même manière, chacun a ses préférences.

— Enfin il lui a voué un vrai culte depuis sa mort. Il est vrai qu'on fait quelquefois pour les morts des choses qu'on n'aurait pas faites pour les vivants.

— D'abord, répondit Mme de Guermantes sur un ton rêveur qui contrastait avec son intention gouailleuse, on va à leur enterrement, ce qu'on ne fait jamais pour les vivants! (M. de Guermantes regarda d'un air malicieux M. de Bréauté comme pour le provoquer à rire de l'esprit de la duchesse.) Mais enfin j'avoue franchement, reprit Mme de Guermantes, que la manière dont je souhaiterais d'être pleurée par un homme que j'aimerais, n'est pas celle de mon beau-frère.

La figure du duc se rembrunit. Il n'aimait pas que sa femme portât des jugements à tort et à travers, surtout sur M. de Charlus. « Vous êtes difficile. Son regret a édifié tout le monde », dit-il d'un ton rogue. Mais la duchesse avait avec son mari cette espèce de hardiesse des dompteurs ou des gens qui vivent avec un fou et qui ne craignent pas de l'irriter :

— Hé bien, non, qu'est-ce que vous voulez, c'est édifiant, je ne dis pas, il va tous les jours au cimetière lui raconter combien de personnes il a eues à déjeuner, il la regrette énormément, mais comme une cousine, comme une grand'mère, comme une sœur. Ce n'est pas un deuil de mari. Il est vrai que c'étaient deux saints, ce qui rend le deuil un peu spécial. (M. de Guermantes, agacé du caquetage de sa femme, fixait sur elle avec une immobilité terrible des prunelles toutes chargées.) Ce n'est pas pour dire du mal du pauvre Mémé, qui, entre parenthèses, n'était pas libre ce soir, reprit la duchesse, je reconnais qu'il est bon comme personne, il est délicieux, il a une délicatesse, un cœur comme les hommes n'en ont pas généralement. C'est un cœur de femme, Mémé!

— Ce que vous dites est absurde, interrompit vivement M. de Guermantes, Mémé n'a rien d'efféminé, personne n'est plus viril que lui.

— Mais je ne vous dis pas qu'il soit efféminé le moins du monde. Comprenez au moins ce que je dis, reprit la duchesse. Ah! celui-là, dès qu'il croit qu'on veut toucher à son frère..., ajouta-t-elle en se tournant vers la princesse de Parme.

— C'est très gentil, c'est délicieux à entendre. Il n'y a rien de si beau que deux frères qui s'aiment, dit la princesse de Parme, comme l'auraient fait beaucoup de gens du peuple, car on peut appartenir à une famille princière par le sang et, par l'esprit, à une famille fort populaire.

— Puisque nous parlions de votre famille, Oriane, dit la princesse, j'ai vu hier votre neveu Saint-Loup ; je crois qu'il voudrait vous demander un service.

Le duc de Guermantes fronça son sourcil jupitérien. Quand il n'aimait pas rendre un service, il ne voulait pas que sa femme s'en chargeât, sachant que cela reviendrait au même et que les personnes à qui la duchesse aurait été obligée de le demander l'inscriraient au débit commun du ménage, tout aussi bien que s'il avait été demandé par le mari seul.

— Pourquoi ne me l'a-t-il pas demandé lui-même ? dit la duchesse, il est resté deux heures ici, hier, et Dieu sait ce qu'il a pu être ennuyeux. Il ne serait pas plus stupide qu'un autre s'il avait eu, comme tant de gens du monde, l'intelligence de savoir rester bête. Seulement, c'est ce badigeon de savoir qui est terrible. Il veut avoir une intelligence ouverte... ouverte à toutes les choses qu'il ne comprend pas. Il vous parle du Maroc, c'est affreux.

— Il ne veut pas y retourner, à cause de Rachel, dit le prince de Foix.

— Mais puisqu'ils ont rompu, interrompit M. de Bréauté.

— Ils ont si peu rompu que je l'ai trouvée il y a deux jours dans la garçonnière de Robert ; ils n'avaient pas l'air de gens brouillés, je vous assure, répondit le prince de Foix qui aimait à répandre tous les bruits pouvant faire manquer un mariage à Robert et qui d'ailleurs pouvait être trompé par les reprises intermittentes d'une liaison en effet finie.

— Cette Rachel m'a parlé de vous, je la vois comme ça en passant le matin aux Champs-Élysées, c'est une espèce d'évaporée comme vous dites, ce que vous appelez une dégrafée, une sorte de « Dame aux Camélias », au figuré bien entendu. (Ce discours m'était tenu par le prince Von qui tenait à avoir l'air au courant de la littérature française et des finesses parisiennes.)

— Justement c'est à propos du Maroc..., s'écria la princesse saisissant précipitamment ce joint.

— Qu'est-ce qu'il peut vouloir pour le Maroc ? demanda sévèrement M. de Guermantes ; Oriane ne peut absolument rien dans cet ordre-là, il le sait bien.

— Il croit qu'il a inventé la stratégie, poursuivit

Mme de Guermantes, et puis il emploie des mots impossibles pour les moindres choses, ce qui n'empêche pas qu'il fait des pâtés dans ses lettres. L'autre jour, il a dit qu'il avait mangé des pommes de terre *sublimes* et qu'il avait trouvé à louer une baignoire *sublime.*

— Il parle latin, enchérit le duc.

— Comment, latin? demanda la princesse.

— Ma parole d'honneur! que Madame demande à Oriane si j'exagère.

— Mais comment, Madame, l'autre jour il a dit dans une seule phrase, d'un seul trait : « Je ne connais pas d'exemple de *Sic transit gloria mundi* plus touchant » ; je dis la phrase à Votre Altesse parce qu'après vingt questions et en faisant appel à des *linguistes*, nous sommes arrivés à la reconstituer, mais Robert a jeté cela sans reprendre haleine, on pouvait à peine distinguer qu'il y avait du latin là-dedans, il avait l'air d'un personnage du *Malade imaginaire!* Et tout ça s'appliquait à la mort de l'impératrice d'Autriche!

— Pauvre femme! s'écria la princesse, quelle délicieuse créature c'était!

— Oui, répondit la duchesse, un peu folle, un peu insensée, mais c'était une très bonne femme, une gentille folle très aimable, je n'ai seulement jamais compris pourquoi elle n'avait jamais acheté un râtelier qui tînt, le sien se décrochait toujours avant la fin de ses phrases et elle était obligée de les interrompre pour ne pas l'avaler.

— Cette Rachel m'a parlé de vous, elle m'a dit que le petit Saint-Loup vous adorait, vous préférait même à elle, me dit le prince Von, tout en mangeant comme un ogre, le teint vermeil, et dont le rire perpétuel découvrait toutes les dents.

— Mais alors elle doit être jalouse de moi et me détester, répondis-je.

— Pas du tout, elle m'a dit beaucoup de bien de vous. La maîtresse du prince de Foix serait peut-être jalouse s'il vous préférait à elle. Vous ne comprenez pas ? Revenez avec moi, je vous expliquerai tout cela.

— Je ne peux pas, je vais chez M. de Charlus à onze heures.

— Tiens, il m'a fait demander hier de venir dîner ce soir, mais de ne pas venir après onze heures moins le quart. Mais si vous tenez à aller chez lui, venez au moins avec moi jusqu'au Théâtre-Français, vous serez dans la périphérie, dit le prince qui croyait sans doute que cela signifiait « à proximité » ou peut-être « le centre ».

Mais ses yeux dilatés dans sa grosse et belle figure rouge me firent peur et je refusai en disant qu'un ami devait venir me chercher. Cette réponse ne me semblait pas blessante. Le prince en reçut sans doute une impression différente, car jamais il ne m'adressa plus la parole.

— Il faut justement que j'aille voir la reine de Naples, quel chagrin elle doit avoir ! dit, ou du moins me parut avoir dit, la princesse de Parme. Car ces paroles ne m'étaient arrivées qu'indistinctes à travers celles, plus proches, que m'avait adressées pourtant fort bas le prince Von, qui avait craint sans doute, s'il parlait plus haut, d'être entendu de M. de Foix.

— Ah ! non, répondit la duchesse, ça, je crois qu'elle n'en a aucun.

— Aucun ? vous êtes toujours dans les extrêmes, Oriane, dit M. de Guermantes reprenant son rôle de falaise qui, en s'opposant à la vague, la force à lancer plus haut son panache d'écume.

— Basin sait encore mieux que moi que je dis la vérité répondit la duchesse, mais il se croit obligé de prendre des airs sévères à cause de votre présence et il a peur que je vous scandalise.

— Oh! non, je vous en prie, s'écria la princesse de Parme, craignant qu'à cause d'elle on n'altérât en quelque chose ces délicieux mercredis de la duchesse de Guermantes, ce fruit défendu auquell a reine de Suède elle-même n'avait pas encore eu le droit de goûter.

— Mais c'est à lui-même qu'elle a répondu, comme il lui disait, d'un air banalement triste : « Mais la reine est en deuil ; de qui donc ? est-ce un chagrin pour Votre Majesté ? — Non, ce n'est pas un grand deuil, c'est un petit deuil, un tout petit deuil, c'est ma sœur. » La vérité c'est qu'elle est enchantée comme cela, Basin le sait très bien, elle nous a invités à une fête le jour même et m'a donné deux perles. Je voudrais qu'elle perdît une sœur tous les jours! Elle ne pleure pas la mort de sa sœur, elle la rit aux éclats. Elle se dit probablement, comme Robert, que *Sic transit*, enfin je ne sais plus, ajouta-t-elle par modestie, quoiqu'elle sût très bien.

D'ailleurs Mme de Guermantes faisait seulement en ceci de l'esprit, et du plus faux, car la reine de Naples, comme la duchesse d'Alençon, morte tragiquement aussi, avait un grand cœur et a sincèrement pleuré les siens. Mme de Guermantes connaissait trop les nobles sœurs bavaroises, ses cousines, pour l'ignorer.

— Il aurait voulu ne pas retourner au Maroc, dit la princesse de Parme en saisissant à nouveau ce nom de Robert que lui tendait bien involontairement comme une perche Mme de Guermantes. Je crois que vous connaissez le général de Monserfeuil.

— Très peu, répondit la duchesse qui était intimement liée avec cet officier. La princesse expliqua ce que désirait Saint-Loup.

— Mon Dieu, si je le vois... Cela peut arriver que je le rencontre, répondit, pour ne pas avoir l'air de refuser, la duchesse dont les relations avec le général de Monserfeuil semblaient s'être rapidement espacées depuis qu'il s'agissait de lui demander quelque chose. Cette incertitude ne suffit pourtant pas au duc, qui, interrompant sa femme :

— Vous savez bien que vous ne le verrez pas, Oriane, dit-il, et puis vous lui avez déjà demandé deux choses qu'il n'a pas faites. Ma femme a la rage d'être aimable, reprit-il de plus en plus furieux pour forcer la princesse à retirer sa demande sans que cela pût faire douter de l'amabilité de la duchesse et pour que Mme de Parme rejetât la chose sur son propre caractère à lui, essentiellement quinteux. Robert pourrait ce qu'il voudrait sur Monserfeuil. Seulement, comme il ne sait pas ce qu'il veut, il le fait demander par nous, parce qu'il sait qu'il n'y a pas de meilleure manière de faire échouer la chose. Oriane a trop demandé de choses à Monserfeuil. Une demande d'elle maintenant, c'est une raison pour qu'il refuse.

— Ah! dans ces conditions, il vaut mieux que la duchesse ne fasse rien, dit Mme de Parme.

— Naturellement, conclut le duc.

— Ce pauvre général, il a encore été battu aux élections, dit la princesse de Parme pour changer de conversation.

— Oh! ce n'est pas grave, ce n'est que la septième fois, dit le duc qui, ayant dû lui-même renoncer à la politique, aimait assez les insuccès électoraux des autres.

— Il s'est consolé en voulant faire un nouvel enfant à sa femme.

— Comment! Cette pauvre Mme de Monserfeuil est encore enceinte, s'écria la princesse.

— Mais parfaitement, répondit la duchesse, c'est le seul *arrondissement* où le pauvre général n'a jamais échoué.

Je ne devais plus cesser par la suite d'être continuellement invité, fût-ce avec quelques personnes seulement, à ces repas dont je m'étais autrefois figuré les convives comme les Apôtres de la Sainte-Chapelle. Ils se réunissaient là en effet, comme les premiers chrétiens, non pour partager seulement une nourriture matérielle, d'ailleurs exquise, mais dans une sorte de Cène sociale; de sorte qu'en peu de dîners j'assimilai la connaissance de tous les amis de mes hôtes, amis auxquels ils me présentaient avec une nuance de bienveillance si marquée (comme quelqu'un qu'ils auraient de tout temps paternellement préféré) qu'il n'est pas un d'entre eux qui n'eût cru manquer au duc et à la duchesse s'il avait donné un bal sans me faire figurer sur la liste, et en même temps, tout en buvant un des Yquems que recelaient les caves des Guermantes, je savourais des ortolans accommodés selon les différentes recettes que le duc élaborait et modifiait prudemment. Cependant, pour qui s'était déjà assis plus d'une fois à la table mystique, la manducation de ces derniers n'était pas indispensable. De vieux amis de M. et de Mme de Guermantes venaient les voir après dîner, « en cure-dents » aurait dit Mme Swann, sans être attendus, et prenaient l'hiver une tasse de tilleul aux lumières du grand salon, l'été un verre d'orangeade dans la nuit du petit bout de jardin rectangulaire. On n'avait jamais connu, des Guermantes, dans ces après-dîners au jardin, que l'orangeade. Elle avait quelque chose de rituel. Y ajouter d'autres rafraîchissements eût semblé dénaturer la tradition, de même qu'un grand raout dans le faubourg Saint-Germain n'est plus un raout s'il y a une comédie ou de la musique. Il faut qu'on soit censé venir simplement — y eût-il cinq cents personnes — faire une visite à la princesse de Guermantes, par exemple. On admira mon influence parce que je pus à l'orangeade faire ajouter une carafe contenant du jus de cerise cuite, de poire cuite. Je pris en inimitié, à cause de cela, le prince d'Agrigente qui, comme tous les gens dépourvus d'imagination, mais non d'avarice, s'émerveillent de ce que vous buvez et vous demandent la permission d'en prendre un peu. De sorte que chaque fois M. d'Agrigente, en diminuant ma ration, gâtait mon plaisir. Car ce jus de fruit n'est jamais en assez grande quantité pour qu'il désaltère. Rien ne lasse moins que cette transposition en saveur, de la couleur d'un fruit, lequel, cuit, semble rétrograder vers la saison des fleurs. Empourpré comme un verger au printemps, ou bien incolore et frais comme le zéphyr sous les arbres fruitiers, le jus se laisse respirer et regarder goutte à goutte, et M. d'Agrigente m'empêchait, régulièrement, de m'en rassasier. Malgré ces compotes, l'orangeade traditionnelle subsista comme le tilleul. Sous ces modestes espèces, la communion sociale n'en avait pas moins lieu. En cela, sans doute, les amis de M. et de Mme de Guermantes étaient tout de même, comme je me les étais d'abord figurés, restés plus différents que leur aspect décevant ne m'eût porté à le croire. Maints vieillards venaient recevoir chez la duchesse, en même temps que l'invariable boisson, un accueil souvent assez peu aimable. Or, ce ne pouvait être par snobisme, étant eux-mêmes d'un rang auquel nul autre n'était supérieur ; ni par amour du luxe : ils l'aimaient peut-être, mais, dans de moindres conditions sociales, eussent pu en connaître un splendide, car, ces mêmes soirs, la femme charmante d'un richissime financier eût tout fait pour les avoir à des chasses éblouissantes qu'elle donnerait pendant deux jours pour le roi d'Espagne. Ils avaient refusé néanmoins et étaient venus à tout hasard voir si Mme de Guermantes était chez elle. Ils n'étaient même pas certains de trouver là des opinions absolument conformes aux leurs, ou des sentiments spécialement chaleureux ; Mme de Guermantes lançait parfois sur l'affaire Dreyfus, sur la République, sur les lois antireligieuses, ou même, à mi-voix, sur eux-mêmes, sur leurs infirmités, sur le caractère ennuyeux de leur conversation, des réflexions qu'ils devaient faire semblant de ne pas remarquer. Sans doute, s'ils gardaient là leurs habitudes, était-ce par éducation affinée du gourmet mondain, par claire connaissance de la parfaite et première qualité du mets social, au goût familier, rassurant et sapide, sans mélange, non frelaté, dont ils savaient l'origine et l'histoire aussi bien que celle qui la leur servait, restés plus « nobles » en cela qu'ils ne le savaient eux-mêmes. Or, parmi ces visiteurs auxquels je fus présenté après dîner, le hasard fit qu'il y eut ce général de Monserfeuil dont avait parlé la princesse de Parme et que Mme de Guermantes, du salon de qui il était un des habitués, ne savait pas devoir venir ce soir-là. Il s'inclina devant moi, en entendant mon nom, comme si j'eusse été président du Conseil supérieur de la guerre. J'avais cru que c'était simplement par quelque inserviabilité foncière, et pour laquelle le duc, comme pour l'esprit, sinon pour l'amour, était le complice de sa femme, que la duchesse avait presque refusé de recommander son neveu à M. de Monserfeuil. Et je voyais là une indifférence d'autant plus coupable que j'avais cru comprendre par quelques mots échappés à la princesse de Parme que le poste de Robert était dangereux et qu'il était prudent de l'en faire changer. Mais ce fut par la véritable méchanceté de Mme de Guermantes que je fus révolté quand, la princesse de Parme ayant timidement proposé d'en parler elle-même et pour son compte au général, la duchesse fit tout ce qu'elle put pour en détourner l'Altesse.

— Mais Madame, s'écria-t-elle, Monserfeuil n'a aucune espèce de crédit ni de pouvoir avec le nouveau gouvernement. Ce serait un coup d'épée dans l'eau.

— Je crois qu'il pourrait nous entendre, murmura la princesse en invitant la duchesse à parler plus bas.

— Que Votre Altesse ne craigne rien, il est sourd comme un pot, dit sans baisser la voix la duchesse, que le général entendit parfaitement.

— C'est que je crois que M. de Saint-Loup n'est pas dans un endroit très rassurant, dit la princesse.

— Que voulez-vous, répondit la duchesse, il est dans le cas de tout le monde, avec la différence que c'est lui qui a demandé à y aller. Et puis, non, ce n'est pas dangereux ; sans cela vous pensez bien que je m'en occuperais. J'en aurais parlé à Saint-Joseph pendant le dîner. Il est beaucoup plus influent, et d'un travailleur! Vous voyez, il est déjà parti. Du reste ce serait moins délicat qu'avec celui-ci, qui a justement trois de ses fils au Maroc et n'a pas voulu demander leur changement; il pourrait objecter cela. Puisque Votre Altesse y tient, j'en parlerai à Saint-Joseph... si je le vois, ou à Beautreillis. Mais si je ne les vois pas, ne plaignez pas trop Robert. On nous a expliqué l'autre jour où c'était. Je crois qu'il ne peut être nulle part mieux que là.

— Quelle jolie fleur, je n'en avais jamais vu de pareille, il n'y a que vous, Oriane, pour avoir de telles merveilles! dit la princesse de Parme qui, de peur que le général de Monserfeuil n'eût entendu la duchesse, cherchait à changer de conversation. Je reconnus une plante de l'espèce de celles qu'Elstir avait peintes devant moi.

— Je suis enchantée qu'elle vous plaise ; elles sont ravissantes, regardez leur petit tour de cou de velours mauve ; seulement, comme il peut arriver à des personnes très jolies et très bien habillées, elles ont un vilain nom et elles sentent mauvais. Malgré cela, je les aime beaucoup. Mais ce qui est un peu triste, c'est qu'elles vont mourir.

— Mais elles sont en pot, ce ne sont pas des fleurs coupées, dit la princesse.

— Non, répondit la duchesse en riant, mais ça revient au même, comme ce sont des dames. C'est une espèce de plantes où les dames et les messieurs ne se trouvent pas sur le même pied. Je suis comme les gens qui ont une chienne. Il me faudrait un mari pour mes fleurs. Sans cela je n'aurai pas de petits !

— Comme c'est curieux. Mais alors dans la nature...

— Oui, il y a certains insectes qui se chargent d'effectuer le mariage, comme pour les souverains, par procuration, sans que le fiancé et la fiancée se soient jamais vus. Aussi je vous jure que je recommande à mon domestique de mettre ma plante à la fenêtre le plus qu'il peut, tantôt du côté cour, tantôt du côté jardin, dans l'espoir que viendra l'insecte indispensable. Mais cela exigerait un tel hasard. Pensez, il faudrait qu'il ait justement été voir une personne de la même espèce et d'un autre sexe, et qu'il ait l'idée de venir mettre des cartes dans la maison. Il n'est pas venu jusqu'ici, je crois que ma plante est toujours digne d'être rosière, j'avoue qu'un peu plus de dévergondage me plairait mieux. Tenez, c'est comme ce bel arbre qui est dans la cour, il mourra sans enfants parce que c'est une espèce très rare dans nos pays. Lui, c'est le vent qui est chargé d'opérer l'union, mais le mur est un peu haut.

— En effet, dit M. de Bréauté, vous auriez dû le faire abattre de quelques centimètres seulement, cela aurait suffi. Ce sont des opérations qu'il faut savoir pratiquer. Le parfum de vanille qu'il y avait dans l'excellente glace que vous nous avez servie tout à l'heure, duchesse, vient d'une plante qui s'appelle le vanillier. Celle-là produit bien des fleurs à la fois masculines et féminines, mais une sorte de paroi dure, placée entre elles, empêche toute communication. Aussi ne pouvait-on jamais avoir de fruits jusqu'au jour où un jeune nègre natif de la Réunion et nommé Albins, ce qui, entre parenthèses, est assez comique pour un noir puisque cela veut dire blanc, eut l'idée, à l'aide d'une petite pointe, de mettre en rapport les organes séparés.

— Babal, vous êtes divin, vous savez tout, s'écria la duchesse.

— Mais vous-même, Oriane, vous m'avez appris des choses dont je ne me doutais pas, dit la princesse.

— Je dirai à Votre Altesse que c'est Swann qui m'a toujours beaucoup parlé de botanique. Quelquefois, quand cela nous embêtait trop d'aller à un thé ou à une matinée, nous partions pour la campagne et il me montrait des mariages extraordinaires de fleurs, ce qui est beaucoup plus amusant que les mariages de gens, sans lunch et sans sacristie. On n'avait jamais le temps d'aller bien loin. Maintenant qu'il y a l'automobile, ce serait charmant. Malheureusement dans l'intervalle il a fait lui-même un mariage encore beaucoup plus étonnant et qui rend tout difficile. Ah! Madame, la vie est une chose affreuse, on passe son temps à faire des choses qui vous ennuient, et quand, par hasard, on connaît quelqu'un avec qui on pourrait aller en voir d'intéressantes, il faut qu'il fasse le mariage de Swann. Placée entre le renoncement aux promenades botaniques et l'obligation de fréquenter une personne déshonorante, j'ai choisi la première de ces deux calamités. D'ailleurs, au fond, il n'y aurait pas besoin d'aller si loin. Il paraît que, rien que dans mon petit bout de jardin, il se passe en plein jour plus de choses inconvenantes que la nuit... dans le bois de Boulogne! Seulement cela ne se remarque pas parce qu'entre fleurs cela se fait très simplement, on voit une petite pluie orangée, ou bien une mouche très poussiéreuse qui vient essuyer ses pieds ou prendre une douche avant d'entrer dans une fleur. Et tout est consommé!

— La commode sur laquelle la plante est posée est splendide aussi, c'est Empire, je crois, dit la princesse qui, n'étant pas familière avec les travaux de Darwin et de ses successeurs, comprenait mal la signification des plaisanteries de la duchesse.

— N'est-ce pas, c'est beau. Je suis ravie que Madame l'aime, répondit la duchesse. C'est une pièce magnifique. Je vous dirai que j'ai toujours adoré le style Empire, même au temps où cela n'était pas à la mode. Je me rappelle qu'à Guermantes je m'étais fait honnir de ma belle-mère parce que j'avais dit de descendre du grenier tous les splendides meubles Empire que Basin avait hérités des Montesquiou, et que j'en avais meublé l'aile que j'habitais.

M. de Guermantes sourit. Il devait pourtant se rappeler que les choses s'étaient passées d'une façon fort différente. Mais les plaisanteries de la princesse des Laumes sur le mauvais goût de sa belle-mère ayant été de tradition pendant le peu de temps où le prince avait été épris de sa femme, à son amour pour la seconde avait survécu un certain dédain pour l'infériorité d'esprit de la première, dédain qui s'alliait d'ailleurs à beaucoup d'attachement et de respect.

— Les Iéna ont le même fauteuil avec incrustations de Wedgwood, il est beau, mais j'aime mieux le mien, dit la duchesse du même air d'impartialité que si elle n'avait possédé aucun de ces deux meubles ; je reconnais du reste qu'ils ont des choses merveilleuses que je n'ai pas.

La princesse de Parme garda le silence.

— Mais c'est vrai, Votre Altesse ne connaît pas leur collection. Oh! elle devrait absolument y venir une fois avec moi. C'est une des choses les plus magnifiques de Paris, c'est un musée qui serait vivant.

Et comme cette proposition était une des audaces les plus Guermantes de la duchesse, parce que les Iéna étaient pour la princesse de Parme de purs usurpateurs, leur fils portant, comme le sien, le titre de duc de Guastalla, Mme de Guermantes en la lançant ainsi ne se retint pas (tant l'amour qu'elle portait à sa propre originalité l'emportait encore sur sa déférence pour la princesse de Parme) de jeter sur les autres convives des regards amusés et souriants. Eux aussi s'efforçaient de sourire, à la fois effrayés, émerveillés, et surtout ravis de penser qu'ils étaient témoins de la « dernière » d'Oriane et pourraient la raconter « tout chaud ». Ils n'étaient qu'à demi stupéfaits, sachant que la duchesse avait l'art de faire litière de tous les préjugés Courvoisier pour une réussite de vie plus piquante et plus agréable. N'avait-elle pas, au cours de ces dernières années, réuni à la princesse Mathilde le duc d'Aumale qui avait écrit au propre frère de la princesse la fameuse lettre : « Dans ma famille tous les hommes sont braves et toutes les femmes sont chastes » ? Or, les princes le restant même au moment où ils paraissent vouloir oublier qu'ils le sont, le duc d'Aumale et la princesse Mathilde s'étaient tellement plu chez Mme de Guermantes qu'ils étaient ensuite allés l'un chez l'autre, avec cette faculté d'oublier le passé que témoigna Louis XVIII quand il prit pour ministre Fouché qui avait voté la mort de son frère. Mme de Guermantes nourrissait le même projet de rapprochement entre la princesse Murat et la reine de Naples. En attendant, la princesse de Parme paraissait aussi embarrassée qu'auraient pu l'être les héritiers de la couronne des Pays-Bas et de Belgique, respectivement prince d'Orange et duc de Brabant, si on avait voulu leur présenter M. de Mailly-Nesle, prince d'Orange, et M. de Charlus, duc de Brabant. Mais d'abord la duchesse, à qui Swann et M. de Charlus (bien que ce dernier fût résolu à ignorer les Iéna) avaient à grand'peine fini par faire aimer le style Empire, s'écria :

— Madame, sincèrement, je ne peux pas vous dire à quel point vous trouverez cela beau ! J'avoue que le style Empire m'a toujours impressionnée. Mais, chez les Iéna, là, c'est vraiment comme une hallucination. Cette espèce, comment vous dire, de... reflux de l'expédition d'Égypte, et puis aussi de remontée jusqu'à nous de l'Antiquité, tout cela qui envahit nos maisons, les Sphinx qui viennent se mettre aux pieds des fauteuils, les serpents qui s'enroulent aux candélabres, une Muse énorme qui vous tend un petit flambeau pour jouer à la bouillotte ou qui est tranquillement montée sur votre cheminée et s'accoude à votre pendule, et puis toutes les lampes pompéiennes, les petits lits en bateau qui ont l'air d'avoir été trouvés sur le Nil et d'où on s'attend à voir sortir Moïse, ces quadriges antiques qui galopent le long des tables de nuit...

— On n'est pas très bien assis dans les meubles Empire, hasarda la princesse.

— Non, répondit la duchesse, mais j'aime, ajouta-t-elle en insistant avec un sourire, j'aime être mal assise sur ces sièges d'acajou recouverts de velours grenat ou de soie verte. J'aime cet inconfort de guerriers qui ne comprennent que la chaise curule et, au milieu du grand salon, croisaient les faisceaux et entassaient les lauriers. Je vous assure que, chez les Iéna, on ne pense pas un instant à la manière dont on est assis, quand on voit devant soi une grande gredine de Victoire peinte à fresque sur le mur. Mon époux va me trouver bien mauvaise royaliste, mais je suis très mal pensante, vous savez, je vous assure que chez ces gens-là on en arrive à aimer tous ces N, toutes ces abeilles. Mon Dieu, comme sous les rois, depuis pas mal de temps, on n'a pas été très gâté du côté gloire, ces guerriers qui rapportaient tant de couronnes qu'ils en mettaient jusque sur les bras des fauteuils, je trouve que ça a un certain chic! Votre Altesse devrait.

— Mon Dieu, si vous croyez, dit la princesse, mais il me semble que ce ne sera pas facile.

— Mais Madame verra que tout s'arrangera très bien. Ce sont de très bonnes gens, pas bêtes. Nous y avons mené Mme de Chevreuse, ajouta la duchesse sachant la puissance de l'exemple, elle a été ravie. Le fils est même très agréable... Ce que je vais dire n'est pas très convenable, ajouta-t-elle, mais il a une chambre et surtout un lit où on voudrait dormir — sans lui! Ce qui est encore moins convenable, c'est que j'ai été le voir une fois pendant qu'il était malade et couché. A côté de lui, sur le rebord du lit, il y avait sculptée une longue sirène allongée, ravissante, avec une queue en nacre, et qui tient dans la main des espèces de lotus. Je vous assure, ajouta Mme de Guermantes, — en ralentissant son débit pour mettre encore mieux en relief les mots qu'elle avait l'air de modeler avec la moue de ses belles lèvres, le fuselage de ses longues mains expressives, et tout en attachant sur la princesse un regard doux, fixe et profond, — qu'avec les palmettes et la couronne d'or qui était à côté, c'était émouvant, c'était tout à fait l'arrangement du *Jeune Homme et la Mort* de Gustave Moreau (Votre Altesse connaît sûrement ce chef-d'œuvre).

La princesse de Parme, qui ignorait même le nom du peintre, fit de violents mouvements de tête et sourit avec ardeur afin de manifester son admiration pour ce tableau. Mais l'intensité de sa mimique ne parvint pas à remplacer cette lumière qui reste absente de nos yeux tant que nous ne savons pas de quoi on veut nous parler.

— Il est joli garçon, je crois ? demanda-t-elle.

— Non, car il a l'air d'un tapir. Les yeux sont un peu ceux d'une reine Hortense pour abat-jour. Mais il a probablement pensé qu'il serait un peu ridicule pour un homme de développer cette ressemblance, et cela se perd dans des joues encaustiquées qui lui donnent un air assez mameluk. On sent que le frotteur doit passer tous les matins. Swann, ajouta-t-elle, revenant au lit du jeune duc, a été frappé de la ressemblance de cette Sirène avec *la Mort* de Gustave Moreau. Mais d'ailleurs, ajouta-t-elle d'un ton plus rapide et pourtant sérieux, afin de faire rire davantage, il n'y a pas à nous frapper car c'était un rhume de cerveau, et le jeune homme se porte comme un charme.

— On dit qu'il est snob ? demanda M. de Bréauté

d'un air malveillant, allumé et en attendant dans la réponse la même précision que s'il avait dit : « On m'a dit qu'il n'avait que quatre doigts à la main droite, est-ce vrai ? »

— M...on Dieu, n...on, répondit Mme de Guermantes avec un sourire de douce indulgence. Peut-être un tout petit peu snob d'apparence, parce qu'il est extrêmement jeune, mais cela m'étonnerait qu'il le fût en réalité, car il est intelligent, ajouta-t-elle, comme s'il y eût à son avis incompatibilité absolue entre le snobisme et l'intelligence. Il est fin, je l'ai vu drôle, dit-elle encore en riant d'un air gourmet et connaisseur, comme si porter le jugement de drôlerie sur quelqu'un exigeait une certaine expression de gaîté, ou comme si les saillies du duc de Guastalla lui revenaient à l'esprit en ce moment. Du reste, comme il n'est pas reçu, ce snobisme n'aurait pas à s'exercer, reprit-elle sans songer qu'elle n'encourageait pas beaucoup de la sorte la princesse de Parme.

— Je me demande ce que dira le prince de Guermantes, qui l'appelle Mme Iéna, s'il apprend que je suis allée chez elle.

— Mais comment, s'écria avec une extraordinaire vivacité la duchesse, vous savez que c'est nous qui avons cédé à Gilbert (elle s'en repentait amèrement aujourd'hui !) toute une salle de jeu Empire qui nous venait de Quiou-Quiou et qui est une splendeur ! Il n'y avait pas la place ici où pourtant je trouve que ça faisait mieux que chez lui. C'est une chose de toute beauté, moitié étrusque, moitié égyptienne...

— Égyptienne ? demanda la princesse à qui étrusque disait peu de chose.

— Mon Dieu, un peu les deux, Swann nous disait cela, il me l'a expliqué, seulement, vous savez, je suis une pauvre ignorante. Et puis au fond, Madame, ce qu'il faut se dire, c'est que l'Égypte du style Empire n'a aucun rapport avec la vraie Égypte, ni leurs Romains avec les Romains, ni leur Étrurie...

— Vraiment! dit la princesse.

— Mais non, c'est comme ce qu'on appelait un costume Louis XV sous le Second Empire, dans la jeunesse d'Anna de Mouchy ou de la mère du cher Brigode. Tout à l'heure Basin vous parlait de Beethoven. On nous jouait l'autre jour de lui une chose, très belle d'ailleurs, un peu froide, où il y a un thème russe. C'en est touchant de penser qu'il croyait cela russe. Et de même les peintres chinois ont cru copier Bellini. D'ailleurs même dans le même pays, chaque fois que quelqu'un regarde les choses d'une façon un peu nouvelle, les quatre quarts des gens ne voient goutte à ce qu'il leur montre. Il faut au moins quarante ans pour qu'ils arrivent à distinguer.

— Quarante ans! s'écria la princesse effrayée.

— Mais oui, reprit la duchesse, en ajoutant de plus en plus aux mots (qui étaient presque des mots de moi, car j'avais justement émis devant elle une idée analogue), grâce à sa prononciation, l'équivalent de ce que pour les caractères imprimés on appelle « italique », c'est comme une espèce de premier individu isolé d'une espèce qui n'existe pas encore et qui pullulera, un individu doué d'une espèce de *sens* que l'espèce humaine à son époque ne possède pas. Je ne peux guère me citer, parce que moi, au contraire, j'ai toujours aimé dès le début toutes les manifestations intéressantes, si nouvelles qu'elles fussent. Mais enfin l'autre jour j'ai été avec la grande-duchesse au Louvre, nous avons passé devant l'*Olympia* de Manet. Maintenant personne ne s'en étonne plus. Ç'à l'air d'une chose d'Ingres! Et pourtant Dieu sait ce que j'ai eu à rompre de lances pour ce tableau où je n'aime pas tout, mais qui est sûrement de quelqu'un. Sa place n'est peut-être pas tout à fait au Louvre.

— Elle va bien, la grande-duchesse ? demanda la princesse de Parme à qui la tante du tsar était infiniment plus familière que le modèle de Manet.

— Oui, nous avons parlé de vous. Au fond, reprit la duchesse, qui tenait à son idée, la vérité c'est que, comme dit mon beau-frère Palamède, l'on a entre soi et chaque personne le mur d'une langue étrangère. Du reste je reconnais que ce n'est exact de personne autant que de Gilbert. Si cela vous amuse d'aller chez les Iéna, vous avez trop d'esprit pour faire dépendre vos actes de ce que peut penser ce pauvre homme, qui est une chère créature innocente, mais enfin qui a des idées de l'autre monde. Je me sens plus rapprochée, plus consanguine de mon cocher, de mes chevaux, que de cet homme qui se réfère tout le temps à ce qu'on aurait pensé sous Philippe le Hardi ou sous Louis le Gros. Songez que, quand il se promène dans la campagne, il écarte les paysans d'un air bonasse, avec sa canne, en disant : « Allez, manants ! » Je suis au fond aussi étonnée quand il me parle que si je m'entendais adresser la parole par les « gisants » des anciens tombeaux gothiques. Cette pierre vivante a beau être mon cousin, elle me fait peur et je n'ai qu'une idée, c'est de la laisser dans son Moyen Age. A part ça, je reconnais qu'il n'a jamais assassiné personne.

— Je viens justement de dîner avec lui chez Mme de Villeparisis, dit le général, mais sans sourire ni adhérer aux plaisanteries de la duchesse.

— Est-ce que M. de Norpois était là ? demanda le prince Von, qui pensait toujours à l'Académie des Sciences morales.

— Oui, dit le général. Il a même parlé de votre empereur.

— Il paraît que l'empereur Guillaume est très intelligent, mais il n'aime pas la peinture d'Elstir. Je ne dis du reste pas cela contre lui, répondit la duchesse, je partage sa manière de voir. Quoique Elstir ait fait un beau portrait de moi. Ah! vous ne le connaissez pas? Ce n'est pas ressemblant mais c'est curieux. Il est intéressant pendant les poses. Il m'a fait comme une espèce de vieillarde. Cela imite les *Régentes de l'hôpital* de Hals. Je pense que vous connaissez ces sublimités, pour prendre une expression chère à mon neveu, dit en se tournant vers moi la duchesse qui faisait battre légèrement son éventail de plumes noires. Plus que droite sur sa chaise, elle rejetait noblement sa tête en arrière, car tout en étant toujours grande dame, elle jouait un petit peu à la grande dame. Je dis que j'étais allé autrefois à Amsterdam et à La Haye, mais que, pour ne pas tout mêler, comme mon temps était limité, j'avais laissé de côté Haarlem.

— Ah! La Haye, quel musée! s'écria M. de Guermantes. Je lui dis qu'il y avait sans doute admiré la *Vue de Delft* de Vermeer. Mais le duc était moins instruit qu'orgueilleux. Aussi se contenta-t-il de me répondre, d'un air de suffisance, comme chaque fois qu'on lui parlait d'une œuvre d'un musée, ou bien du Salon, et qu'il ne se rappelait pas : « Si c'est à voir, je l'ai vu! »

— Comment! vous avez fait le voyage de Hollande et vous n'êtes pas allé à Haarlem? s'écria la duchesse. Mais quand même vous n'auriez eu qu'un quart d'heure, c'est une chose extraordinaire à avoir vue que les Hals. Je dirais volontiers que quelqu'un qui ne pourrait les voir que du haut d'une impériale de tramway sans s'arrêter, s'ils étaient exposés dehors, devrait ouvrir les yeux tout grands.

Cette parole me choqua comme méconnaissant la façon dont se forment en nous les impressions artistiques, et parce qu'elle semblait impliquer que notre œil est dans ce cas un simple appareil enregistreur qui prend des instantanés.

M. de Guermantes, heureux qu'elle me parlât avec une telle compétence des sujets qui m'intéressaient, regardait la prestance célèbre de sa femme, écoutait ce qu'elle disait de Frans Hals et pensait : « Elle est ferrée à glace sur tout. Mon jeune invité peut se dire qu'il a devant lui une grande dame d'autrefois dans toute l'acception du mot, et comme il n'y en a pas aujourd'hui une deuxième. » Tels je les voyais tous deux, retirés de ce nom de Guermantes dans lequel, jadis, je les imaginais menant une inconcevable vie, maintenant pareils aux autres hommes et aux autres femmes, retardant seulement un peu sur leurs contemporains, mais inégalement, comme tant de ménages du faubourg Saint-Germain où la femme a eu l'art de s'arrêter à l'âge d'or, l'homme, la mauvaise chance de descendre à l'âge ingrat du passé, l'une restant encore Louis XV quand le mari est pompeusement Louis-Philippe. Que Mme de Guermantes fût pareille aux autres femmes, ç'avait été pour moi d'abord une déception, c'était presque, par réaction, et tant de bons vins aidant, un émerveillement. Un Don Juan d'Autriche, une Isabelle d'Este, situés pour nous dans le monde des noms, communiquent aussi peu avec la grande histoire que le côté de Méséglise avec le côté de Guermantes. Isabelle d'Este fut sans doute, dans la réalité, une fort petite princesse, semblable à celles qui sous Louis XIV n'obtenaient aucun rang particulier à la cour. Mais, nous semblant d'une essence unique et, par suite, incomparable, nous ne pouvons la concevoir d'une moindre grandeur que lui, de sorte qu'un souper avec Louis XIV nous paraîtrait seulement offrir quelque intérêt, tandis qu'en Isabelle d'Este nous nous trouverions, par une rencontre surnaturelle, voir de nos yeux une héroïne de roman. Or, après avoir, en étudiant Isabelle d'Este, en la transplantant patiemment de ce monde féerique dans celui de l'histoire, constaté que sa vie, sa pensée, ne contenaient rien de cette étrangeté mystérieuse que nous avait suggérée son nom, une fois cette déception consommée, nous savons un gré infini à cette princesse d'avoir eu, de la peinture de Mantegna, des connaissances presque égales à celles, jusque-là méprisées par nous et mises, comme eût dit Françoise, « plus bas que terre », de M. Lafenestre. Après avoir gravi les hauteurs inaccessibles du nom de Guermantes, en descendant le versant interne de la vie de la duchesse, j'éprouvais à y trouver les noms, familiers ailleurs, de Victor Hugo, de Frans Hals et, hélas, de Vibert, le même étonnement qu'un voyageur, après avoir tenu compte, pour imaginer la singularité des mœurs dans un vallon sauvage de l'Amérique Centrale ou de l'Afrique du Nord, de l'éloignement géographique, de l'étrangeté des dénominations, de la flore, éprouve à découvrir, une fois traversé un rideau d'aloès géants ou de mancenilliers, des habitants qui (parfois même devant les ruines d'un théâtre romain et d'une colonne dédiée à Vénus) sont en train de lire *Mérope* ou *Alzire*. Et, si loin, si à l'écart, si au-dessus des bourgeoises instruites que j'avais connues, la culture similaire par laquelle Mme de Guermantes s'était efforcée, sans intérêt, sans raison d'ambition, de descendre au niveau de celles qu'elle ne connaîtrait jamais, avait le caractère méritoire, presque touchant à force d'être inutilisable, d'une érudition en matière d'antiquités phéniciennes chez un homme politique ou un médecin.

— J'en aurais pu vous montrer un très beau, me dit aimablement Mme de Guermantes en me parlant de Hals, le plus beau, prétendent certaines personnes, et que j'ai hérité d'un cousin allemand. Malheureusement il s'est trouvé « fieffé » dans le château ; vous ne connaissiez pas cette expression ? moi non plus, ajouta-t-elle par ce goût qu'elle avait de faire des plaisanteries (par lesquelles elle se croyait moderne) sur les coutumes anciennes, mais auxquelles elle était inconsciemment et âprement attachée. Je suis contente que vous ayez vu mes Elstir, mais j'avoue que je l'aurais été encore bien plus, si j'avais pu vous faire les honneurs de mon Hals, de ce tableau « fieffé ».

— Je le connais, dit le prince Von, c'est celui du grand-duc de Hesse.

— Justement, son frère avait épousé ma sœur, dit M. de Guermantes, et d'ailleurs sa mère était cousine germaine de la mère d'Oriane.

— Mais en ce qui concerne M. Elstir, ajouta le prince, je me permettrai de dire que, sans avoir d'opinion sur ses œuvres que je ne connais pas, la haine dont le poursuit l'empereur ne me paraît pas devoir être retenue contre lui. L'empereur est d'une merveilleuse intelligence.

— Oui, j'ai dîné deux fois avec lui, une fois chez ma tante Sagan, une fois chez ma tante Radziwill, et je dois dire que je l'ai trouvé curieux. Je ne l'ai pas trouvé simple ! Mais il a quelque chose d'amusant, d' « obtenu » (dit-elle en détachant le mot) comme un œillet vert, c'est-à-dire une chose qui m'étonne et ne me plaît pas infiniment, une chose qu'il est étonnant qu'on ait pu faire, mais que je trouve qu'on aurait fait aussi bien de ne pas pouvoir. J'espère que je ne vous choque pas ?

— L'empereur est d'une intelligence inouïe, reprit le prince, il aime passionnément les arts ; il a sur les œuvres d'art un goût en quelque sorte infaillible, il ne se trompe jamais : si quelque chose est beau, il le reconnaît tout de suite, il le prend en haine ; s'il déteste quelque chose, il n'y a aucun doute à avoir, c'est que c'est excellent.

Tout le monde sourit.

— Vous me rassurez, dit la duchesse.

— Je comparerai volontiers l'empereur, reprit le prince qui ne sachant pas prononcer le mot archéologue (c'est-à-dire comme si c'était écrit kéologue) ne perdait jamais une occasion de s'en servir, à un vieil archéologue (et le prince dit arshéologue) que nous avons à Berlin. Devant les anciens monuments assyriens le vieil arshéologue pleure. Mais si c'est du moderne truqué, si ce n'est pas vraiment ancien, il ne pleure pas. Alors, quand on veut savoir si une pièce arshéologique est vraiment ancienne, on la porte au vieil arshéologue. S'il pleure, on achète la pièce pour le musée. Si ses yeux restent secs, on la renvoie au marchand et on le poursuit pour faux. Hé bien, chaque fois que je dîne à Potsdam, toutes les pièces dont l'empereur me dit : « Prince, il faut que vous voyiez cela, c'est plein de génialité », j'en prends note pour me garder d'y aller, et quand je l'entends fulminer contre une exposition, dès que cela m'est possible j'y cours.

— Est-ce que Norpois n'est pas pour un rapprochement anglo-français ? dit M. de Guermantes.

— A quoi ça vous servirait ? demanda d'un air à la fois irrité et finaud le prince Von qui ne pouvait pas souffrir les Anglais. Ils sont tellement *pêtes*. Je sais bien que ce n'est pas comme militaires qu'ils vous aideraient. Mais on peut tout de même les juger sur la stupidité de leurs généraux. Un de mes amis a causé récemment avec Botha, vous savez, le chef boer. Il lui disait : « C'est effrayant une armée comme ça. J'aime, d'ailleurs, plutôt les Anglais, mais enfin pensez que moi, qui ne suis qu'un *payssan*, je les ai rossés dans toutes les batailles. Et à la dernière, comme je succombais sous un nombre d'ennemis vingt fois supérieur, tout en me rendant parce que j'y étais obligé, j'ai encore trouvé le moyen de faire deux mille prisonniers! Ç'a été bien parce que je n'étais qu'un chef de *payssans*, mais si jamais ces imbéciles-là avaient à se mesurer avec une vraie armée européenne, on tremble pour eux de penser à ce qui arriverait! » Du reste, vous n'avez qu'à voir que leur roi, que vous connaissez comme moi, passe pour un grand homme en Angleterre.

J'écoutais à peine ces histoires, du genre de celles que M. de Norpois racontait à mon père ; elles ne fournissaient aucun aliment aux rêveries que j'aimais ; et d'ailleurs, eussent-elles possédé ceux dont elles étaient dépourvues, qu'il les eût fallu d'une qualité bien excitante pour que ma vie intérieure pût se réveiller durant ces heures mondaines où j'habitais mon épiderme, mes cheveux bien coiffés, mon plastron de chemise, c'est-à-dire où je ne pouvais rien éprouver de ce qui était pour moi, dans la vie, le plaisir.

— Ah! je ne suis pas de votre avis, dit Mme de Guermantes, qui trouvait que le prince allemand manquait de tact, je trouve le roi Édouard charmant, si simple, et bien plus fin qu'on ne croit. Et la reine est, même encore maintenant, ce que je connais de plus beau au monde.

— Mais, *Matame* la duchesse, dit le prince irrité et qui ne s'apercevait pas qu'il déplaisait, cependant si le prince de Galles avait été un simple particulier, il n'y a pas un cercle qui ne l'aurait rayé et personne n'aurait consenti à lui serrer la main. La reine est ravissante, excessivement douce et bornée. Mais enfin il y a quelque chose de choquant dans ce couple royal qui est littéralement entretenu par ses sujets, qui se fait payer par les gros financiers juifs toutes les dépenses que lui, devrait faire, et les nomme baronnets en échange. C'est comme le prince de Bulgarie...

— C'est notre cousin, dit la duchesse, il a de l'esprit.

— C'est le mien aussi, dit le prince, mais nous ne pensons pas pour cela que ce soit un *prave* homme. Non, c'est de nous qu'il faudrait vous rapprocher, c'est le plus grand désir de l'empereur, mais il veut que ça vienne du cœur ; il dit : ce que je veux c'est une poignée de main, ce n'est pas un coup de chapeau! Ainsi vous seriez invincibles. Ce serait plus pratique que le rapprochement anglo-français que prêche M. de Norpois.

— Vous le connaissez, je sais, me dit la duchesse de Guermantes pour ne pas me laisser en dehors de la conversation. Me rappelant que M. de Norpois avait dit que j'avais eu l'air de vouloir lui baiser la main, pensant qu'il avait sans doute raconté cette histoire à Mme de Guermantes et, en tous cas, n'avait pu lui parler de moi que méchamment, puisque, malgré son amitié avec mon père, il n'avait pas hésité à me rendre si ridicule, je ne fis pas ce qu'eût fait un homme du monde. Il aurait dit qu'il détestait M. de Norpois et le lui avait fait sentir ; il l'aurait dit pour avoir l'air d'être la cause volontaire des médisances de l'ambassadeur, qui n'eussent plus été que des représailles mensongères et intéressées. Je dis, au contraire, qu'à mon grand regret, je croyais que M. de Norpois ne m'aimait pas. « Vous vous trompez bien, me répondit Mme de Guermantes. Il vous aime beaucoup. Vous pouvez demander à Basin. Si on me fait la réputation d'être trop aimable, lui ne l'est pas. Il vous dira que nous n'avons jamais entendu parler Norpois de quelqu'un aussi gentiment que de vous. Et il a dernièrement voulu vous faire donner au ministère une situation charmante. Comme il a su que vous étiez souffrant et ne pourriez pas l'accepter, il a eu la délicatesse de ne pas même parler de sa bonne intention à votre père qu'il apprécie infiniment. » M. de Norpois était bien la dernière personne de qui j'eusse attendu un bon office. La vérité est qu'étant moqueur et même assez malveillant, ceux qui s'étaient laissé prendre comme moi à ses apparences de saint Louis rendant la justice sous un chêne, aux sons de voix facilement apitoyés qui sortaient de sa bouche un peu trop harmonieuse, croyaient à une véritable perfidie quand ils apprenaient une médisance à leur égard venant d'un homme qui avait semblé mettre son cœur dans ses paroles. Ces médisances étaient assez fréquentes chez lui. Mais cela ne l'empêchait pas d'avoir des sympathies, de louer ceux qu'il aimait et d'avoir plaisir à se montrer serviable pour eux.

— Cela ne m'étonne du reste pas qu'il vous apprécie, me dit Mme de Guermantes, il est intelligent. Et je comprends très bien, ajouta-t-elle pour les autres, et faisant allusion à un projet de mariage que j'ignorais, que ma tante, qui ne l'amuse pas déjà beaucoup comme vieille maîtresse, lui paraisse inutile comme nouvelle épouse. D'autant plus que je crois que, même maîtresse, elle ne l'est plus depuis longtemps, elle est confite en dévotion. Booz-Norpois peut dire comme dans les vers de Victor Hugo :

Voilà longtemps que celle avec qui j'ai dormi,
O Seigneur, a quitté ma couche pour la vôtre !

Vraiment, ma pauvre tante est comme ces artistes d'avant-garde qui ont tapé toute leur vie contre l'Académie et qui, sur le tard, fondent leur petite académie à eux ; ou bien ces défroqués qui se refabriquent une religion personnelle. Alors, autant valait garder l'habit, ou ne pas se coller. Et qui sait, ajouta la duchesse d'un air rêveur, c'est peut-être en prévision du veuvage. Il n'y a rien de plus triste que les deuils qu'on ne peut pas porter.

— Ah! si Mme de Villeparisis devenait Mme de Norpois, je crois que notre cousin Gilbert en ferait une maladie, dit le général de Saint-Joseph.

— Le prince de Guermantes est charmant, mais il est, en effet, très attaché aux questions de naissance et d'étiquette, dit la princesse de Parme. J'ai été passer deux jours chez lui à la campagne pendant que malheureusement la princesse était malade. J'étais accompagnée de Petite (c'était un surnom qu'on donnait à Mme d'Hunolstein parce qu'elle était énorme). Le prince est venu m'attendre au bas du perron, m'a offert le bras et a fait semblant de ne pas voir Petite. Nous sommes montés au premier jusqu'à l'entrée des salons et alors là, en s'écartant pour me laisser passer, il a dit : « Ah! bonjour, madame d'Hunolstein » (il ne l'appelle jamais que comme cela, depuis sa séparation), en feignant d'apercevoir seulement alors Petite, afin de montrer qu'il n'avait pas à venir la saluer en bas.

— Cela ne m'étonne pas du tout. Je n'ai pas besoin de vous dire, dit le duc qui se croyait extrêmement moderne, contempteur plus que quiconque de la naissance, et même républicain, que je n'ai pas beaucoup d'idées communes avec mon cousin. Madame peut se douter que nous nous entendons à peu près sur toutes choses comme le jour avec la nuit. Mais je dois dire que si ma tante épousait Norpois, pour une fois je serais de l'avis de Gilbert. Être la fille de Florimond de Guise et faire un tel mariage, ce serait, comme on dit, à faire rire les poules, que voulez-vous que je vous dise ? (Ces derniers mots, que le duc prononçait généralement au milieu d'une phrase, étaient là tout à fait inutiles. Mais il avait un besoin perpétuel de les dire, qui les lui faisait rejeter à la fin d'une période s'ils n'avaient pas trouvé de place ailleurs. C'était pour lui, entre autres choses, comme une question de métrique.) Notez, ajouta-t-il, que les Norpois sont de braves gentilshommes, de bon lieu, de bonne souche.

— Écoutez, Basin, ce n'est pas la peine de se moquer de Gilbert pour parler comme lui, dit Mme de Guermantes pour qui la « bonté » d'une naissance, non moins que celle d'un vin, consistait exactement, comme pour le prince et pour le duc de Guermantes, dans son ancienneté. Mais, moins franche que son cousin et plus fine que son mari, elle tenait à ne pas démentir en causant l'esprit des Guermantes et méprisait le rang dans ses paroles quitte à l'honorer par ses actions.

— Mais est-ce que vous n'êtes même pas un peu cousins ? demanda le général de Saint-Joseph. Il me semble que Norpois avait épousé une la Rochefoucauld.

— Pas du tout de cette manière-là. Elle était de la branche des ducs de la Rochefoucauld, ma grand'mère est des ducs de Doudeauville. C'est la propre grand'mère d'Édouard Coco, l'homme le plus sage de la famille, répondit le duc qui avait sur la sagesse des vues un peu superficielles, et les deux rameaux ne se sont pas réunis depuis Louis XIV ; ce serait un peu éloigné.

— Tiens, c'est intéressant, je ne le savais pas, dit le général.

— D'ailleurs, reprit M. de Guermantes, sa mère était, je crois, la sœur du duc de Montmorency et avait épousé d'abord un La Tour d'Auvergne. Mais comme ces Montmorency sont à peine Montmorency, et que ces La Tour d'Auvergne ne sont pas La Tour d'Auvergne du tout, je ne vois pas que cela lui donne une grande position. Il dit, ce qui serait plus important, qu'il descend de Saintrailles, et comme nous en descendons en ligne directe...

Il y avait à Combray une rue de Saintrailles à laquelle je n'avais jamais repensé. Elle conduisait de la rue de la Bretonnerie à la rue de l'Oiseau. Et comme Saintrailles, ce compagnon de Jeanne d'Arc, avait en épousant une Guermantes fait entrer dans cette famille le comté de Combray, ses armes écartelaient celles de Guermantes au bas d'un vitrail de Saint-Hilaire. Je revis des marches de grès noirâtre pendant qu'une modulation ramenait ce nom de Guermantes dans le ton oublié où je l'entendais jadis, si différent de celui où il signifiait les hôtes aimables chez qui je dînais ce soir. Si le nom de duchesse de Guermantes était pour moi un nom collectif, ce n'était pas que dans l'histoire, par l'addition de toutes les femmes qui l'avaient porté, mais aussi au long de ma courte jeunesse qui avait déjà vu, en cette seule duchesse de Guermantes, tant de femmes différentes se superposer, chacune disparaissant quand la suivante avait pris assez de consistance. Les mots ne changent pas tant de signification pendant des siècles que pour nous les noms dans l'espace de quelques années.

Notre mémoire et notre cœur ne sont pas assez grands pour pouvoir être fidèles. Nous n'avons pas assez de place, dans notre pensée actuelle, pour y garder les morts à côté des vivants. Nous sommes obligés de construire sur ce qui a précédé et que nous ne retrouvons qu'au hasard d'une fouille, du genre de celle que le nom de Saintrailles venait de pratiquer. Je trouvai inutile d'expliquer tout cela, et même, un peu auparavant, j'avais implicitement menti en ne répondant pas quand M. de Guermantes m'avait dit : « Vous ne connaissez pas notre patelin ? » Peut-être savait-il même que je le connaissais, et ne fut-ce que par bonne éducation qu'il n'insista pas. Mme de Guermantes me tira de ma rêverie.

— Moi, je trouve tout cela assommant. Écoutez, ce n'est pas toujours aussi ennuyeux chez moi. J'espère que vous allez vite revenir dîner pour une compensation, sans généalogies cette fois, me dit à mi-voix la duchesse incapable de comprendre le genre de charme que je pouvais trouver chez elle et d'avoir l'humilité de ne me plaire que comme un herbier plein de plantes démodées.

Ce que Mme de Guermantes croyait décevoir mon attente était, au contraire, ce qui, sur la fin — car le duc et le général ne cessèrent plus de parler généalogies — sauvait ma soirée d'une déception complète. Comment n'en eussé-je pas éprouvé une jusqu'ici ? Chacun des convives du dîner, affublant le nom mystérieux sous lequel je l'avais seulement connu et rêvé à distance, d'un corps et d'une intelligence pareils ou inférieurs à ceux de toutes les personnes que je connaissais, m'avait donné l'impression de plate vulgarité que peut donner l'entrée dans le port danois d'Elseneur à tout lecteur enfiévré d'*Hamlet*. Sans doute ces régions géographiques et ce passé ancien qui mettaient des futaies et des clochers gothiques dans leur nom, avaient, dans une certaine mesure, formé leur visage, leur esprit et leurs préjugés, mais n'y subsistaient que comme la cause dans l'effet, c'est-à-dire peut-être possibles à dégager pour l'intelligence, mais nullement sensibles à l'imagination.

Et ces préjugés d'autrefois rendirent tout à coup aux amis de M. et Mme de Guermantes leur poésie perdue. Certes, les notions possédées par les nobles et qui font d'eux les lettrés, les étymologistes de la langue, non des mots, mais des noms (et encore seulement relativement à la moyenne ignorante de la bourgeoisie, car si, à médiocrité égale, un dévot sera plus capable de vous répondre sur la liturgie qu'un libre penseur, en revanche un archéologue anticlérical pourra souvent en remontrer à son curé sur tout ce qui concerne même l'église de celui-ci), ces notions, si nous voulons rester dans le vrai, c'est-à-dire dans l'esprit, n'avaient même pas pour ces grands seigneurs le charme qu'elles auraient eu pour un bourgeois. Ils savaient peut-être mieux que moi que la duchesse de Guise était princesse de Clèves, d'Orléans, de Porcien, etc., mais ils avaient connu, avant même tous ces noms, le visage de la duchesse de Guise que, dès lors, ce nom leur reflétait. J'avais commencé par la fée, dût-elle bientôt périr ; eux, par la femme.

Dans les familles bourgeoises on voit parfois naître des jalousies si la sœur cadette se marie avant l'aînée. Tel le monde aristocratique, des Courvoisier surtout, mais aussi des Guermantes, réduisait sa grandeur nobiliaire à de simples supériorités domestiques, en vertu d'un enfantillage que j'avais connu d'abord (c'était pour moi son seul charme) dans les livres. Tallemant des Réaux n'a-t-il pas l'air de parler des Guermantes au lieu des Rohan, quand il raconte avec une évidente satisfaction que M. de Guéménée criait à son frère : « Tu peux entrer ici, ce n'est pas le Louvre ! » et disait du chevalier de Rohan (parce qu'il était fils naturel du duc de Clermont) : « Lui, du moins, il est prince ! » La seule chose qui me fît de la peine dans cette conversation, c'est de voir que les absurdes histoires touchant le charmant grand-duc héritier de Luxembourg trouvaient créance dans ce salon aussi bien qu'auprès des camarades de Saint-Loup. Décidément c'était une épidémie, qui ne durerait peut-être que deux ans, mais qui s'étendait à tous. On reprit les mêmes faux récits, on en ajouta d'autres. Je compris que la princesse de Luxembourg elle-même, en ayant l'air de défendre son neveu, fournissait des armes pour l'attaquer. « Vous avez tort de le défendre », me dit M. de Guermantes comme avait fait Saint-Loup. « Tenez, laissons même l'opinion de nos parents qui est unanime, parlez de lui à ses domestiques, qui sont au fond les gens qui nous connaissent le mieux. Mme de Luxembourg avait donné son petit nègre à son neveu. Le nègre est revenu en pleurant : « Grand-duc battu moi, moi pas canaille, grand-duc méchant, c'est épatant. » Et je peux en parler sciemment, c'est un cousin à Oriane. »

Je ne peux, du reste, pas dire combien de fois pendant cette soirée j'entendis les mots de cousin et cousine. D'une part, M. de Guermantes, presque à chaque nom qu'on prononçait, s'écriait : « Mais c'est un cousin d'Oriane ! » avec la même joie qu'un homme qui, perdu dans une forêt, lit au bout de deux flèches, disposées en sens contraire sur une plaque indicatrice et suivies d'un chiffre fort petit de kilomètres : « Belvédère Casimir-Perier » et « Croix du Grand-Veneur », et comprend par là qu'il est dans le bon chemin. D'autre part, ces mots cousin et cousine étaient employés dans une intention tout autre (qui faisait ici exception) par l'ambassadrice de Turquie, laquelle était venue après le dîner. Dévorée d'ambition mondaine et douée d'une réelle intelligence assimilatrice, elle apprenait avec la même facilité l'histoire de la retraite des Dix mille ou la perversion sexuelle chez les oiseaux. Il aurait été impossible de la prendre en faute sur les plus récents travaux allemands, qu'ils traitassent d'économie politique, des vésanies, des diverses formes de l'onanisme, ou de la philosophie d'Épicure. C'était du reste une femme dangereuse à écouter, car, perpétuellement dans l'erreur, elle vous désignait comme des femmes ultra-légères d'irréprochables vertus, vous mettait en garde contre un monsieur animé des intentions les plus pures, et racontait de ces histoires qui semblent sortir d'un livre, non à cause de leur sérieux, mais de leur invraisemblance.

Elle était, à cette époque, peu reçue. Elle fréquentait quelques semaines des femmes tout à fait brillantes comme la duchesse de Guermantes, mais, en général, en était restée, par force, pour les familles très nobles, à des rameaux obscurs que les Guermantes ne fréquentaient plus. Elle espérait avoir l'air tout à fait du monde en citant les plus grands noms de gens peu reçus qui étaient ses amis. Aussitôt M. de Guermantes, croyant qu'il s'agissait de gens qui dînaient souvent chez lui, frémissait joyeusement de se retrouver en pays de connaissance et poussait un cri de ralliement : « Mais c'est un cousin d'Oriane! Je le connais comme ma poche. Il demeure rue Vaneau. Sa mère était Mlle d'Uzès. » L'ambassadrice était obligée d'avouer que son exemple était tiré d'animaux plus petits. Elle tâchait de rattacher ses amis à ceux de M. de Guermantes en rattrapant celui-ci de biais : « Je sais très bien qui vous voulez dire. Non, ce n'est pas ceux-là, ce sont des cousins. » Mais cette phrase de reflux jetée par la pauvre ambassadrice expirait bien vite. Car M. de Guermantes, désappointé, répondait : « Ah! alors, je ne vois pas qui vous voulez dire. » L'ambassadrice ne répliquait rien, car si elle ne connaissait jamais que « les cousins » de ceux qu'il aurait fallu, bien souvent ces cousins n'étaient même pas parents. Puis, de la part de M. de Guermantes, c'était un flux nouveau de « Mais c'est une cousine d'Oriane », mots qui semblaient avoir pour M. de Guermantes, dans chacune de ses phrases, la même utilité que certaines épithètes commodes aux poètes latins, parce qu'elles leur fournissaient pour leurs hexamètres un dactyle ou un spondée.

Du moins l'explosion de « Mais c'est une cousine d'Oriane » me parut-elle toute naturelle, appliquée à la princesse de Guermantes, laquelle était en effet fort proche parente de la duchesse. L'ambassadrice n'avait pas l'air d'aimer cette princesse. Elle me dit tout bas : « Elle est stupide. Mais non, elle n'est pas si belle. C'est une réputation usurpée. Du reste, ajouta-t-elle d'un air à la fois réfléchi, répulsif et décidé, elle m'est fortement antipathique. » Mais souvent le cousinage s'étendait beaucoup plus loin, Mme de Guermantes se faisant un devoir de dire « ma tante » à des personnes avec qui on ne lui eût pas trouvé un ancêtre commun sans remonter au moins jusqu'à Louis XV, tout aussi bien que, chaque fois que le malheur des temps faisait qu'une milliardaire épousait quelque prince dont le trisaïeul avait épousé, comme celui de Mme de Guermantes, une fille de Louvois, une des joies de l'Américaine était de pouvoir, dès une première visite à l'hôtel de Guermantes, où elle était d'ailleurs plus ou moins mal reçue et plus ou moins bien épluchée, dire « ma tante » à Mme de Guermantes, qui la laissait faire avec un sourire maternel. Mais peu m'importait ce qu'était la « naissance » pour M. de Guermantes et M. de Beauserfeuil ; dans les conversations qu'ils avaient à ce sujet, je ne cherchais qu'un plaisir poétique. Sans le connaître eux-mêmes, ils me le procuraient comme eussent fait des laboureurs ou des matelots parlant de culture et de marées, réalités trop peu détachées d'eux-mêmes pour qu'ils puissent y goûter la beauté que personnellement je me chargeais d'en extraire.

Parfois, plus que d'une race, c'était d'un fait particulier, d'une date, que faisait souvenir un nom. En entendant M. de Guermantes rappeler que la mère de M. de Bréauté était Choiseul et sa grand'mère Lucinge, je crus voir, sous la chemise banale aux simples boutons de perle, saigner dans deux globes de cristal ces augustes reliques : le cœur de Mme de Praslin et du duc de Berri ; d'autres étaient plus voluptueuses, les fins et longs cheveux de Mme Tallien ou de Mme de Sabran.

Quelquefois ce n'était pas une simple relique que je voyais. Plus instruit que sa femme de ce qu'avaient été leurs ancêtres, M. de Guermantes se trouvait posséder des souvenirs qui donnaient à sa conversation un bel air d'ancienne demeure dépourvue de chefs-d'œuvre véritables, mais pleine de tableaux authentiques, médiocres et majestueux, dont l'ensemble a grand air. Le prince d'Agrigente ayant demandé pourquoi le prince de X... avait dit, en parlant du duc d'Aumale, « mon oncle », M. de Guermantes répondit : « Parce que le frère de sa mère, le duc de Wurtemberg, avait épousé une fille de Louis-Philippe. » Alors je contemplai toute une châsse, pareille à celles que peignaient Carpaccio ou Memling, depuis le premier compartiment où la princesse aux fêtes des noces de son frère le duc d'Orléans, apparaissait habillée d'une simple robe de jardin pour témoigner de sa mauvaise humeur d'avoir vu repousser ses ambassadeurs qui étaient allés demander pour elle la main du prince de Syracuse, jusqu'au dernier où elle vient d'accoucher d'un garçon, le duc de Wurtemberg (le propre oncle du prince avec lequel je venais de dîner), dans ce château de Fantaisie, un de ces lieux aussi aristocratiques que certaines familles : eux aussi, durant au-delà d'une génération, voient se rattacher à eux plus d'une personnalité historique ; dans celui-là notamment vivent côte à côte les souvenirs de la margrave de Bayreuth, de cette autre princesse un peu fantasque (la sœur du duc d'Orléans) à qui on disait que le nom du château de son époux plaisait, du roi de Bavière, et enfin du prince de X..., dont il était précisément l'adresse, à laquelle il venait de demander au duc de Guermantes de lui écrire, car il en avait hérité et ne le louait que pendant les représentations de Wagner, au prince de Polignac, autre « fantaisiste » délicieux. Quand M. de Guermantes, pour expliquer comment il était parent de Mme d'Arpajon, était obligé, si loin et si simplement, de remonter, par la chaîne et les mains unies de trois ou de cinq aïeules, à Marie-Louise ou à Colbert, c'était encore la même chose : dans tous ces cas, un grand événement historique n'apparaissait au passage que masqué, dénaturé, restreint, dans le nom d'une propriété, dans les prénoms d'une femme choisis tels parce qu'elle est la petite-fille de Louis-Philippe et de Marie-Amélie considérés non plus comme roi et reine de France, mais seulement dans la mesure où, en tant que grands-parents, ils laissèrent un héritage. (On voit, pour d'autres raisons, dans un dictionnaire de l'œuvre de Balzac où les personnages les plus illustres ne figurent que selon leurs rapports avec *la Comédie humaine*, Napoléon tenir une place bien moindre que Rastignac, et la tenir seulement parce qu'il a parlé aux demoiselles de Cinq-Cygne.) Telle l'aristocratie, en sa construction lourde, percée de rares fenêtres, laissant entrer peu de jour, montrant le même manque d'envolée, mais aussi la même puissance massive et aveuglée que l'architecture romane, enferme toute l'histoire, l'emmure, la renfrogne.

Ainsi les espaces de ma mémoire se couvraient peu à peu de noms qui, en s'ordonnant, en se composant les uns relativement aux autres, en nouant entre eux des rapports de plus en plus nombreux, imitaient ces œuvres d'art achevées où il n'y a pas une seule touche qui soit isolée, où chaque partie tour à tour reçoit des autres sa raison d'être comme elle leur impose la sienne.

Le nom de M. de Luxembourg étant revenu sur le tapis, l'ambassadrice de Turquie raconta que le grand-père de la jeune femme (celui qui avait cette immense fortune venue des farines et des pâtes) ayant invité M. de Luxembourg à déjeuner, celui-ci avait refusé en faisant mettre sur l'enveloppe : « M. de ***, meunier », à quoi le grand-père avait répondu : « Je suis d'autant plus désolé que vous n'ayez pas pu venir, mon cher ami, que j'aurais pu jouir de vous dans l'intimité, car nous étions en petit comité et il n'y aurait eu au repas que le meunier, son fils et vous. » Cette histoire était non seulement odieuse pour moi, qui savais l'impossibilité morale que mon cher M. de Nassau écrivît au grand-père de sa femme (duquel du reste il savait devoir hériter) en le qualifiant de « meunier » ; mais encore la stupidité éclatait dès les premiers mots, l'appellation de meunier étant trop évidemment placée pour amener le titre de la fable de La Fontaine. Mais il y a dans le faubourg Saint-Germain une niaiserie telle, quand la malveillance l'aggrave, que chacun trouva que c'était « envoyé » et que le grand-père, dont tout le monde déclara aussitôt de confiance que c'était un homme remarquable, avait montré plus d'esprit que son petit-gendre. Le duc de Châtellerault voulut profiter de cette histoire pour raconter celle que j'avais entendue au café : « Tout le monde se couchait », mais dès les premiers mots et quand il eut dit la prétention de M. de Luxembourg que, devant sa femme, M. de Guermantes se levât, la duchesse l'arrêta et protesta : « Non, il est bien ridicule, mais tout de même pas à ce point. » J'étais intimement persuadé que toutes les histoires relatives à M. de Luxembourg étaient pareillement fausses et que, chaque fois que je me trouverais en présence d'un des acteurs ou des témoins, j'entendrais le même démenti. Je me demandai cependant si celui de Mme de Guermantes était dû au souci de la vérité ou à l'amour-propre. En tous cas, ce dernier céda devant la malveillance, car elle ajouta en riant : « Du reste, j'ai eu ma petite avanie aussi, car il m'a invitée à goûter, désirant me faire connaître la grande-duchesse de Luxembourg ; c'est ainsi qu'il a le bon goût d'appeler sa femme, en écrivant à sa tante. Je lui ai répondu mes regrets et j'ai ajouté : « Quant à “ la grande-duchesse de Luxembourg ”, entre guillemets, dis-lui que si elle vient me voir je suis chez moi après 5 heures tous les jeudis. » J'ai même eu une seconde avanie. Étant à Luxembourg je lui ai téléphoné de venir me parler à l'appareil. Son Altesse allait déjeuner, venait de déjeuner, deux heures se passèrent sans résultat et j'ai usé alors d'un autre moyen : « Voulez-vous dire au comte de Nassau de venir me parler ? » Piqué au vif, il accourut à la minute même. » Tout le monde rit du récit de la duchesse et d'autres analogues, c'est-à-dire, j'en suis convaincu, de mensonges, car d'homme plus intelligent, meilleur, plus fin, tranchons le mot, plus exquis que ce Luxembourg-Nassau, je n'en ai jamais rencontré. La suite montrera que c'était moi qui avais raison. Je dois reconnaître qu'au milieu de toutes ses « rosseries », Mme de Guermantes eut pourtant une phrase gentille.

— Il n'a pas toujours été comme cela, dit-elle. Avant de perdre la raison, d'être, comme dans les livres, l'homme qui se croit devenu roi, il n'était pas bête, et même, dans les premiers temps de ses fiançailles, il en parlait d'une façon assez sympathique comme d'un bonheur inespéré : « C'est un vrai conte de fées, il faudra que je fasse mon entrée au Luxembourg dans un carrosse de féerie », disait-il à son oncle d'Ornessan qui lui répondit, car, vous savez, c'est pas grand le Luxembourg : « Un carrosse de féerie, je crains que tu ne puisses pas entrer. Je te conseille plutôt la voiture aux chèvres. » Non seulement cela ne fâcha pas Nassau, mais il fut le premier à nous raconter le mot et à en rire.

— Ornessan est plein d'esprit, il a de qui tenir, sa mère est Montjeu. Il va bien mal, le pauvre Ornessan.

Ce nom eut la vertu d'interrompre les fades méchancetés qui se seraient déroulées à l'infini. En effet, M. de Guermantes expliqua que l'arrière-grand'mère de M. d'Ornessan était la sœur de Marie de Castille Montjeu, femme de Timoléon de Lorraine, et par conséquent tante d'Oriane. De sorte que la conversation retourna aux généalogies, cependant que l'imbécile amabassadrice de Turquie me soufflait à l'oreille : « Vous avez l'air d'être très bien dans les papiers du duc de Guermantes, prenez garde », et comme je demandais l'explication : « Je veux dire, vous comprendrez à demi-mot, que c'est un homme à qui on pourrait confier sans danger sa fille, mais non son fils. » Or, si jamais homme au contraire aima passionnément et exclusivement les femmes, ce fut bien le duc de Guermantes. Mais l'erreur, la contre-vérité naïvement crue étaient pour l'ambassadrice comme un milieu vital hors duquel elle ne pouvait se mouvoir. « Son frère Mémé, qui m'est, du reste, pour d'autres raisons (il ne la saluait pas), foncièrement antipathique, a un vrai chagrin des mœurs du duc. De même leur tante Villeparisis. Ah! je l'adore. Voilà une sainte femme, le vrai type des grandes dames d'autrefois. Ce n'est pas seulement la vertu même, mais la réserve. Elle dit encore : « Monsieur » à l'ambassadeur Norpois qu'elle voit tous les jours et qui, entre parenthèses, a laissé un excellent souvenir en Turquie. »

Je ne répondis même pas à l'ambassadrice afin d'entendre les généalogies. Elles n'étaient pas toutes importantes. Il arriva même, au cours de la conversation, qu'une des alliances inattendues que m'apprit M. de Guermantes était une mésalliance, mais non sans charme, car, unissant, sous la monarchie de Juillet, le duc de Guermantes et le duc de Fezensac aux deux ravissantes filles d'un illustre navigateur, elle donnait ainsi aux deux duchesses le piquant imprévu d'une grâce exotiquement bourgeoise, louis-philippement indienne. Ou bien, sous Louis XIV, un Norpois avait épousé la fille du duc de Mortemart, dont le titre illustre frappait, dans le lointain de cette époque, le nom que je trouvais terne et pouvais croire récent de Norpois, y ciselait profondément la beauté d'une médaille. Et dans ces cas-là d'ailleurs, ce n'était pas seulement le nom moins connu qui bénéficiait du rapprochement : l'autre, devenu banal à force d'éclat, me frappait davantage sous cet aspect nouveau et plus obscur, comme, parmi les portraits d'un éblouissant coloriste, le plus saisissant est parfois un portrait tout en noir. La mobilité nouvelle dont me semblaient doués tous ces noms, venant se placer à côté d'autres dont je les aurais crus si loin, ne tenait pas seulement à mon ignorance ; ces chassés-croisés qu'ils faisaient dans mon esprit, ils ne les avaient pas effectués moins aisément dans ces époques où un titre, étant toujours attaché à une terre, la suivait d'une famille dans une autre, si bien que, par exemple, dans la belle construction féodale qu'est le titre de duc de Nemours ou de duc de Chevreuse, je pouvais découvrir successivement blottis, comme dans la demeure hospitalière d'un bernard-l'ermite, un Guise, un prince de Savoie, un Orléans, un Luynes. Parfois plusieurs restaient en compétition pour une même coquille : pour la principauté d'Orange, la famille royale des Pays-Bas et MM. de Mailly-Nesle ; pour le duché de Brabant, le baron de Charlus et la famille royale de Belgique ; tant d'autres pour les titres de prince de Naples, de duc de Parme, de duc de Reggio. Quelquefois c'était le contraire, la coquille était depuis si longtemps inhabitée par les propriétaires morts depuis longtemps que je ne m'étais jamais avisé que tel nom de château eût pu être, à une époque en somme très peu reculée, un nom de famille. Ainsi, comme M. de Guermantes répondait à une question de M. de Monserfeuil : « Non, ma cousine était une royaliste enragée, c'était la fille du marquis de Féterne, qui joua un certain rôle dans la guerre des Chouans », à voir ce nom de Féterne, qui depuis mon séjour à Balbec était pour moi un nom de château, devenir ce que je n'avais jamais songé qu'il eût pu être, un nom de famille, j'eus le même étonnement que dans une féerie où des tourelles et un perron s'animent et deviennent des personnes. Dans cette acception-là, on peut dire que l'histoire, même simplement généalogique, rend la vie aux vieilles pierres. Il y eut dans la société parisienne des hommes qui y jouèrent un rôle aussi considérable, qui y furent plus recherchés pour leur élégance ou pour leur esprit, et eux-mêmes d'une aussi haute naissance que le duc de Guermantes ou le duc de La Trémoïlle. Ils sont aujourd'hui tombés dans l'oubli, parce que, comme ils n'ont pas eu de descendants, leur nom qu'on n'entend plus jamais, résonne comme un nom inconnu ; tout au plus un nom de chose, sous lequel nous ne songeons pas à découvrir le nom d'hommes, survit-il en quelque château, quelque village lointain. Un jour prochain le voyageur qui, au fond de la Bourgogne, s'arrêtera dans le petit village de Charlus pour visiter son église, s'il n'est pas assez studieux ou se trouve trop pressé pour en examiner les pierres tombales, ignorera que ce nom de Charlus fut celui d'un homme qui allait de pair avec les plus grands. Cette réflexion me rappela qu'il fallait partir et que, tandis que j'écoutais M. de Guermantes parler généalogies, l'heure approchait où j'avais rendez-vous avec son frère. Qui sait, continuais-je à penser, si un jour Guermantes lui-même paraîtra autre chose qu'un nom de lieu, sauf aux archéologues arrêtés par hasard à Combray, et qui devant le vitrail de Gilbert le Mauvais auront la patience d'écouter les discours du successeur de Théodore ou de lire le guide du curé. Mais tant qu'un grand nom n'est pas éteint, il maintient en pleine lumière ceux qui le portèrent ; et c'est sans doute, pour une part, l'intérêt qu'offrait à mes yeux l'illustration de ces familles, qu'on peut, en partant d'aujourd'hui, les suivre en remontant degré par degré jusque bien au-delà du XIVe siècle et retrouver les Mémoires et les correspondances de tous les ascendants de M. de Charlus, du prince d'Agrigente, de la princesse de Parme, dans un passé où une nuit impénétrable couvrirait les origines d'une famille bourgeoise, et où nous distinguons, sous la projection lumineuse et rétrospective d'un nom, l'origine et la persistance de certaines caractéristiques nerveuses, de certains vices, des désordres de tels ou tels Guermantes. Presque pathologiquement pareils à ceux d'aujourd'hui, ils excitent de siècle en siècle l'intérêt alarmé de leurs correspondants, qu'ils soient antérieurs à la princesse Palatine et à Mme de Motteville, ou postérieurs au prince de Ligne.

D'ailleurs, ma curiosité historique était faible en comparaison du plaisir esthétique. Les noms cités avaient pour effet de désincarner les invités de la duchesse que leur masque de chair et d'inintelligence ou d'intelligence commune avait changés en hommes quelconques, si bien qu'en somme j'avais atterri au paillasson du vestibule, non pas comme au seuil, ainsi que je l'avais cru, mais au terme du monde enchanté des noms. Le prince d'Agrigente lui-même, dès que j'eus entendu que sa mère était Damas, petite-fille du duc de Modène, fut délivré, comme d'un compagnon chimique instable, de la figure et des paroles qui empêchaient de le reconnaître, et alla former avec Damas et Modène, qui eux n'étaient que des titres, une combinaison infiniment plus séduisante. Chaque nom déplacé par l'attirance d'un autre avec lequel je ne lui avais soupçonné aucune affinité, quittait la place immuable qu'il occupait dans mon cerveau, où l'habitude l'avait terni, et, allant rejoindre les Mortemarts, les Stuarts ou les Bourbons, dessinait avec eux des rameaux du plus gracieux effet et d'un coloris changeant. Le nom même de Guermantes recevait de tous les beaux noms éteints et d'autant plus ardemment rallumés auxquels j'apprenais seulement qu'il était attaché, une détermination nouvelle, purement poétique. Tout au plus, à l'extrémité de chaque renflement de la tige altière, pouvais-je la voir s'épanouir en quelque figure de sage roi ou d'illustre princesse, comme le père d'Henri IV ou la duchesse de Longueville. Mais comme ces faces, différentes en cela de celles des convives, n'étaient empâtées pour moi d'aucun résidu d'expérience matérielle et de médiocrité mondaine, elles restaient, en leur beau dessin et leurs changeants reflets, homogènes à ces noms, qui, à intervalles réguliers, chacun d'une couleur différente, se détachaient de l'arbre généalogique de Guermantes, et ne troublaient d'aucune matière étrangère et opaque les bourgeons translucides, alternants et multicolores, qui, tels qu'aux antiques vitraux de Jessé les ancêtres de Jésus, fleurissaient de l'un et l'autre côté de l'arbre de verre.

A plusieurs reprises déjà j'avais voulu me retirer, et, plus que pour toute autre raison, à cause de l'insignifiance que ma présence imposait à cette réunion, l'une pourtant de celles que j'avais longtemps imaginées si belles, et qui sans doute l'eût été si elle n'avait pas eu de témoin gênant. Du moins mon départ allait permettre aux invités, une fois que le profane ne serait plus là, de se constituer enfin en comité secret. Ils allaient pouvoir célébrer les mystères pour la célébration desquels ils s'étaient réunis, car ce n'était pas évidemment pour parler de Frans Hals ou de l'avarice et pour en parler de la même façon que font les gens de la bourgeoisie. On ne disait que des riens, sans doute parce que j'étais là, et j'avais des remords, en voyant toutes ces jolies femmes séparées, de les empêcher, par ma présence, de mener, dans le plus précieux de ses salons, la vie mystérieuse du faubourg Saint-Germain. Mais ce départ que je voulais à tout instant effectuer, M. et Mme de Guermantes poussaient l'esprit de sacrifice jusqu'à le reculer en me retenant. Chose plus curieuse encore, plusieurs des dames qui étaient venues, empressées, ravies, parées, constellées de pierreries, pour n'assister, par ma faute, qu'à une fête qui ne différait pas plus essentiellement de celles qui se donnent ailleurs que dans le faubourg Saint-Germain, qu'on ne se sent à Balbec dans une ville qui diffère de ce que nos yeux ont coutume de voir — plusieurs de ces dames se retirèrent, non pas déçues, comme elles auraient dû l'être, mais remerciant avec effusion Mme de Guermantes de la délicieuse soirée qu'elles avaient passée, comme si, les autres jours, ceux où je n'étais pas là, il ne se passait pas autre chose.

Était-ce vraiment à cause de dîners tels que celui-ci que toutes ces personnes faisaient toilette et refusaient de laisser pénétrer des bourgeoises dans leurs salons si fermés ? Pour des dîners tels que celui-ci ? pareils si j'avais été absent ? J'en eus un instant le soupçon, mais il était trop absurde. Le simple bon sens me permettait de l'écarter. Et puis, si je l'avais accueilli, que serait-il resté du nom de Guermantes, déjà si dégradé depuis Combray ?

Au reste ces filles fleurs étaient, à un degré étrange, faciles à être contentées par une autre personne, ou désireuses de la contenter, car plus d'une à laquelle je n'avais tenu pendant toute la soirée que deux ou trois propos dont la stupidité m'avait fait rougir, tint, avant de quitter le salon, à venir me dire, en fixant sur moi ses beaux yeux caressants, tout en redressant la guirlande d'orchidées qui contournait sa poitrine, quel plaisir intense elle avait eu à me connaître, et me parler — allusion voilée à une invitation à dîner — de son désir « d'arranger quelque chose », après qu'elle aurait « pris jour » avec Mme de Guermantes.

Aucune de ces dames fleurs ne partit avant la princesse de Parme. La présence de celle-ci — on ne doit pas s'en aller avant une Altesse — était une des deux raisons, non devinées par moi, pour lesquelles la duchesse avait mis tant d'insistance à ce que je restasse. Dès que Mme de Parme fut levée, ce fut comme une délivrance. Toutes les dames ayant fait une génuflexion devant la princesse, qui les releva, reçurent d'elle dans un baiser, et comme une bénédiction qu'elles eussent demandée à genoux, la permission de demander leur manteau et leurs gens. De sorte que ce fut, devant la porte, comme une récitation criée de grands noms de l'Histoire de France. La princesse de Parme avait défendu à Mme de Guermantes de descendre l'accompagner jusqu'au vestibule de peur qu'elle ne prît froid, et le duc avait ajouté : « Voyons, Oriane, puisque Madame le permet, rappelez-vous ce que vous a dit le docteur. »

« Je crois que la princesse de Parme a été *très contente* de dîner avec vous. » Je connaissais la formule. Le duc avait traversé tout le salon pour venir la prononcer devant moi, d'un air obligeant et pénétré, comme s'il me remettait un diplôme ou m'offrait des petits fours. Et je sentis au plaisir qu'il paraissait éprouver à ce moment-là et qui donnait une expression momentanément si douce à son visage, que le genre de soins que cela représentait pour lui était de ceux dont il s'acquitterait jusqu'à la fin extrême de sa vie, comme de ces fonctions honorifiques et aisées que, même gâteux on conserve encore.

Au moment où j'allais partir, la dame d'honneur de

la princesse rentra dans le salon, ayant oublié d'emporter de merveilleux œillets, venus de Guermantes, que la duchesse avait donnés à Madame de Parme. La dame d'honneur était assez rouge, on sentait qu'elle avait été bousculée, car la princesse, si bonne envers tout le monde, ne pouvait retenir son impatience devant la niaiserie de sa suivante. Aussi celle-ci courait-elle vite en emportant les œillets, mais, pour garder son air à l'aise et mutin, elle jeta en passant devant moi : « La princesse trouve que je suis en retard, elle voudrait que nous fussions parties et avoir les œillets tout de même. Dame! je ne suis pas un petit oiseau, je ne peux pas être à plusieurs endroits à la fois. »

Hélas! la raison de ne pas se lever avant une Altesse n'était pas la seule. Je ne pus pas partir immédiatement, car il y en avait une autre : c'était que ce fameux luxe, inconnu aux Courvoisier, dont les Guermantes, opulents ou à demi ruinés, excellaient à faire jouir leurs amis, n'était pas qu'un luxe matériel mais, comme je l'avais expérimenté souvent avec Robert de Saint-Loup, était aussi un luxe de paroles charmantes, d'actions gentilles, toute une élégance verbale, alimentée par une véritable richesse intérieure. Mais comme celle-ci, dans l'oisiveté mondaine, reste sans emploi, elle s'épanchait parfois, cherchait un dérivatif en une sorte d'effusion fugitive, d'autant plus anxieuse, et qui aurait pu, de la part de Mme de Guermantes, faire croire à de l'affection. Elle l'éprouvait d'ailleurs au moment où elle la laissait déborder, car elle trouvait alors, dans la société de l'ami ou de l'amie avec qui elle se trouvait, une sorte d'ivresse, nullement sensuelle, analogue à celle que la musique donne à certaines personnes ; il lui arrivait de détacher une fleur de son corsage, un médaillon, et de les donner à quelqu'un avec qui elle eût souhaité de faire durer la soirée, tout en sentant avec mélancolie qu'un tel prolongement n'aurait pu mener à autre chose qu'à de vaines causeries où rien n'aurait passé du plaisir nerveux, de l'émotion passagère, semblables aux premières chaleurs du printemps par l'impression qu'elles laissent de lassitude et de tristesse. Quant à l'ami, il ne fallait pas qu'il fût trop dupe des promesses, plus grisantes qu'aucune qu'il eût jamais entendue, proférées par ces femmes, qui, parce qu'elles ressentent avec tant de force la douceur d'un moment, font de lui, avec une délicatesse, une noblesse ignorées des créatures normales, un chef-d'œuvre attendrissant de grâce et de bonté, et n'ont plus rien à donner d'elles-mêmes après qu'un autre moment est venu. Leur affection ne survit pas à l'exaltation qui la dicte ; et la finesse d'esprit qui les avait amenées alors à deviner toutes les choses que vous désiriez entendre et à vous les dire, leur permettra tout aussi bien, quelques jours plus tard, de saisir vos ridicules et d'en amuser un autre de leurs visiteurs avec lequel elles seront en train de goûter un de ces « moments musicaux » qui sont si brefs.

Dans le vestibule où je demandai aux valets de pied mes snow-boots que j'avais pris par précaution contre la neige, dont il était tombé quelques flocons vite changés en boue, ne me rendant pas compte que c'était peu élégant, j'éprouvai, du sourire dédaigneux de tous, une honte qui atteignit son plus haut degré quand je vis que Madame de Parme n'était pas partie et me voyait chaussant mes caoutchoucs américains. La princesse revint vers moi. « Oh! quelle bonne idée, s'écria-t-elle, comme c'est pratique! voilà un homme intelligent. Madame, il faudra que nous achetions cela », dit-elle à sa dame d'honneur, tandis que l'ironie des valets se changeait en respect et que les invités s'empressaient autour de moi pour s'enquérir où j'avais pu trouver ces merveilles. « Grâce à cela, vous n'aurez rien à craindre, même s'il reneige et si vous allez loin ; il n'y a plus de saison », me dit la princesse.

— Oh! à ce point de vue, Votre Altesse Royale peut se rassurer, interrompit la dame d'honneur d'un air fin, il ne reneigera pas.

— Qu'en savez-vous, Madame ? demanda aigrement l'excellente princesse de Parme, que seule réussissait à agacer la bêtise de sa dame d'honneur.

— Je peux l'affirmer à Votre Altesse Royale, il ne peut pas reneiger, c'est matériellement impossible.

— Mais pourquoi ?

— Il ne peut plus neiger, on a fait le nécessaire pour cela : on a jeté du sel.

La naïve dame ne s'aperçut pas de la colère de la princesse et de la gaîté des autres personnes, car, au lieu de se taire, elle me dit avec un sourire amène, sans tenir compte de mes dénégations au sujet de l'amiral Jurien de la Gravière : « D'ailleurs qu'importe ? Monsieur doit avoir le pied marin. Bon sang ne peut mentir. »

Et ayant reconduit la princesse de Parme, M. de Guermantes me dit en prenant mon pardessus : « Je vais vous aider à entrer votre pelure. » Il ne souriait même plus en employant cette expression, car celles qui sont le plus vulgaires étaient, par cela même, à cause de l'affectation de simplicité des Guermantes, devenues aristocratiques.

Une exaltation n'aboutissant qu'à la mélancolie, parce qu'elle était artificielle, ce fut aussi, quoique tout autrement que Mme de Guermantes, ce que je ressentis une fois sorti enfin de chez elle, dans la voiture qui allait me conduire à l'hôtel de M. de Charlus. Nous pouvons à notre choix nous livrer à l'une ou l'autre de deux forces, l'une s'élève de nous-même, émane de nos impressions profondes, l'autre nous vient du dehors. La première porte naturellement avec elle une joie, celle que dégage la vie des créateurs. L'autre courant, celui qui essaye d'introduire en nous le mouvement dont sont agitées des personnes extérieures, n'est pas accompagné de plaisir ; mais nous pouvons lui en ajouter un, par choc en retour, en une ivresse si factice qu'elle tourne vite à l'ennui, à la tristesse ; d'où le visage morne de tant de mondains, et chez eux tant d'états nerveux qui peuvent aller jusqu'au suicide. Or, dans la voiture qui me menait chez M. de Charlus, j'étais en proie à cette seconde sorte d'exaltation, bien différente de celle qui nous est donnée par une impression personnelle, comme celle que j'avais eue dans d'autres voitures : une fois à Combray, dans la carriole du docteur Percepied, d'où j'avais vu se peindre sur le couchant les clochers de Martinville ; un jour, à Balbec, dans la calèche de Mme de Villeparisis, en cherchant à démêler la réminiscence que m'offrait une allée d'arbres. Mais dans cette troisième voiture, ce que j'avais devant les yeux de l'esprit, c'étaient ces conversations qui m'avaient paru si ennuyeuses au dîner de Mme de Guermantes, par exemple les récits du prince Von sur l'empereur d'Allemagne, le général Botha et l'armée anglaise. Je venais de les glisser dans le stéréoscope intérieur à travers lequel, dès que nous ne sommes plus nous-mêmes, dès que, doués d'une âme mondaine, nous ne voulons plus recevoir notre vie que des autres, nous donnons du relief à ce qu'ils ont dit, à ce qu'ils ont fait. Comme un homme ivre plein de tendres dispositions pour le garçon de café qui l'a servi, je m'émerveillais de mon bonheur, non ressenti par moi, il est vrai, au moment même, d'avoir dîné avec quelqu'un qui connaissait si bien Guillaume II et avait raconté sur lui des anecdotes, ma foi, fort spirituelles. Et en me rappelant, avec l'accent allemand du prince, l'histoire du général Botha, je riais tout haut, comme si ce rire, pareil à certains applaudissements qui augmentent l'admiration intérieure, était nécessaire à ce récit pour en corroborer le comique. Derrière les verres grossissants, même ceux des jugements de Mme de Guermantes qui m'avaient paru bêtes (par exemple sur Frans Hals qu'il aurait fallu voir d'un tramway) prenaient une vie, une profondeur extraordinaires. Et je dois dire que, si cette exaltation tomba vite, elle n'était pas absolument insensée. De même que nous pouvons un beau jour être heureux de connaître la personne que nous dédaignions le plus, parce qu'elle se trouve être liée avec une jeune fille que nous aimons, à qui elle peut nous présenter, et nous offre ainsi de l'utilité et de l'agrément, choses dont nous l'aurions crue à jamais dénuée, il n'y a pas de propos, pas plus que de relations, dont on puisse être certain qu'on ne tirera pas un jour quelque chose. Ce que m'avait dit Mme de Guermantes sur les tableaux qui seraient intéressants à voir, même d'un tramway, était faux, mais contenait une part de vérité qui me fut précieuse dans la suite.

De même les vers de Victor Hugo qu'elle m'avait cités étaient, il faut l'avouer, d'une époque antérieure à celle où il est devenu plus qu'un homme nouveau, où il a fait apparaître dans l'évolution une espèce littéraire encore inconnue, douée d'organes plus complexes. Dans ces premiers poèmes, Victor Hugo pense encore, au lieu de se contenter, comme la nature, de donner à penser. Des « pensées », il en exprimait alors sous la forme la plus directe, presque dans le sens où le duc prenait le mot, quand, trouvant vieux jeu et encombrant que les invités de ses grandes fêtes, à Guermantes, fissent, sur l'album du château, suivre leur signature d'une réflexion philosophico-poétique, il avertissait les nouveaux venus d'un ton suppliant : « Votre nom, mon cher, mais pas de pensée! » Or, c'étaient ces « pensées » de Victor Hugo (presque aussi absentes de *la Légende des Siècles* que les « airs », les « mélodies » dans la deuxième manière wagnérienne) que Mme de Guermantes aimait dans le premier Hugo. Mais pas absolument à tort. Elles étaient touchantes, et déjà autour d'elles, sans que la forme eût encore la profondeur où elle ne devait parvenir que plus tard, le déferlement des mots nombreux et des rimes richement articulées les rendait inassimilables à ces vers qu'on peut découvrir dans un Corneille, par exemple, et où un romantisme intermittent, contenu, et qui nous émeut d'autant plus, n'a point pourtant pénétré jusqu'aux sources physiques de la vie, modifié l'organisme inconscient et généralisable où s'abrite l'idée. Aussi avais-je eu tort de me confiner jusqu'ici dans les derniers recueils d'Hugo. Des premiers, certes, c'était seulement d'une part infime que s'ornait la conversation de Mme de Guermantes. Mais justement, en citant ainsi un vers isolé on décuple sa puissance attractive. Ceux qui étaient entrés ou rentrés dans ma mémoire, au cours de ce dîner, aimantaient à leur tour, appelaient à eux avec une telle force les pièces au milieu desquelles ils avaient l'habitude d'être enclavés, que mes mains électrisées ne purent pas résister plus de quarante-huit heures à la force qui les conduisait vers le volume où étaient reliés *les Orientales* et *les Chants du Crépuscule*. Je maudis le valet de pied de Françoise d'avoir fait don à son pays natal de mon exemplaire des *Feuilles d'Automne*, et je l'envoyai sans perdre un instant en acheter un autre. Je relus ces volumes d'un bout à l'autre, et ne retrouvai la paix que quand j'aperçus tout d'un coup, m'attendant dans la lumière où elle les avait baignés, les vers que m'avait cités Mme de Guermantes. Pour toutes ces raisons, les causeries avec la duchesse ressemblaient à ces connaissances qu'on puise dans une bibliothèque de château, surannée, incomplète, incapable de former une intelligence, dépourvue de presque tout ce que nous aimons, mais nous offrant parfois quelque renseignement curieux, voire la citation d'une belle page que nous ne connaissions pas, et dont nous sommes heureux dans la suite de nous rappeler que nous en devons la connaissance à une magnifique demeure seigneuriale. Nous sommes alors, pour avoir trouvé la préface de Balzac à *la Chartreuse* ou des lettres inédites de Joubert, tentés de nous exagérer le prix de la vie que nous y avons menée et dont nous oublions, pour cette aubaine d'un soir, la frivolité stérile.

A ce point de vue, si ce monde n'avait pu au premier moment répondre à ce qu'attendait mon imagination, et devait par conséquent me frapper d'abord par ce qu'il avait de commun avec tous les mondes plutôt que par ce qu'il en avait de différent, pourtant il se révéla à moi peu à peu comme bien distinct. Les grands seigneurs sont presque les seules gens de qui on apprenne autant que des paysans ; leur conversation s'orne de tout ce qui concerne la terre, les demeures telles qu'elles étaient habitées autrefois, les anciens usages, tout ce que le monde de l'argent ignore profondément. A supposer que l'aristocrate le plus modéré par ses aspirations ait fini par rattraper l'époque où il vit, sa mère, ses oncles, ses grand'-

tantes le mettent en rapport, quand il se rappelle son enfance, avec ce que pouvait être une vie presque inconnue aujourd'hui. Dans la chambre mortuaire d'un mort d'aujourd'hui, Mme de Guermantes n'eût pas fait remarquer, mais eût saisi immédiatement tous les manquements faits aux usages. Elle était choquée de voir, à un enterrement, des femmes mêlées aux hommes, alors qu'il y a une cérémonie particulière qui doit être célébrée pour les femmes. Quant au poêle dont Bloch eût cru sans doute que l'usage était réservé aux enterrements, à cause des cordons du poêle dont on parle dans les comptes rendus d'obsèques, M. de Guermantes pouvait se rappeler le temps où, encore enfant, il l'avait vu tenir au mariage de M. de Mailly-Nesle. Tandis que Saint-Loup avait vendu son précieux « Arbre généalogique », d'anciens portraits des Bouillon, des lettres de Louis XIII, pour acheter des Carrière et des meubles modern style, M. et Mme de Guermantes, mus par un sentiment où l'amour ardent de l'art jouait peut-être un moindre rôle et qui les laissait eux-mêmes plus médiocres, avaient gardé leurs merveilleux meubles de Boulle, qui offraient un ensemble autrement séduisant pour un artiste. Un littérateur eût de même été enchanté de leur conversation, qui eût été pour lui — car l'affamé n'a pas besoin d'un autre affamé — un dictionnaire vivant de toutes ces expressions qui chaque jour s'oublient davantage : des cravates à la Saint-Joseph, des enfants voués au bleu, etc., et qu'on ne trouve plus que chez ceux qui se font les aimables et bénévoles conservateurs du passé. Le plaisir que ressent parmi eux, beaucoup plus que parmi d'autres écrivains, un écrivain, ce plaisir n'est pas sans danger, car il risque de croire que les choses du passé ont un charme par elles-mêmes, de les transporter telles quelles dans son œuvre, mort-née dans ce cas, dégageant un ennui dont il se console en se disant : « C'est joli parce que c'est vrai, cela se dit ainsi. » Ces conversations aristocratiques avaient du reste, chez Mme de Guermantes, le charme de se tenir dans un excellent français. A cause de cela elles rendaient légitime, de la part de la duchesse, son hilarité devant les mots « vatique », « cosmique », « pythique », « suréminent », qu'employait Saint-Loup, — de même que devant ses meubles de chez Bing.

Malgré tout, bien différentes en cela de ce que j'avais pu ressentir devant les aubépines ou en goûtant à une madeleine, les histoires que j'avais entendues chez Mme de Guermantes m'étaient étrangères. Entrées un instant en moi, qui n'en étais que physiquement possédé, on aurait dit que (de nature sociale et non individuelle) elles étaient impatientes d'en sortir. Je m'agitais dans la voiture, comme une pythonisse. J'attendais un nouveau dîner où je pusse devenir moi-même une sorte de prince de X..., de Mme de Guermantes, et les raconter. En attendant, elles faisaient trépider mes lèvres qui les balbutiaient et j'essayais en vain de ramener à moi mon esprit vertigineusement emporté par une force centrifuge. Aussi est-ce avec une fiévreuse impatience de ne pas porter plus longtemps leur poids tout seul dans une voiture où d'ailleurs je trompais le manque de conversation en parlant tout haut, que je sonnai à la porte de M. de Charlus, et ce fut en longs monologues avec moi-même où je me répétais tout ce que j'allais lui narrer et ne pensais plus guère à ce qu'il pouvait avoir à me dire, que je passai tout le temps que je restai dans un salon où un valet de pied me fit entrer, et que j'étais d'ailleurs trop agité pour regarder.

J'avais un tel besoin que M. de Charlus écoutât les récits que je brûlais de lui faire, que je fus cruellement déçu en pensant que le maître de la maison dormait peut-être et qu'il me faudrait rentrer cuver chez moi mon ivresse de paroles. Je venais en effet de m'apercevoir qu'il y avait vingt-cinq minutes que j'étais, qu'on m'avait peut-être oublié, dans ce salon, dont, malgré cette longue attente, j'aurais tout au plus pu dire qu'il était immense, verdâtre, avec quelques portraits. Le besoin de parler n'empêche pas seulement d'écouter, mais de voir, et dans ce cas l'absence de toute description du milieu extérieur est déjà une description d'un état interne. J'allais sortir du salon pour tâcher d'appeler quelqu'un et, si je ne trouvais personne, de retrouver mon chemin jusqu'aux antichambres et me faire ouvrir, quand, au moment même où je venais de me lever et de faire quelques pas sur le parquet mosaïqué, un valet de chambre entra, l'air préoccupé : « Monsieur le baron a eu des rendez-vous jusqu'à maintenant, me dit-il. Il y a encore plusieurs personnes qui l'attendent. Je vais faire tout mon possible pour qu'il reçoive monsieur, j'ai déjà fait téléphoner deux fois au secrétaire. »

— Non, ne vous dérangez pas, j'avais rendez-vous avec monsieur le baron, mais il est déjà bien tard, et, du moment qu'il est occupé ce soir, je reviendrai un autre jour.

— Oh! non, que monsieur ne s'en aille pas, s'écria le valet de chambre. M. le baron pourrait être mécontent. Je vais de nouveau essayer.

Je me rappelai ce que j'avais entendu raconter des domestiques de M. de Charlus et de leur dévouement à leur maître. On ne pouvait pas tout à fait dire de lui comme du prince de Conti qu'il cherchait à plaire aussi bien au valet qu'au ministre, mais il avait si bien su faire des moindres choses qu'il demandait une espèce de faveur, que, le soir, quand, ses valets assemblés autour de lui à distance respectueuse, après les avoir parcourus du regard, il disait : « Coignet, le bougeoir ! » ou : « Ducret, la chemise ! », c'est en ronchonnant d'envie que les autres se retiraient, envieux de celui qui venait d'être distingué par le maître. Deux, même, lesquels s'exécraient, essayaient chacun de ravir la faveur à l'autre, en allant, sous le plus absurde prétexte, faire une commission au baron, s'il était monté plus tôt, dans l'espoir d'être investis pour ce soir-là de la charge du bougeoir ou de la chemise. S'il adressait directement la parole à l'un d'eux pour quelque chose qui ne fût pas du service, bien plus, si, l'hiver, au jardin, sachant un de ses cochers enrhumé, il lui disait au bout de dix minutes : « Couvrez-vous », les autres ne lui reparlaient pas de quinze jours, par jalousie, à cause de la grâce qui lui avait été faite.

J'attendis encore dix minutes et, après m'avoir demandé de ne pas rester trop longtemps, parce que M. le baron fatigué avait dû faire éconduire plusieurs personnes des plus importantes, qui avaient pris rendez-vous depuis de longs jours, on m'introduisit auprès de lui. Cette mise en scène autour de M. de Charlus me paraissait empreinte de beaucoup moins de grandeur que la simplicité de son frère Guermantes, mais déjà la porte s'était ouverte, je venais d'apercevoir le baron, en robe de chambre chinoise, le cou nu, étendu sur un canapé. Je fus frappé au même instant par la vue d'un chapeau haute forme « huit reflets » sur une chaise avec une pelisse, comme si le baron venait de rentrer. Le valet de chambre se retira. Je croyais que M. de Charlus allait venir à moi. Sans faire un seul mouvement, il fixa sur moi des yeux implacables. Je m'approchai de lui, lui dis bonjour, il ne me tendit pas la main, ne me répondit pas, ne me demanda pas de prendre une chaise. Au bout d'un instant je lui demandai, comme on ferait à un médecin mal élevé, s'il était nécessaire que je restasse debout. Je le fis sans méchante intention, mais l'air de colère froide qu'avait M. de Charlus sembla s'aggraver encore. J'ignorais, du reste, que chez lui, à la campagne, au château de Charlus, il avait l'habitude après dîner, tant il aimait à jouer au roi, de s'étaler dans un fauteuil au fumoir, en laissant ses invités debout autour de lui. Il demandait à l'un du feu, offrait à l'autre un cigare, puis au bout de quelques instants disait : « Mais, Argencourt, asseyez-vous donc, prenez une chaise, mon cher, etc. », ayant tenu à prolonger leur station debout, seulement pour leur montrer que c'était de lui que leur venait la permission de s'asseoir. « Mettez-vous dans le siège Louis XIV », me répondit-il d'un air impérieux et plutôt pour me forcer à m'éloigner de lui que pour m'inviter à m'asseoir. Je pris un fauteuil qui n'était pas loin. « Ah! voilà ce que vous appelez un siège Louis XIV! je vois que vous êtes un jeune homme instruit », s'écria-t-il avec dérision. J'étais tellement stupéfait que je ne bougeai pas, ni pour m'en aller comme je l'aurais dû, ni pour changer de siège comme il le voulait. « Monsieur, me dit-il, en pesant tous les termes, dont il faisait précéder les plus impertinents d'une double paire de consonnes, l'entretien que j'ai condescendu à vous accorder, à la prière d'une personne qui désire que je ne la nomme pas, marquera pour nos relations le point final. Je ne vous cacherai pas que j'avais espéré mieux ; je forcerais peut-être un peu le sens des mots, ce qu'on ne doit pas faire, même avec qui ignore leur valeur, et par simple respect pour soi-même, en vous disant que j'avais eu pour vous de la sympathie. Je crois pourtant que « bienveillance », dans son sens le plus efficacement protecteur, n'excéderait ni ce que je ressentais, ni ce que je me proposais de manifester. Je vous avais, dès mon retour à Paris, fait savoir à Balbec même que vous pouviez compter sur moi. » Moi qui me rappelais sur quelle incartade M. de Charlus s'était séparé de moi à Balbec, j'esquissai un geste de dénégation. « Comment! s'écria-t-il avec colère, et en effet son visage convulsé et blanc différait autant de son visage ordinaire que la mer quand, un matin de tempête, on aperçoit, au lieu de la souriante surface habituelle, mille serpents d'écume et de bave, vous prétendez que vous n'avez pas reçu mon message — presque une déclaration — d'avoir à vous souvenir de moi? Qu'y avait-il comme décoration autour du livre que je vous fis parvenir? »

— De très jolis entrelacs historiés, lui dis-je.

— Ah! répondit-il d'un air méprisant, les jeunes Français connaissent peu les chefs-d'œuvre de notre pays. Que dirait-on d'un jeune Berlinois qui ne connaîtrait pas la *Walkyrie*? Il faut d'ailleurs que vous ayez des yeux pour ne pas voir, puisque ce chef-d'œuvre-là, vous m'avez dit que vous aviez passé deux heures devant. Je vois que vous ne vous y connaissez pas mieux en fleurs qu'en styles; ne protestez pas pour les styles, cria-t-il d'un ton de rage suraigu, vous ne savez même pas sur quoi vous vous asseyez, vous offrez à votre derrière une chauffeuse Directoire pour une bergère Louis XIV. Un de ces jours vous prendrez les genoux de Mme de Villeparisis pour le lavabo, et on ne sait pas ce que vous y ferez. Pareillement, vous n'avez même pas reconnu dans la reliure du livre de Bergotte le linteau de *myosotis* de l'église de Balbec. Y avait-il une manière plus limpide de vous dire : « Ne m'oubliez pas » ?

Je regardais M. de Charlus. Certes sa tête magnifique, et qui répugnait, l'emportait pourtant sur celle de tous les siens ; on eût dit Apollon vieilli ; mais un jus olivâtre, hépatique, semblait prêt à sortir de sa bouche mauvaise ; pour l'intelligence, on ne pouvait nier que la sienne, par un vaste écart de compas, avait vue sur beaucoup de choses qui resteraient toujours inconnues au duc de Guermantes. Mais de quelques belles paroles qu'il colorât toutes ses haines, on sentait que, même s'il y avait tantôt de l'orgueil offensé, tantôt un amour déçu, ou une rancune, du sadisme, une taquinerie, une idée fixe, cet homme était capable d'assassiner et de prouver à force de logique et de beau langage qu'il avait eu raison de le faire et n'en était pas moins supérieur de cent coudées à son frère, sa belle-sœur, etc., etc.

— Comme dans les *Lances* de Vélasquez, continua-t-il, le vainqueur s'avance vers celui qui est le plus humble, et comme le doit tout être noble, puisque j'étais tout et que vous n'étiez rien, c'est moi qui ai fait les premiers pas vers vous. Vous avez sottement répondu à ce que ce n'est pas à moi à appeler de la grandeur. Mais je ne me suis pas laissé décourager. Notre religion prêche la patience. Celle que j'ai eue envers vous me sera comptée, je l'espère, et de n'avoir fait que sourire de ce qui pourrait être taxé d'impertinence, s'il était à votre portée d'en avoir envers qui vous dépasse de tant de coudées ; mais enfin, Monsieur, de tout cela il n'est plus question. Je vous ai soumis à l'épreuve que le seul homme éminent de notre monde appelle avec esprit l'épreuve de la trop grande amabilité et qu'il déclare à bon droit la plus terrible de toutes, la seule qui puisse séparer le bon grain de l'ivraie. Je vous reprocherais à peine de l'avoir subie sans succès, car ceux qui en triomphent sont bien rares. Mais du moins, et c'est la conclusion que je prétends tirer des dernières paroles que nous échangerons sur terre, j'entends être à l'abri de vos inventions calomniatrices.

Je n'avais pas songé jusqu'ici que la colère de M. de Charlus pût être causée par un propos désobligeant qu'on lui eût répété ; j'interrogeai ma mémoire ; je n'avais parlé de lui à personne. Quelque méchant l'avait fabriqué de toutes pièces. Je protestai à M. de Charlus que je n'avais absolument rien dit de lui. « Je ne pense pas que j'aie pu vous fâcher en disant à Mme de Guermantes que j'étais lié avec vous. » Il sourit avec dédain, fit monter sa voix jusqu'aux plus extrêmes registres, et là, attaquant avec douceur la note la plus aiguë et la plus insolente :

— Oh! Monsieur, dit-il en revenant avec une extrême lenteur à une intonation naturelle, et comme s'enchantant, au passage, des bizarreries de cette gamme descendante, je pense que vous vous faites tort à vous-même en vous accusant d'avoir dit que nous étions « liés ». Je n'attends pas une très grande exactitude verbale de quelqu'un qui prendrait facilement un meuble de Chippendale pour une chaire rococo, mais enfin je ne pense pas, ajouta-t-il avec des caresses vocales de plus en plus narquoises et qui faisaient flotter sur ses lèvres jusqu'à un charmant sourire, je ne pense pas que vous ayez dit, ni cru, que nous étions *liés!* Quant à vous être vanté de m'avoir été *présenté*, d'avoir *causé avec moi*, de me *connaître* un peu, d'avoir obtenu, presque sans sollicitation, de pouvoir être un jour mon *protégé*, je trouve au contraire fort naturel et intelligent que vous l'ayez fait. L'extrême différence d'âge qu'il y a entre nous me permet de reconnaître sans ridicule que cette *présentation*, ces *causeries*, cette vague amorce de *relations* étaient pour vous, ce n'est pas à moi de dire un honneur, mais enfin à tout le moins un avantage dont je trouve que votre sottise fut non point de l'avoir divulgué, mais de n'avoir pas su le conserver. J'ajouterai même, dit-il, en passant brusquement et pour un instant de la colère hautaine à une douceur tellement empreinte de tristesse que je croyais qu'il allait se mettre à pleurer, que, quand vous avez laissé sans réponse la proposition que je vous ai faite à Paris, cela m'a paru tellement inouï de votre part à vous, qui m'aviez semblé bien élevé et d'une bonne famille *bourgeoise* (sur cet adjectif seul sa voix eut un petit sifflement d'impertinence), que j'eus la naïveté de croire à toutes les blagues qui n'arrivent jamais, aux lettres perdues, aux erreurs d'adresses. Je reconnais que c'était de ma part une grande naïveté, mais sain Bonaventure préférait croire qu'un bœuf pût voler plutôt que son frère mentir. Enfin tout cela est terminé, la chose ne vous a pas plu, il n'en est plus question. Il me semble seulement que vous auriez pu (et il y avait vraiment des pleurs dans sa voix), ne fût-ce que par considération pour mon âge, m'écrire. J'avais conçu pour vous des choses infiniment séduisantes que je m'étais bien gardé de vous dire. Vous avez préféré refuser sans savoir, c'est votre affaire. Mais, comme je vous le dis, on peut toujours *écrire*. Moi à votre place, et même dans la mienne, je l'aurais fait. J'aime mieux à cause de cela la mienne que la vôtre, je dis à cause de cela, parce que je crois que toutes les places sont égales, et j'ai plus de sympathie pour un intelligent ouvrier que pour bien des ducs. Mais je peux dire que je préfère ma place, parce que ce que vous avez fait, dans ma vie tout entière qui commence à être assez longue, je sais que je ne l'ai jamais fait. (Sa tête était tournée dans l'ombre, je ne pouvais pas voir si ses yeux laissaient tomber des larmes comme sa voix donnait à le croire.) Je vous disais que j'ai fait cent pas au-devant de vous, cela a eu pour effet de vous en faire faire deux cents en arrière. Maintenant c'est à moi de m'éloigner et nous ne nous connaîtrons plus. Je ne retiendrai pas votre nom, mais votre cas, afin que, les jours où je serais tenté de croire que les hommes ont du cœur, de la politesse, ou seulement l'intelligence de ne pas laisser échapper une chance sans seconde, je me rappelle que c'est les situer trop haut. Non, que vous ayez dit que vous me connaissiez quand c'était vrai — car maintenant cela va cesser de l'être — je ne puis trouver cela que naturel et je le tiens pour un hommage, c'est-à-dire pour agréable. Malheureusement, ailleurs et en d'autres circonstances, vous avez tenu des propos fort différents.

— Monsieur, je vous jure que je n'ai rien dit qui pût vous offenser.

— Et qui vous dit que j'en suis offensé ? s'écria-t-il avec fureur en se redressant violemment sur la chaise longue où il était resté jusque-là immobile, cependant que, tandis que se crispaient les blêmes serpents écumeux de sa face, sa voix devenait tour à tour aiguë et grave comme une tempête assourdissante et déchaînée. (La force avec laquelle il parlait d'habitude, et qui faisait se retourner les inconnus dehors, était centuplée, comme l'est un *forte*, si, au lieu d'être joué au piano, il l'est à l'orchestre, et de plus se change en un *fortissimo*. M. de Charlus hurlait.) Pensez-vous qu'il soit à votre portée de m'offenser ? Vous ne savez donc pas à qui vous parlez ? Croyez-vous que la salive envenimée de cinq cents petits bonshommes de vos amis, juchés les uns sur les autres, arriverait à baver seulement jusqu'à mes augustes orteils ?

Depuis un moment, au désir de persuader M. de Charlus que je n'avais jamais dit ni entendu dire de mal de lui, avait succédé une rage folle, causée par les paroles que lui dictait uniquement, selon moi, son immense orgueil. Peut-être étaient-elles du reste l'effet, pour une partie du moins, de cet orgueil. Presque tout le reste venait d'un sentiment que j'ignorais encore et auquel je ne fus donc pas coupable de ne pas faire sa part. J'aurais pu au moins, à défaut du sentiment inconnu, mêler à l'orgueil, si je m'étais souvenu des paroles de Mme de Guermantes, un peu de folie. Mais à ce moment-là l'idée de folie ne me vint même pas à l'esprit. Il n'y avait en lui, selon moi, que de l'orgueil, en moi il n'y avait que de la fureur. Celle-ci (au moment où M. de Charlus cessait de hurler pour parler de ses augustes orteils, avec une majesté qu'accompagnaient une moue, un vomissement de dégoût à l'égard de ses obscurs blasphémateurs), cette fureur ne se contint plus. D'un mouvement impulsif je voulus frapper quelque chose, et un reste de discernement me faisant respecter un homme tellement plus âgé que moi, et même, à cause de leur dignité artistique, les porcelaines allemandes placées autour de lui, je me précipitai sur le chapeau haute forme neuf du baron, je le jetai par terre, je le piétinai, je m'acharnai à le disloquer entièrement, j'arrachai la coiffe, déchirai en deux la couronne, sans écouter les vociférations de M. de Charlus qui continuaient et, traversant la pièce pour m'en aller, j'ouvris la porte. Des deux côtés d'elle, à ma grande stupéfaction, se tenaient deux valets de pied qui s'éloignèrent lentement pour avoir l'air de s'être trouvés là seulement en passant pour leur service. (J'ai su depuis leurs noms, l'un s'appelait Burnier et l'autre Charmel.) Je ne fus pas dupe un instant de cette explication que leur démarche nonchalante semblait me proposer. Elle était invraisemblable ; trois autres me le semblèrent moins : l'une que le baron recevait quelquefois des hôtes contre lesquels pouvant avoir besoin d'aide (mais pourquoi ?) il jugeait nécessaire d'avoir un poste de secours voisin ; l'autre, qu'attirés par la curiosité, ils s'étaient mis aux écoutes, ne pensant pas que je sortirais si vite ; la troisième, que toute la scène que m'avait faite M. de Charlus étant préparée et jouée, il leur avait lui-même demandé d'écouter, par amour du spectacle joint peut-être à un *Nunc erudimini* dont chacun ferait son profit.

Ma colère n'avait pas calmé celle du baron, ma sortie de la chambre parut lui causer une vive douleur, il me rappela, me fit rappeler, et enfin, oubliant qu'un instant auparavant, en parlant de « ses augustes orteils », il avait cru me faire le témoin de sa propre déification, il courut à toutes jambes, me rattrapa dans le vestibule et me barra la porte. « Allons, me dit-il, ne faites pas l'enfant, rentrez une minute ; qui aime bien châtie bien, et si je vous ai bien châtié, c'est que je vous aime bien. » Ma colère était passée, je laissai passer le mot « châtier » et suivis le baron qui, appelant un valet de pied, fit sans aucun amour-propre emporter les miettes du chapeau détruit qu'on remplaça par un autre.

— Si vous voulez me dire, Monsieur, qui m'a perfidement calomnié, dis-je à M. de Charlus, je reste pour l'apprendre et confondre l'imposteur.

— Qui ? ne le savez-vous pas ? Ne gardez-vous pas le souvenir de ce que vous dites ? Pensez-vous que les personnes qui me rendent le service de m'avertir de ces choses ne commencent pas par me demander le secret ? Et croyez-vous que je vais manquer à celui que j'ai promis ?

— Monsieur, c'est impossible que vous me le disiez ? demandai-je en cherchant une dernière fois dans ma tête (où je ne trouvais personne) à qui j'avais pu parler de M. de Charlus.

— Vous n'avez pas entendu que j'ai promis le secret à mon indicateur, me dit-il d'une voix claquante. Je vois qu'au goût des propos abjects vous joignez celui des insistances vaines. Vous devriez avoir au moins l'intelligence de profiter d'un dernier entretien et de parler pour dire quelque chose qui ne soit pas exactement rien.

— Monsieur, répondis-je en m'éloignant, vous m'insultez, je suis désarmé puisque vous avez plusieurs fois mon âge, la partie n'est pas égale ; d'autre part je ne peux pas vous convaincre, je vous ai juré que je n'avais rien dit.

— Alors je mens ! s'écria-t-il d'un ton terrible, et en faisant un tel bond qu'il se trouva debout à deux pas de moi.

— On vous a trompé.

Alors d'une voix douce, affectueuse, mélancolique, comme dans ces symphonies qu'on joue sans interruption entre les divers morceaux, et où un gracieux *scherzo* aimable, idyllique, succède aux coups de foudre du premier morceau : « C'est très possible, me dit-il. En principe, un propos répété est rarement vrai. C'est votre faute si, n'ayant pas profité des occasions de me voir que je vous avais offertes, vous ne m'avez pas fourni, par ces paroles ouvertes et quotidiennes qui créent la confiance, le préservatif unique et souverain contre une parole qui vous représentait comme un traître. En tous cas, vrai ou faux, le propos a fait son œuvre. Je ne peux plus me dégager de l'impression qu'il m'a produite. Je ne peux même pas dire que qui aime bien châtie bien, car je vous ai bien châtié, mais je ne vous aime plus. » Tout en disant ces mots, il m'avait forcé à me rasseoir et avait sonné. Un nouveau valet de pied entra. « Apportez à boire, et dites d'atteler le coupé. » Je dis que je n'avais pas soif, qu'il était bien tard et que d'ailleurs j'avais une voiture. « On l'a probablement payée et renvoyée, me dit-il, ne vous en occupez pas. Je fais atteler pour qu'on vous ramène... Si vous craignez qu'il ne soit trop tard... j'aurais pu vous donner une chambre ici... » Je dis que ma mère serait inquiète. « Ah! oui, vrai ou faux, le propos a fait son œuvre. Ma sympathie un peu prématurée avait fleuri trop tôt ; et comme ces pommiers dont vous parliez poétiquement à Balbec, elle n'a pu résister à une première gelée. » Si la sympathie de M. de Charlus n'avait pas été détruite, il n'aurait pourtant pas pu agir autrement, puisque, tout en me disant que nous étions brouillés, il me faisait rester, boire, me demandait de coucher et allait me faire reconduire. Il avait même l'air de redouter l'instant de me quitter et de se retrouver seul, cette espèce de crainte un peu anxieuse que sa belle-sœur et cousine Guermantes m'avait paru éprouver, il y avait une heure, quand elle avait voulu me forcer à rester encore un peu, avec une espèce de même goût passager pour moi, de même effort pour faire prolonger une minute.

— Malheureusement, reprit-il, je n'ai pas le don de faire refleurir ce qui a été une fois détruit. Ma sympathie pour vous est bien morte. Rien ne peut la ressusciter. Je crois qu'il n'est pas indigne de moi de confesser que je le regrette. Je me sens toujours un peu comme le Booz de Victor Hugo :

Je suis veuf, je suis seul, et sur moi le soir tombe.

Je retraversai avec lui le grand salon verdâtre. Je lui dis, tout à fait au hasard, combien je le trouvais beau. « N'est-ce pas ? me répondit-il. Il faut bien aimer quelque chose. Les boiseries sont de Bagard. Ce qui est assez gentil, voyez-vous, c'est qu'elles ont été faites pour les sièges de Beauvais et pour les consoles. Vous remarquez, elles répètent le même motif décoratif qu'eux. Il n'existait plus que deux demeures où cela soit ainsi, le Louvre et la maison de M. d'Hinnisdal. Mais naturellement, dès que j'ai voulu venir habiter dans cette rue, il s'est trouvé un vieil hôtel Chimay que personne n'avait jamais vu puisqu'il n'est venu ici que mour *moi*. En somme, c'est bien. Ça pourrait peut-être être mieux, mais enfin ce n'est pas mal. N'est-ce pas, il y a de jolies choses, le portrait de mes oncles, le roi de Pologne et le roi d'Angleterre, par Mignard. Mais qu'est-ce que je vous dis, vous le savez aussi bien que moi, puisque vous avez attendu dans ce salon. Non ? Ah ! C'est qu'on vous aura mis dans le salon bleu, dit-il d'un air soit d'impertinence à l'endroit de mon incuriosité, soit de supériorité personnelle et de n'avoir pas demandé où on m'avait fait attendre. Tenez, dans ce cabinet, il y a tous les chapeaux portés par Madame Élisabeth, la princesse de Lamballe, et par la Reine. Cela ne vous intéresse pas, on dirait que vous ne voyez pas. Peut-être êtes-vous atteint d'une affection du nerf optique. Si vous aimez davantage ce genre de beauté, voici un arc-en-ciel de Turner qui commence à briller entre ces deux Rembrandt, en signe de notre réconciliation. Vous entendez : Beethoven se joint à lui. » Et en effet on distinguait les premiers accords de la troisième partie de *la Symphonie pastorale*, « la joie après l'orage », exécutés non loin de nous, au premier étage sans doute, par des musiciens. Je demandai naïvement par quel hasard on jouait cela et qui étaient les musiciens. « Hé bien! on ne sait pas. On ne sait jamais. Ce sont des musiques invisibles. C'est joli, n'est-ce pas, me dit-il d'un ton légèrement impertinent et qui pourtant rappelait un peu l'influence et l'accent de Swann. Mais vous vous en fichez comme un poisson d'une pomme. Vous voulez rentrer, quitte à manquer de respect à Beethoven et à moi. Vous portez contre vous-même jugement et condamnation », ajouta-t-il d'un air affectueux et triste, quand le moment fut venu que je m'en allasse. « Vous m'excuserez de ne pas vous reconduire comme les bonnes façons m'obligeraient à le faire, me dit-il. Désireux de ne plus vous revoir, il m'importe peu de passer cinq minutes de plus avec vous. Mais je suis fatigué et j'ai fort à faire. » Cependant, remarquant que le temps était beau : « Hé bien! si, je vais monter en voiture. Il fait un clair de lune superbe, que j'irai regarder au Bois après vous avoir reconduit. Comment vous ne savez pas vous raser, même un soir où vous dînez en ville vous gardez quelques poils, me dit-il en me prenant le menton entre deux doigts pour ainsi dire magnétisés, qui, après avoir résisté un instant, remontèrent jusqu'à mes oreilles comme les doigts d'un coiffeur. Ah! ce serait agréable de regarder ce « clair de lune bleu » au Bois avec quelqu'un comme vous », me dit-il avec une douceur subite et comme involontaire, puis, l'air triste : « Car vous êtes gentil tout de même, vous pourriez l'être plus que personne, ajouta-t-il en me touchant paternellement l'épaule. Autrefois, je dois dire que je vous trouvais bien insignifiant. » J'aurais dû penser qu'il me trouvait tel encore. Je n'avais qu'à me rappeler la rage avec laquelle il m'avait parlé, il y avait à peine une demi-heure. Malgré cela j'avais l'impression qu'il était, en ce moment, sincère, que son bon cœur l'emportait sur ce que je considérais comme un état presque délirant de susceptibilité et d'orgueil. La voiture était devant nous et il prolongeait encore la conversation. « Allons, dit-il brusquement, montez ; dans cinq minutes nous allons être chez vous. Et je vous dirai un bonsoir qui coupera court et pour jamais à nos relations. C'est mieux, puisque nous devons nous quitter pour toujours, que nous le fassions comme en musique, sur un accord parfait. » Malgré ces affirmations solennelles que nous ne nous reverrions jamais, j'aurais juré que M. de Charlus ennuyé de s'être oublié tout à l'heure et craignant de m'avoir fait de la peine, n'eût pas été fâché de me revoir encore une fois. Je ne me trompais pas, car au bout d'un moment : « Allons bon! dit-il, voilà que j'ai oublié le principal. En souvenir de Madame votre grand'mère, j'avais fait relier pour vous une édition curieuse de Mme de Sévigné. Voilà qui va empêcher cette entrevue d'être la dernière. Il faut s'en consoler en se disant qu'on liquide rarement en un jour des affaires compliquées. Regardez combien de temps a duré le Congrès de Vienne. »

— Mais je pourrais la faire chercher sans vous déranger, dis-je obligeamment.

— Voulez-vous vous taire, petit sot, répondit-il avec colère, et ne pas avoir l'air grotesque de considérer comme peu de chose l'honneur d'être probablement (je ne dis pas certainement, car c'est peut-être un valet de chambre qui vous remettra les volumes) reçu par moi.

Il se ressaisit : « Je ne veux pas vous quitter sur ces mots. Pas de dissonance ; avant le silence éternel, accord de dominante! » C'est pour ses propres nerfs qu'il semblait redouter son retour immédiatement après d'âcres paroles de brouille. « Vous ne voulez pas venir jusqu'au Bois », me dit-il d'un ton non pas interrogatif mais affirmatif, et, à ce qu'il me sembla, non pas parce qu'il ne voulait pas me l'offrir, mais parce qu'il craignait que son amour-propre n'essuyât un refus. « Hé bien voilà, me dit-il en traînant encore, c'est le moment où, comme dit Whistler, les bourgeois rentrent (peut-être voulait-il me prendre par l'amour-propre) et où il convient de commencer à regarder. Mais vous ne savez même pas qui est Whistler. » Je changeai de conversation et lui demandai si la princesse d'Iéna était une personne intelligente. M. le Charlus m'arrêta, et prenant le ton le plus méprisant que je lui connusse :

— Ah! Monsieur, vous faites allusion ici à un ordre de nomenclature où je n'ai rien à voir. Il y a peut-être une aristocratie chez les Tahitiens, mais j'avoue que je ne la connais pas. Le nom que vous venez de prononcer, c'est étrange, a cependant résonné, il y a quelques jours, à mes oreilles. On me demandait si je condescendrais à ce que me fût présenté le jeune duc de Guastalla. La demande m'étonna, car le duc de Guastalla n'a nul besoin de se faire présenter à moi, pour la raison qu'il est mon cousin et me connaît de tout temps ; c'est le fils de la princesse de Parme, et en jeune parent bien élevé, il ne manque jamais de venir me rendre ses devoirs le Jour de l'an. Mais, informations prises, il ne s'agissait pas de mon parent, mais d'un fils de la personne qui vous intéresse.

Comme il n'existe pas de princesse de ce nom, j'ai supposé qu'il s'agissait d'une pauvresse couchant sous le pont d'Iéna et qui avait pris pittoresquement le titre de princesse d'Iéna, comme on dit la Panthère des Batignolles ou le Roi de l'Acier. Mais non, il s'agissait d'une personne riche dont j'avais admiré à une exposition des meubles fort beaux et qui ont sur le nom du propriétaire la supériorité de ne pas être faux. Quant au prétendu duc de Guastalla, ce devait être l'agent de change de mon secrétaire, l'argent procure tant de choses. Mais non ; c'est l'Empereur, paraît-il, qui s'est amusé à donner à ces gens un titre précisément indisponible. C'est peut-être une preuve de puissance, ou d'ignorance, ou de malice, je trouve surtout que c'est un fort mauvais tour qu'il a joué ainsi à ces usurpateurs malgré eux. Mais enfin je ne puis vous donner d'éclaircissements sur tout cela, ma compétence s'arrête au faubourg Sain-Germain où, entre tous les Courvoisier et Gallardon, vous trouverez, si vous parvenez à découvrir un introducteur, de vieilles gales tirées tout exprès de Balzac et qui vous amuseront. Naturellement tout cela n'a rien à voir avec le prestige de la princesse de Guermantes, mais, sans moi et mon Sésame, la demeure de celle-ci est inaccessible.

— C'est vraiment très beau, monsieur, l'hôtel de la princesse de Guermantes.

— Oh! ce n'est pas très beau. C'est ce qu'il y a de plus beau ; après la princesse toutefois.

— La princesse de Guermantes est supérieure à la duchesse de Guermantes?

— Oh! cela n'a pas de rapport. (Il est à remarquer que, dès que les gens du monde ont un peu d'imagination, ils couronnent ou détrônent, au gré de leurs sympathies ou de leurs brouilles, ceux dont la situation paraissait la plus solide et la mieux fixée.) La duchesse de Guermantes (peut-être en ne l'appelant pas Oriane voulait-il mettre plus de distance entre elle et moi) est délicieuse, très supérieure à ce que vous avez pu deviner. Mais enfin, elle est incommensurable avec sa cousine. Celle-ci est exactement ce que les personnes des Halles peuvent s'imaginer qu'était la princesse de Metternich. Mais la Metternich croyait avoir lancé Wagner parce qu'elle connaissait Victor Maurel. La princesse de Guermantes, ou plutôt sa mère, a connu le vrai. Ce qui est un prestige, sans parler de l'incroyable beauté de cette femme. Et rien que les jardins d'Esther!

— On ne peut pas les visiter?

— Mais non, il faudrait être invité, mais on n'invite jamais *personne* à moins que j'intervienne.

Mais aussitôt, retirant, après l'avoir jeté, l'appât de cette offre, il me tendit la main, car nous étions arrivés chez moi.

— Mon rôle est terminé, Monsieur; j'y ajoute simplement ces quelques paroles. Un autre vous offrira peut-être un jour sa sympathie comme j'ai fait. Que l'exemple actuel vous serve d'enseignement. Ne le négligez pas. Une sympathie est toujours précieuse. Ce qu'on ne peut pas faire seul dans la vie, parce qu'il y a des choses qu'on ne peut demander, ni faire, ni vouloir, ni apprendre par soi-même, on le peut à plusieurs, et sans avoir besoin d'être treize comme dans le roman de Balzac, ni quatre comme dans *les Trois Mousquetaires*. Adieu.

Il devait être fatigué et avoir renoncé à l'idée d'aller voir le clair de lune car il me demanda de dire au cocher de rentrer. Aussitôt il fit un brusque mouvement comme s'il voulait se reprendre. Mais j'avais déjà transmis l'ordre et, pour ne pas me retarder davantage, j'allai sonner à ma porte, sans avoir plus pensé que j'avais à faire à M. de Charlus, relativement à l'empereur d'Allemagne, au général Botha, des récits tout à l'heure si obsédants, mais que son accueil inattendu et foudroyant avait fait s'envoler bien loin de moi.

En rentrant, je vis sur mon bureau une lettre que le jeune valet de pied de Françoise avait écrite à un de ses amis et qu'il y avait oubliée. Depuis que ma mère était absente, il ne reculait devant aucun sans-gêne ; je fus plus coupable d'avoir celui de lire la lettre sans enveloppe, largement étalée et qui, c'était ma seule excuse, avait l'air de s'offrir à moi :

« Cher ami et cousin

« J'espère que la santé va toujours bien et qu'il en est de même pour toute la petite famille particulièrement pour mon jeune filleul Joseph dont je n'ai pas encore le plaisir de connaître mais dont je preffère à vous tous comme étant mon filleul, ces relique du cœur on aussi leur poussière, sur leurs restes sacrés ne portons pas les mains. Dailleurs cher ami et cousin qui te dit que demain toi et ta chère femme ma cousine Marie, vous ne serez pas précipités tous deux jusqu'au fond de la mer comme le matelot attaché en aut du grand mât, car cette vie nest quune vallée obscure. Cher ami il faut te dire que ma principale occupation de ton étonnement jen suis certain, est maintenant la pœsie que j'aime avec délices, car il faut bien passé le temps. Aussi cher ami ne sois pas trop surpris si je ne suis pas encore répondu à ta dernière lettre, à défaut du pardon laisse venir l'oubli. Comme tu le sais, la mère de Madame a trépassé dans des souffrances inexprimables qui l'ont assez fatiguée car elle a vu jusqu'à trois médecins. Le jour de ses obsèques fut un beau jour car toutes les relations de Monsieur étaient venues en foule ainsique plusieurs ministres. On a mis plus de deux heures pour aller au cimetière ce qui vous fera tous ouvrir de grands yeux dans votre village car on nan feras certainement pas autant pour la mère Michu. Aussi ma vie ne sera plus qu'un long sanglot. Je m'amuse énormément à la motocyclette dont j'ai appris dernièrement. Que diriez-vous mes chers amis si j'arrivais ainsi à toute vitesse aux Écorres. Mais là-dessus je ne me tairai pas plus car je sens que l'ivresse du malheur emporte sa raison. Je fréquente la Duchesse de Guermantes, des personnes que tu as jamais entendu même le nom dans nos ignorants pays. Aussi c'est avec plaisir que jenverrai les livres de Racine, de Victor Hugo, de Pages choisies de Chenedollé, d'Alfred de Musset, car je voudrais guérir le pays qui ma donner le jour de l'ignorance qui mène fatalement jusquau crime. Je ne vois plus rien à te dire et tanvoye comme le pelican lassé dun long voyage mes bonnes salutations ainsi qu'à ta feme à mon filleul et à ta sœur Rose. Puisse-t-on ne pas dire delle : Et rose elle n'a vécu que ce que vivent les roses, comme l'a dit Victor Hugo, le sonnet d'Arvers, Alfredde Musset tous ces grands génies qu'on a fait à cause de cela mourir sur les flames du bûcher comme Jeanne d'Arc. A bientôt ta prochaine missive, reçois mes baisers comme ceux d'un frère Périgot Joseph. »

Nous sommes attirés par toute vie qui nous représente quelque chose d'inconnu, par une dernière illusion à détruire. Beaucoup de choses que M. de Charlus m'avait dites avaient donné un vigoureux coup de fouet à mon imagination et, faisant oublier à celle-ci combien la réalité l'avait déçue chez la duchesse de Guermantes (il est des noms des personnes comme des noms des pays), l'avaient aiguillée vers la cousine d'Oriane. Au reste, M. de Charlus ne me trompa quelque temps sur la valeur et la variété imaginaires des gens du monde que parce qu'il s'y trompait lui-même. Et cela peut-être parce qu'il ne faisait rien, n'écrivait pas, ne peignait pas, ne lisait même rien d'une manière sérieuse et approfondie. Mais, supérieur aux gens du monde de plusieurs degrés, si c'est d'eux et de leur spectacle qu'il tirait la matière de sa conversation, il n'était pas pour cela compris par eux. Parlant en artiste, il pouvait tout au plus dégager le charme fallacieux des gens du monde. Mais le dégager pour les artistes seulement, à l'égard desquels il eût pu jouer le rôle du renne envers les Esquimaux : ce précieux animal arrache pour eux, sur des roches désertiques, des lichens, des mousses qu'ils ne sauraient ni découvrir, ni utiliser, mais qui, une fois digérés par le renne, deviennent pour les habitants de l'Extrême Nord un aliment assimilable.

A quoi j'ajouterai que ces tableaux que M. de Charlus faisait du monde étaient animés de beaucoup de vie par le mélange de ses haines féroces et de ses dévotes sympathies — les haines dirigées surtout contre les jeunes gens, l'adoration excitée principalement par certaines femmes.

Si parmi celles-ci, la princesse de Guermantes était placée par M. de Charlus sur le trône le plus élevé, ses mystérieuses paroles sur « l'inaccessible palais d'Aladin » qu'habitait sa cousine, ne suffisent pas à expliquer ma stupéfaction suivie bientôt par la crainte d'être le jouet d'une mauvaise farce machinée par quelqu'un qui eût voulu me faire jeter à la porte d'une demeure où j'irais sans être invité, quand, environ deux mois après mon dîner chez la duchesse et tandis que celle-ci était à Cannes, ayant ouvert une enveloppe dont l'apparence ne m'avait averti de rien d'extraordinaire, je lus ces mots imprimés sur une carte : « La princesse de Guermantes, née duchesse en Bavière, sera chez elle le ***. » Sans doute, être invité chez la princesse de Guermantes n'était peut-être pas, au point de vue mondain, quelque chose de plus difficile que dîner chez la duchesse, et mes faibles connaissances héraldiques m'avaient appris que le titre de prince n'est pas supérieur à celui de duc. Puis je me disais que l'intelligence d'une femme du monde ne peut pas être d'une essence aussi hétérogène à celle de ses congénères que le prétendait M. de Charlus. Mais mon imagination, semblable à Elstir en train de rendre un effet de perspective sans tenir compte des notions de physique qu'il pouvait par ailleurs posséder, me peignait non ce que je savais, mais ce qu'elle voyait; ce qu'elle voyait, c'est-à-dire ce que lui montrait le nom. Or, même quand je ne connaissais pas la duchesse, le nom de Guermantes précédé du titre de princesse, comme une note ou une couleur ou une quantité profondément modifiée par des valeurs environnantes, par le « signe » mathématique ou esthétique qui l'affecte, m'avait toujours évoqué quelque chose de tout différent. Avec ce titre on le trouve surtout dans les Mémoires du temps de Louis XIII et de Louis XIV ; et je me figurais l'hôtel de la princesse de Guermantes comme plus ou moins fréquenté par la duchesse de Longueville et par le grand Condé, desquels la présence rendait bien peu vraisemblable que j'y pénétrasse jamais.

Malgré ce qui tient aux divers points de vue subjectifs dont j'aurai à parler, dans les grossissements artificiels, il n'en reste pas moins qu'il y a quelque réalité objective dans tous ces êtres, et par conséquent différence entre eux.

Comment d'ailleurs en serait-il autrement ? L'humanité que nous fréquentons et qui ressemble si peu à nos rêves est pourtant la même que, dans les Mémoires, dans les lettres de gens remarquables, nous avons vue décrite et que nous avons souhaité de connaître. Le vieillard le plus insignifiant avec qui nous dînons est celui dont, dans un livre sur la guerre de 70, nous avons lu avec émotion la fière lettre au prince Frédéric-Charles. On s'ennuie à dîner parce que l'imagination est absente, et, parce qu'elle nous y tient compagnie, on s'amuse avec un livre. Mais c'est des mêmes personnes qu'il est question. Nous aimerions avoir connu Mme de Pompadour qui protégea si bien les arts, et nous nous serions autant ennuyés auprès d'elle qu'auprès des modernes Égéries, chez qui nous ne pouvons nous décider à retourner tant elles sont médiocres. Il n'en reste pas moins que ces différences subsistent. Les gens ne sont jamais tout à fait pareils les uns aux autres, leur manière de se comporter à notre égard, on pourrait dire à amitié égale, trahit des différences qui, en fin de compte, font compensation. Quand je connus Mme de Montmorency, elle aima à me dire des choses désagréables, mais si j'avais besoin d'un service, elle jetait pour l'obtenir, avec efficacité, tout ce qu'elle possédait de crédit, sans rien ménager. Tandis que telle autre, comme Mme de Guermantes, n'eût jamais voulu me faire de peine, ne disait de moi que ce qui pouvait me faire plaisir, me comblait de toutes les amabilités qui formaient le riche train de vie moral des Guermantes, mais, si je lui avais demandé un rien en dehors de cela, n'eût pas fait un pas pour me le procurer, comme en ces châteaux où on a à sa disposition une automobile, un valet de chambre, mais où il est impossible d'obtenir un verre de cidre non prévu dans l'ordonnance des fêtes. Laquelle était pour moi la véritable amie, de Mme de Montmorency, si heureuse de me froisser et toujours prête à me servir, ou de Mme de Guermantes, souffrant du moindre déplaisir qu'on m'eût causé et incapable du moindre effort pour m'être utile ? D'autre part, on disait que la duchesse de Guermantes parlait seulement de frivolités, et sa cousine, avec l'esprit le plus médiocre, de choses toujours intéressantes. Les formes d'esprit sont si variées, si opposées, non seulement dans la littérature, mais dans le monde, qu'il n'y a pas que Baudelaire et Mérimée qui ont le droit de se mépriser réciproquement. Ces particularités forment, chez toutes les personnes, un système de regards, de discours, d'actions, si cohérent, si despotique, que quand nous sommes en leur présence il nous semble supérieur au reste. Chez Mme de Guermantes, ses paroles, déduites comme un théorème de son genre d'esprit, me paraissaient les seules qu'on aurait dû dire. Et j'étais, au fond, de son avis, quand elle me disait que Mme de Montmorency était stupide et avait l'esprit ouvert à toutes les choses qu'elle ne comprenait pas, ou quand, apprenant une méchanceté d'elle, la duchesse me disait : « C'est cela que vous appelez une bonne femme, c'est ce que j'appelle un monstre. » Mais cette tyrannie de la réalité qui est devant nous, cette évidence de la lumière de la lampe qui fait pâlir l'aurore déjà lointaine comme un simple souvenir, disparaissaient quand j'étais loin de Mme de Guermantes, et qu'une dame différente me disait, en se mettant de plain-pied avec moi et jugeant la duchesse placée fort au-dessous de nous : « Oriane ne s'intéresse au fond à rien, ni à personne », et même (ce qui en présence de Mme de Guermantes eût semblé impossible à croire tant elle-même proclamait le contraire) : « Oriane est snob. » Aucune mathématique ne nous permettant de convertir Mme d'Arpajon et Mme de Montpensier en quantités homogènes, il m'eût été impossible de répondre si on me demandait laquelle me semblait supérieure à l'autre.

Or, parmi les traits particuliers au salon de la princesse de Guermantes, le plus habituellement cité était un exclusivisme dû en partie à la naissance royale de la princesse, et surtout le rigorisme presque fossile des préjugés aristocratiques du prince (préjugés que d'ailleurs le duc et la duchesse ne s'étaient pas fait faute de railler devant moi) et qui, naturellement, devait me faire considérer comme plus invraisemblable encore que m'eût invité cet homme qui ne comptait que les altesses et les ducs et à chaque dîner faisait une scène parce qu'il n'avait pas eu à table la place à laquelle il aurait eu droit sous Louis XIV, place que, grâce à son extrême érudition en matière d'histoire et de généalogie, il était seul à connaître. A cause de cela, beaucoup de gens du monde tranchaient en faveur du duc et de la duchesse les différences qui les séparaient de leurs cousins. « Le duc et la duchesse sont beaucoup plus modernes, beaucoup plus intelligents, ils ne s'occupent pas, comme les autres, que du nombre de quartiers, leur salon est de trois cents ans en avance sur celui de leur cousin » étaient des phrases usuelles dont le souvenir me faisait maintenant frémir en regardant la carte d'invitation à laquelle ils donnaient beaucoup plus de chances de m'avoir été envoyée par un mystificateur.

Si encore le duc et la duchesse de Guermantes n'avaient pas été à Cannes, j'aurais pu tâcher de savoir par eux si l'invitation que j'avais reçue était véritable.

Ce doute où j'étais n'est pas même du tout, comme je m'en étais un moment flatté, un sentiment qu'un homme du monde n'éprouverait pas et qu'en conséquence un écrivain, appartînt-il en dehors de cela à la caste des gens du monde, devrait reproduire afin d'être bien « objectif » et de peindre chaque classe différemment. J'ai, en effet, trouvé dernièrement, dans un charmant volume de Mémoires, la notation d'incertitudes analogues à celles par lesquelles me faisait passer la carte d'invitation de la princesse. « Georges et moi (ou Hély et moi, je n'ai pas le livre sous la main pour vérifier), nous grillions si fort d'être admis dans le salon de Mme Delessert, qu'ayant reçu d'elle une invitation, nous crûmes prudent, chacun de notre côté, de nous assurer que nous n'étions pas les dupes de quelque poisson d'avril. » Or, le narrateur n'est autre que le comte d'Haussonville (celui qui épousa la fille du duc de Broglie), et l'autre jeune homme qui « de son côté » va s'assurer s'il n'est pas le jouet d'une mystification est, selon qu'il s'appelle Georges ou Hély, l'un ou l'autre des deux inséparables amis de M. d'Haussonville, M. d'Harcourt ou le prince de Chalais.

Le jour où devait avoir lieu la soirée chez la princesse de Guermantes, j'appris que le duc et la duchesse étaient revenus à Paris depuis la veille, et je résolus d'aller les voir le matin. Mais, sortis de bonne heure, ils n'étaient pas encore rentrés. Je guettai d'abord, d'une petite pièce que je croyais un bon poste de vigie, l'arrivée de la voiture. En réalité j'avais fort mal choisi mon observatoire, d'où je distinguai à peine notre cour, mais j'en aperçus plusieurs autres ce qui, sans utilité pour moi, me divertit un moment. Ce n'est pas à Venise seulement qu'on a de ces points de vue sur plusieurs maisons à la fois qui ont tenté les peintres, mais à Paris tout aussi bien. Je ne dis pas Venise au hasard. C'est à ses quartiers pauvres que font penser certains quartiers pauvres de Paris, le matin, avec leurs hautes cheminées évasées auxquelles le soleil donne les roses les plus vifs, les rouges les plus clairs ; c'est tout un jardin qui fleurit au-dessus des maisons, et qui fleurit en nuances si variées qu'on dirait, planté sur la ville, le jardin d'un amateur de tulipes de Delft ou de Haarlem. D'ailleurs l'extrême proximité des maisons aux fenêtres opposées sur une même cour y fait de chaque croisée le cadre où une cuisinière rêvasse en regardant à terre, où plus loin une jeune fille se laisse peigner les cheveux par une vieille à figure, à peine distincte dans l'ombre, de sorcière ; ainsi chaque cour fait pour le voisin de la maison, en supprimant le bruit par son intervalle, en laissant voir les gestes silencieux dans un rectangle placé sous verre par la clôture des fenêtres, une exposition de cent tableaux hollandais juxtaposés. Certes, de l'hôtel de Guermantes on n'avait pas le même genre de vues, mais de curieuses aussi, surtout de l'étrange point trigonométrique où je m'étais placé et où le regard n'était arrêté par rien jusqu'aux hauteurs lointaines que formait, les terrains relativement vagues qui précédaient étant fort en pente, l'hôtel de la princesse de Silistrie et de la marquise de Plassac, cousines très nobles de M. de Guermantes, et que je ne connaissais pas. Jusqu'à cet hôtel (qui était celui de leur père, M. de Bréquigny), rien que des corps de bâtiments peu élevés, orientés des façons les plus diverses et qui, sans arrêter la vue, prolongeaient la distance, de leurs plans obliques. La tourelle en tuiles rouges de la remise où le marquis de Frécourt garait ses voitures, se terminait bien par une aiguille plus haute, mais si mince qu'elle ne cachait rien, et faisait penser à ces jolies constructions anciennes de la Suisse qui s'élancent, isolées, au pied d'une montagne. Tous ces points, vagues et divergents où se reposaient les yeux, faisaient paraître plus éloigné que s'il avait été séparé de nous par plusieurs rues ou de nombreux contreforts l'hôtel de Mme de Plassac, en réalité assez voisin mais chimériquement éloigné comme un paysage alpestre. Quand ses larges fenêtres carrées, éblouies de soleil comme des feuilles de cristal de roche, étaient ouvertes pour le ménage, on avait, à suivre aux différents étages les valets de pied impossibles à bien distinguer, mais qui battaient des tapis, le même plaisir qu'à voir, dans un paysage de Turner ou d'Elstir, un voyageur en diligence, ou un guide, à différents degrés d'altitude du Saint-Gothard. Mais de ce « point de vue » où je m'étais placé j'aurais risqué de ne pas voir rentrer M. ou Mme de Guermantes, de sorte que, lorsque dans l'après-midi je fus libre de reprendre mon guet, je me mis simplement sur l'escalier, d'où l'ouverture de la porte cochère ne pouvait passer inaperçue pour moi, et ce fut dans l'escalier que je me postai, bien que n'y apparussent pas, si éblouissantes avec leurs valets de pied rendus minuscules par l'éloignement et en train de nettoyer, les beautés alpestres de l'hôtel de Bréquigny. Or cette attente sur l'escalier devait avoir pour moi des conséquences si considérables et me découvrir un paysage, non plus turnérien mais moral, si important, qu'il est préférable d'en retarder le récit de quelques instants, en le faisant précéder d'abord par celui de ma visite aux Guermantes quand je sus qu'ils étaient rentrés.

Ce fut le duc seul qui me reçut dans sa bibliothèque. Au moment où j'y entrais, sortit un petit homme aux cheveux tout blancs, l'air pauvre, avec une petite cravate noire comme en avaient le notaire de Combray et plusieurs amis de mon grand-père, mais d'un aspect plus timide et qui, m'adressant de grands saluts, ne voulut jamais descendre avant que je fusse passé. Le duc lui cria de la bibliothèque quelque chose que je ne compris pas, et l'autre répondit avec de nouveaux saluts adressés à la muraille, car le duc ne pouvait le voir, mais répétés tout de même sans fin, comme ces inutiles sourires des gens qui causent avec vous par le téléphone ; il avait une voix de fausset, et me resalua avec une humilité d'homme d'affaires. Et ce pouvait d'ailleurs être un homme d'affaires de Combray, tant il avait le genre provincial, suranné et doux des petites gens, des vieillards modestes de là-bas.

— Vous verrez Oriane tout à l'heure, me dit le duc quand je fus entré. Comme Swann doit venir tout à l'heure lui apporter les épreuves de son étude sur les monnaies de l'Ordre de Malte et, ce qui est pis, une photographie immense où il a fait reproduire les deux faces de ces monnaies, Oriane a préféré s'habiller d'abord, pour pouvoir rester avec lui jusqu'au moment d'aller dîner. Nous sommes déjà encombrés d'affaires à ne pas savoir où les mettre et je me demande où nous allons fourrer cette photographie. Mais j'ai une femme trop aimable, qui aime trop à faire plaisir. Elle a cru que c'était gentil de demander à Swann de pouvoir regarder les uns à côté des autres tous ces grands maîtres de l'Ordre dont il a trouvé les médailles à Rhodes. Car je vous disais Malte, c'est Rhodes, mais c'est le même Ordre de Saint-Jean de Jérusalem. Dans le fond elle ne s'intéresse à cela que parce que Swann s'en occupe. Notre famille est très mêlée à toute cette histoire ; même encore aujourd'hui, mon frère que vous connaissez est un des plus hauts dignitaires de l'Ordre de Malte. Mais j'aurais parlé de tout cela à Oriane, elle ne m'aurait seulement pas écouté. En revanche, il a suffi que les recherches de Swann sur les Templiers (car c'est inouï la rage des gens d'une religion à étudier celle des autres) l'aient conduit à l'Histoire des Chevaliers de Rhodes, héritiers des Templiers, pour qu'aussitôt Oriane veuille voir les têtes de ces chevaliers. Ils étaient de fort petits garçons à côté des Lusignan, rois de Chypre, dont nous descendons en ligne directe. Mais jusqu'ici Swann ne s'est pas occupé d'eux, aussi Oriane ne veut rien savoir sur les Lusigan.

Je ne pus pas tout de suite dire au duc pourquoi 'étais venu. En effet, quelques parentes ou amies, comme Mme de Silistrie et la duchesse de Montrose, vinrent pour faire une visite à la duchesse, qui recevait souvent avant le dîner, et ne la trouvant pas, restèrent un moment avec le duc. La première de ces dames (la princesse de Silistrie), habillée avec simplicité, sèche mais l'air aimable, tenait à la main une canne. Je craignis d'abord qu'elle ne fût blessée ou infirme. Elle était au contraire fort alerte. Elle parla avec tristesse au duc d'un cousin germain à lui — pas du côté Guermantes, mais plus brillant encore s'il était possible — dont l'état de santé, très atteint depuis quelque temps, s'était subitement aggravé. Mais il était visible que le duc, tout en compatissant au sort de son cousin et en répétant : « Pauvre Mama! c'est un si bon garçon », portait un diagnostic favorable. En effet le dîner auquel devait assister le duc l'amusait, la grande soirée chez la princesse de Guermantes ne l'ennuyait pas, mais surtout il devait aller à une heure du matin, avec sa femme, à un grand souper et bal costumé en vue duquel un costume de Louis XI pour lui et d'Isabeau de Bavière pour la duchesse étaient tout prêts. Et le duc entendait ne pas être troublé dans ces divertissements multiples par la souffrance du bon Amanien d'Osmond. Deux autres dames porteuses de canne, Mme de Plassac et Mme de Tresmes, toutes deux filles du comte de Bréquigny, vinrent ensuite faire visite à Basin et déclarèrent que l'état du cousin Mama ne laissait plus d'espoir. Après avoir haussé les épaules, et pour changer de conversation, le duc leur demanda si elles allaient le soir chez Marie-Gilbert. Elles répondirent que non, à cause de l'état d'Amanien qui était à toute extrémité, et même elles s'étaient décommandées du dîner où allait le duc, et duquel elles lui énumérèrent les convives, le frère du roi Théodose, l'infante Marie-Conception, etc. Comme le marquis d'Osmond était leur parent à un degré moins proche qu'il n'était de Basin, leur « défection » parut au duc une espèce de blâme indirect de sa conduite, et il se montra peu aimable. Aussi, bien que descendues des hauteurs de l'hôtel de Bréquigny pour voir la duchesse (ou plutôt pour lui annoncer le caractère alarmant, et incompatible pour les parents avec les réunions mondaines, de la maladie de leur cousin), ne restèrent-elles pas longtemps, et, munies de leur bâton d'alpiniste, Walpurge et Dorothée (tels étaient les prénoms des deux sœurs) reprirent la route escarpée de leur faîte. Je n'ai jamais pensé à demander aux Guermantes à quoi correspondaient ces cannes, si fréquentes dans un certain faubourg Saint-Germain. Peut-être, considérant toute la paroisse comme leur domaine et n'aimant pas prendre de fiacres, faisaient-elles de longues courses, pour lesquelles quelque ancienne fracture, due à l'usage immodéré de la chasse et aux chutes de cheval qu'il comporte souvent, ou simplement des rhumatismes provenant de l'humidité de la rive gauche et des vieux châteaux, leur rendaient la canne nécessaire. Peut-être n'étaient-elles pas parties, dans le quartier, en expédition si lointaine, et, seulement descendues dans leur jardin (peu éloigné de celui de la duchesse) pour faire la cueillette des fruits nécessaires aux compotes, venaient-elles, avant de rentrer chez elles, dire bonsoir à Mme de Guermantes chez laquelle elles n'allaient pourtant pas jusqu'à apporter un sécateur ou un arrosoir.

Le duc parut touché que je fusse venu chez eux le jour même de son retour. Mais sa figure se rembrunit quand je lui eus dit que je venais demander à sa femme de s'informer si sa cousine m'avait réellement invité. Je venais d'effleurer une de ces sortes de services que M. et Mme de Guermantes n'aimaient pas rendre. Le duc me dit qu'il était trop tard, que si la princesse ne m'avait pas envoyé d'invitation, il aurait l'air d'en demander une, que déjà ses cousins lui en avaient refusé une, une fois, et qu'il ne voulait plus, ni de près, ni de loin, avoir l'air de se mêler de leurs listes, « de s'immiscer », enfin qu'il ne savait même pas si lui et sa femme, qui dînaient en ville, ne rentreraient pas aussitôt après chez eux, que dans ce cas leur meilleure excuse de n'être pas allés à la soirée de la princesse était de lui cacher leur retour à Paris, que certainement, sans cela, ils se seraient au contraire empressés de lui faire connaître en lui envoyant un mot ou un coup de téléphone à mon sujet, et certainement trop tard, car en toute hypothèse les listes de la princesse étaient certainement closes. « Vous n'êtes pas mal avec elle », me dit-il d'un air soupçonneux, les Guermantes craignant toujours de ne pas être au courant des dernières brouilles et qu'on ne cherchât à se raccommoder sur leur dos. Enfin comme le duc avait l'habitude de prendre sur lui toutes les décisions qui pouvaient sembler peu aimables : « Tenez, mon petit, me dit-il tout à coup, comme si l'idée lui en venait brusquement à l'esprit, j'ai même envie de ne pas dire du tout à Oriane que vous m'avez parlé de cela. Vous savez comme elle est aimable, de plus elle vous aime énormément, elle voudrait envoyer chez sa cousine, malgré tout ce que je pourrais lui dire, et si elle est fatiguée après dîner, il n'y aura plus d'excuse, elle sera forcée d'aller à la soirée. Non, décidément, je ne lui en dirai rien. Du reste vous allez la voir tout à l'heure. Pas un mot de cela, je vous prie. Si vous vous décidez à aller à la soirée, je n'ai pas besoin de vous dire quelle joie nous aurons de passer la soirée avec vous. » Les motifs d'humanité sont trop sacrés pour que celui devant qui on les invoque ne s'incline pas devant eux, qu'il les croie sincères ou non ; je ne voulus pas avoir l'air de mettre un instant en balance mon invitation et la fatigue possible de Mme de Guermantes, et je promis de ne pas lui parler du but de ma visite, exactement comme si j'avais été dupe de la petite comédie que m'avait jouée M. de Guermantes. Je demandai au duc s'il croyait que j'avais chance de voir chez la princesse Mme de Stermaria.

— Mais non, me dit-il d'un air de connaisseur ; je sais le nom que vous dites pour le voir dans les annuaires des clubs, ce n'est pas du tout le genre de monde qui va chez Gilbert. Vous ne verrez là que des gens excessivement comme il faut et très ennuyeux, des duchesses portant des titres qu'on croyait éteints et qu'on a ressortis pour la circonstance, tous les ambassadeurs, beaucoup de Cobourg, d'Altesses étrangères, mais n'espérez pas l'ombre de Stermaria. Gilbert serait malade, même de votre supposition. Tenez, vous qui aimez la peinture, il faut que je vous montre un superbe tableau que j'ai acheté à mon cousin, en partie en échange des Elstir, que décidément nous n'aimions pas. On me l'a vendu pour un

Philippe de Champagne, mais moi je crois que c'est encore plus grand. Voulez-vous ma pensée ? Je crois que c'est un Vélasquez et de la plus belle époque, me dit le duc en me regardant dans les yeux, soit pour connaître mon impression, soit pour l'accroître. Un valet de pied entra.

— Mme la duchesse fait demander à M. le duc si M. le duc veut bien recevoir M. Swann, parce que Mme la duchesse n'est pas encore prête.

— Faites entrer M. Swann, dit le duc après avoir vu à sa montre qu'il avait lui-même quelques minutes encore avant d'aller s'habiller. Naturellement ma femme, qui lui a dit de venir, n'est pas prête. Inutile de parler devant Swann de la soirée de Marie-Gilbert, me dit le duc. Je ne sais pas s'il est invité. Gilbert l'aime beaucoup, parce qu'il le croit petit-fils naturel du duc de Berri, c'est toute une histoire. (Sans ça, vous pensez ! mon cousin qui tombe en attaque quand il voit un juif à cent mètres.) Mais enfin maintenant ça s'aggrave de l'affaire Dreyfus, Swann aurait dû comprendre qu'il devait, plus que tout autre, couper tout câble avec ces gens-là ; or, tout au contraire, il tient des propos fâcheux.

Le duc rappela le valet de pied pour savoir si celui qu'il avait envoyé chez le cousin d'Osmond était revenu. En effet le plan du duc était le suivant : comme il croyait avec raison son cousin mourant, il tenait à faire prendre des nouvelles avant la mort, c'est-à-dire avant le deuil forcé. Une fois couvert par la certitude officielle qu'Amanien était encore vivant, il ficherait le camp à son dîner, à la soirée du prince, à la redoute où il serait en Louis XI et où il avait le plus piquant rendez-vous avec une nouvelle maîtresse, et ne ferait plus prendre de nouvelles avant le lendemain, quand les plaisirs seraient finis. Alors on prendrait le deuil, s'il avait trépassé dans la soirée. « Non, Monsieur le duc, il n'est pas encore revenu. — Cré nom de Dieu! on ne fait jamais ici les choses qu'à la dernière heure », dit le duc à la pensée qu'Amanien avait eu le temps de « claquer » pour un journal du soir et de lui faire rater sa redoute. Il fit demander *le Temps* où il n'y avait rien.

Je n'avais pas vu Swann depuis très longtemps, je me demandai un instant si autrefois il coupait sa moustache, ou n'avait pas les cheveux en brosse, car je lui trouvais quelque chose de changé ; c'était seulement qu'il était en effet très « changé », parce qu'il était très souffrant, et la maladie produit dans le visage des modifications aussi profondes que se mettre à porter la barbe ou changer sa raie de place. (La maladie de Swann était celle qui avait emporté sa mère et dont elle avait été atteinte précisément à l'âge qu'il avait. Nos existences sont en réalité, par l'hérédité, aussi pleines de chiffres cabalistiques, de sorts jetés, que s'il y avait vraiment des sorcières. Et comme il y a une certaine durée de la vie pour l'humanité en général, il y en a une pour les familles en particulier, c'est-à-dire, dans les familles, pour les membres qui se ressemblent.) Swann était habillé avec une élégance qui, comme celle de sa femme, associait à ce qu'il était ce qu'il avait été. Serré dans une redingote gris perle, qui faisait valoir sa haute taille, svelte, ganté de gants blancs rayés de noir, il portait un tube gris d'une forme évasée que Delion ne faisait plus que pour lui, pour le prince de Sagan, pour M. de Charlus, pour le marquis de Modène, pour M. Charles Haas et pour le comte Louis de Turenne. Je fus surpris du charmant sourire et de l'affectueuse poignée de main avec lesquels il répondit à mon salut, car je croyais qu'après si longtemps il ne m'aurait pas reconnu tout de suite ; je lui dis mon étonnement ; il l'accueillit avec des éclats de rire, un peu d'indignation, et une nouvelle pression de la main, comme si c'était mettre en doute l'intégrité de son cerveau ou la sincérité de son affection que supposer qu'il ne me reconnaissait pas. Et c'est pourtant ce qui était; il ne m'identifia, je l'ai su longtemps après, que quelques minutes plus tard, en entendant rappeler mon nom. Mais nul changement dans son visage, dans ses paroles, dans les choses qu'il me dit, ne trahirent la découverte qu'une parole de M. de Guermantes lui fit faire, tant il avait de maîtrise et de sûreté dans le jeu de la vie mondaine. Il y apportait d'ailleurs cette spontanéité dans les manières et ces initiatives personnelles, même en matière d'habillement, qui caractérisaient le genre des Guermantes. C'est ainsi que le salut que m'avait fait, sans me reconnaître, le vieux clubman n'était pas le salut froid et raide de l'homme du monde purement formaliste, mais un salut tout rempli d'une amabilité réelle, d'une grâce véritable, comme en avait la duchesse de Guermantes par exemple (allant jusqu'à vous sourire la première avant que vous l'eussiez saluée si elle vous rencontrait), par opposition aux saluts plus mécaniques, habituels aux dames du faubourg Saint-Germain. C'est ainsi encore que son chapeau que, selon une habitude qui tendait à disparaître, il posa par terre à côté de lui, était doublé de cuir vert, ce qui ne se faisait pas d'habitude, mais parce que c'était (à ce qu'il disait) beaucoup moins salissant, en réalité (mais il ne le disait pas) parce que c'était fort seyant.

— Tenez, Charles, vous qui êtes un grand connaisseur, venez voir quelque chose ; après ça, mes petits, je vais vous demander la permission de vous laisser ensemble un instant pendant que je vais passer un habit ;

du reste je pense qu'Oriane ne va pas tarder. Et il montra son « Vélasquez » à Swann. « Mais il me semble que je connais ça », fit Swann avec la grimace des gens souffrants pour qui parler est déjà une fatigue.

— Oui, dit le duc rendu sérieux par le retard que mettait le connaisseur à exprimer son admiration. Vous l'avez probablement vu chez Gilbert.

— Ah! en effet, je me rappelle.

— Qu'est-ce que vous croyez que c'est?

— Eh bien, si c'était chez Gilbert, c'est probablement un de vos *ancêtres*, dit Swann avec un mélange d'ironie et de déférence envers une grandeur qu'il eût trouvé impoli et ridicule de méconnaître, mais dont il ne voulait, par bon goût, parler qu'en « se jouant ».

— Mais bien sûr, dit rudement le duc. C'est Boson, je ne sais plus quel numéro de Guermantes. Mais ça, je m'en fous. Vous savez que je ne suis pas aussi féodal que mon cousin. J'ai entendu prononcer le nom de Rigaud, de Mignard, même de Vélasquez! dit le duc en attachant sur Swann un regard et d'inquisiteur et de tortionnaire, pour tâcher à la fois de lire dans sa pensée et d'influencer sa réponse. Enfin, conclut-il (car, quand on l'amenait à provoquer artificiellement une opinion qu'il désirait, il avait la faculté, au bout de quelques instants, de croire qu'elle avait été spontanément émise) voyons, pas de flatterie. Croyez-vous que ce soit d'un des grands pontifes que je viens de dire?

— Nnnnon, dit Swann.

— Mais alors, enfin moi je n'y connais rien, ce n'est pas à moi de décider de qui est ce croûton-là. Mais vous, un dilettante, un maître en la matière, à qui l'attribuez-vous?

Swann hésita un instant devant cette toile que visiblement il trouvait affreuse : « A la malveillance! »

répondit-il en riant au duc, lequel ne put réprimer un mouvement de rage. Quand elle fut calmée : « Vous êtes bien gentils tous les deux, attendez Oriane un instant, je vais mettre ma queue de morue et je reviens. Je vais faire dire à ma bourgeoise que vous l'attendez tous les deux. »

Je causai un instant avec Swann de l'affaire Dreyfus et je lui demandai comment il se faisait que tous les Guermantes fussent antidreyfusards. « D'abord parce qu'au fond tous ces gens-là sont antisémites », répondit Swann qui savait bien pourtant par expérience que certains ne l'étaient pas, mais qui, comme tous les gens qui ont une opinion ardente, aimait mieux, pour expliquer que certaines personnes ne la partageassent pas, leur supposer une raison préconçue, un préjugé contre lequel il n'y avait rien à faire, plutôt que des raisons qui se laisseraient discuter. D'ailleurs, arrivé au terme prématuré de sa vie, comme une bête fatiguée qu'on harcèle, il exécrait ces persécutions et rentrait au bercail religieux de ses pères.

— Pour le prince de Guermantes, dis-je, il est vrai, on m'avait dit qu'il était antisémite.

— Oh! celui-là, je n'en parle même pas. C'est au point que, quand il était officier, ayant une rage de dents épouvantable, il a préféré rester à souffrir plutôt que de consulter le seul dentiste de la région qui était juif, et que plus tard il a laissé brûler une aile de son château où le feu avait pris, parce qu'il aurait fallu demander des pompes au château voisin qui est aux Rothschild.

— Est-ce que vous allez par hasard ce soir chez lui ?

— Oui, me répondit-il, quoique je me trouve bien fatigué. Mais il m'a envoyé un pneumatique pour me prévenir qu'il avait quelque chose à me dire. Je sens que je serai trop souffrant ces jours-ci pour y aller ou pour le recevoir, cela m'agitera, j'aime mieux être débarrassé tout de suite de cela.

— Mais le duc de Guermantes n'est pas antisémite.

— Vous voyez bien que si, puisqu'il est anti-dreyfusard, me répondit Swann, sans s'apercevoir qu'il faisait une pétition de principe. Cela n'empêche pas que je suis peiné d'avoir déçu cet homme — que dis-je! ce duc — en n'admirant pas son prétendu Mignard, je ne sais quoi.

— Mais enfin, repris-je en revenant à l'affaire Dreyfus, la duchesse, elle, est intelligente.

— Oui, elle est charmante. A mon avis, du reste, elle l'a été encore davantage quand elle s'appelait encore la princesse des Laumes. Son esprit a pris quelque chose de plus anguleux, tout cela était plus tendre dans la grande dame juvénile. Mais enfin, plus ou moins jeunes, hommes ou femmes, qu'est-ce que vous voulez, tous ces gens-là sont d'une autre race, on n'a pas impunément mille ans de féodalité dans le sang. Naturellement ils croient que cela n'est pour rien dans leur opinion.

— Mais Robert de Saint-Loup pourtant est dreyfusard ?

— Ah! tant mieux, d'autant plus que vous savez que sa mère est très contre. On m'avait dit qu'il l'était, mais je n'en étais pas sûr. Cela me fait grand plaisir. Cela ne m'étonne pas, il est très intelligent. C'est beaucoup, cela.

Le dreyfusisme avait rendu Swann d'une naïveté extraordinaire et donné à sa façon de voir une impulsion, un déraillement plus notables encore que n'avait fait autrefois son mariage avec Odette ; ce nouveau déclassement eût été mieux appelé reclassement et n'était qu'honorable pour lui, puisqu'il le faisait rentrer dans la voie par laquelle étaient venus les siens et d'où l'avaient dévié ses fréquentations aristocratiques. Mais Swann, précisément au moment où, si lucide, il lui était donné, grâce aux données héritées de son ascendance, de voir une vérité encore cachée aux gens du monde, se montrait pourtant d'un aveuglement comique. Il remettait toutes ses admirations et tous ses dédains à l'épreuve d'un critérium nouveau, le dreyfusisme. Que l'antidreyfusisme de Mme Bontemps la lui fît trouver bête n'était pas plus étonnant que, quand il s'était marié, il l'eût trouvée intelligente. Il n'était pas bien grave non plus que la vague nouvelle atteignît aussi en lui les jugements politiques et lui fît perdre le souvenir d'avoir traité d'homme d'argent, d'espion de l'Angleterre (c'était une absurdité du milieu Guermantes) Clemenceau, qu'il déclarait maintenant avoir tenu toujours pour une conscience, un homme de fer, comme Cornély. « Non, je ne vous ai jamais dit autrement. Vous confondez. » Mais, dépassant les jugements politiques, la vague renversait chez Swann les jugements littéraires et jusqu'à la façon de les exprimer. Barrès avait perdu tout talent, et même ses ouvrages de jeunesse étaient faiblards, pouvaient à peine se relire. « Essayez, vous ne pourrez pas aller jusqu'au bout. Quelle différence avec Clemenceau! Personnellement je ne suis pas anticlérical, mais comme, à côté de lui, on se rend compte que Barrès n'a pas d'os! C'est un très grand bonhomme que le père Clemenceau. Comme il sait sa langue! » D'ailleurs les antidreyfusards n'auraient pas été en droit de critiquer ces folies. Ils expliquaient qu'on fût dreyfusiste parce qu'on était d'origine juive. Si un catholique pratiquant comme Saniette tenait aussi pour la révision, c'était qu'il était chambré par Mme Verdurin, laquelle agissait en farouche radicale.

Elle était avant tout contre les « calotins ». Saniette était plus bête que méchant et ne savait pas le tort que la Patronne lui faisait. Que si l'on objectait que Brichot était tout aussi ami de Mme Verdurin et était membre de la « Patrie française », c'est qu'il était plus intelligent.

— Vous le voyez quelquefois? dis-je à Swann en parlant de Saint-Loup.

— Non, jamais. Il m'a écrit l'autre jour pour que je demande au duc de Mouchy et à quelques autres de voter pour lui au Jockey, où il a du reste passé comme une lettre à la poste.

— Malgré l'Affaire!

— On n'a pas soulevé la question. Du reste je vous dirai que, depuis tout ça, je ne mets plus les pieds dans cet endroit.

M. de Guermantes rentra, et bientôt sa femme, toute prête, haute et superbe dans une robe de satin rouge dont la jupe était bordée de paillettes. Elle avait dans les cheveux une grande plume d'autruche teinte de pourpre et sur les épaules une écharpe de tulle du même rouge. « Comme c'est bien de faire doubler son chapeau de vert, dit la duchesse à qui rien n'échappait. D'ailleurs, en vous, Charles, tout est joli, aussi bien ce que vous portez que ce que vous dites, ce que vous lisez et ce que vous faites. » Swann, cependant, sans avoir l'air d'entendre, considérait la duchesse comme il eût fait d'une toile de maître et chercha ensuite son regard en faisant avec la bouche la moue qui veut dire : « Bigre! » Mme de Guermantes éclata de rire. « Ma toilette vous plaît, je suis ravie. Mais je dois dire qu'elle ne me plaît pas beaucoup, continua-t-elle d'un air maussade. Mon Dieu, que c'est ennuyeux de s'habiller, de sortir quand on aimerait tant rester chez soi! »

— Quels magnifiques rubis!

— Ah! mon petit Charles, au moins on voit que vous vous y connaissez, vous n'êtes pas comme cette brute de Monserfeuil qui me demandait s'ils étaient vrais. Je dois dire que je n'en ai jamais vu d'aussi beaux. C'est un cadeau de la grande-duchesse. Pour mon goût ils sont un peu gros, un peu verre à bordeaux plein jusqu'aux bords, mais je les ai mis parce que nous verrons ce soir la grande-duchesse chez Marie-Gilbert, ajouta Mme de Guermantes sans se douter que cette affirmation détruisait celles du duc.

— Qu'est-ce qu'il y a chez la princesse? demanda Swann.

— Presque rien, se hâta de répondre le duc à qui la question de Swann avait fait croire qu'il n'était pas invité.

— Mais comment, Basin? C'est-à-dire que tout le ban et l'arrière-ban sont convoqués. Ce sera une tuerie, à s'assommer. Ce qui sera joli, ajouta-t-elle en regardant Swann d'un air délicat, si l'orage qu'il y a dans l'air n'éclate pas, ce sont ces merveilleux jardins. Vous les connaissez. J'ai été là-bas, il y a un mois, au moment où les lilas étaient en fleurs, on ne peut pas se faire une idée de ce que ça pouvait être beau. Et puis le jet d'eau, enfin, c'est vraiment Versailles dans Paris.

— Quel genre de femme est la princesse? demandai-je.

— Mais vous savez déjà, puisque vous l'avez vue ici, qu'elle est belle comme le jour, qu'elle est aussi un peu idiote, très gentille malgré toute sa hauteur germanique, pleine de cœur et de gaffes.

Swann était trop fin pour ne pas voir que Mme de Guermantes cherchait en ce moment à « faire de l'esprit Guermantes » et sans grands frais, car elle ne faisait que resservir sous une forme moins parfaite d'anciens mots d'elle. Néanmoins, pour prouver à la duchesse qu'il comprenait son intention d'être drôle et comme si elle l'avait réellement été, il sourit d'un air un peu forcé, me causant, par ce genre particulier d'insincérité, la même gêne que j'avais autrefois à entendre mes parents parler avec M. Vinteuil de la corruption de certains milieux (alors qu'ils savaient très bien qu'était plus grande celle qui régnait à Montjouvain) ou simplement à entendre dans le monde Legrandin nuancer son débit pour des sots, choisir des épithètes délicates qu'il savait parfaitement ne pouvoir être comprises d'un public riche ou chic, mais illettré.

— Voyons, Oriane, qu'est-ce que vous dites, dit M. de Guermantes. Marie bête ? Elle a tout lu, elle est musicienne comme le violon.

— Mais, mon pauvre petit Basin, vous êtes un enfant qui vient de naître. Comme si on ne pouvait pas être tout ça et un peu idiote! Idiote est du reste exagéré, non elle est nébuleuse, elle est Hesse-Darmstadt, Saint-Empire et gnan-gnan. Rien que sa prononciation m'énerve. Mais je reconnais, du reste, que c'est une charmante loufoque. D'abord cette seule idée d'être descendue de son trône allemand pour venir épouser bien bourgeoisement un simple particulier. Il est vrai qu'elle l'a choisi! Ah! mais c'est vrai, dit-elle en se tournant vers moi, vous ne connaissez pas Gilbert! Je vais vous en donner une idée : il a autrefois pris le lit parce que j'avais mis une carte à Mme Carnot... Mais, mon petit Charles, dit la duchesse pour changer de conversation, voyant que l'histoire de sa carte à Mme Carnot paraissait courroucer M. de Guermantes, vous savez que vous n'avez pas envoyé la photographie de nos chevaliers de Rhodes, que j'aime par vous et avec qui j'ai si envie de faire connaissance.

Le duc, cependant, n'avait pas cessé de regarder sa femme fixement :

— Oriane, il faudrait au moins raconter la vérité et ne pas en manger la moitié. Il faut dire, rectifia-t-il en s'adressant à Swann, que l'ambassadrice d'Angleterre de ce moment-là, qui était une très bonne femme, mais qui vivait un peu dans la lune et qui était coutumière de ce genre d'impairs, avait eu l'idée assez baroque de nous inviter avec le Président et sa femme. Nous avons été, même Oriane, assez surpris, d'autant plus que l'ambassadrice connaissait assez les mêmes personnes que nous pour ne pas nous inviter justement à une réunion aussi étrange. Il y avait un ministre qui a volé, enfin je passe l'éponge, nous n'avions pas été prévenus, nous étions pris au piège, et il faut du reste reconnaître que tous ces gens ont été fort polis. Seulement c'était déjà bien comme ça. Mme de Guermantes, qui ne me fait pas souvent l'honneur de me consulter, a cru devoir aller mettre une carte dans la semaine à l'Élysée. Gilbert a peut-être été un peu loin en voyant là comme une tache sur notre nom. Mais il ne faut pas oublier que, politique mise à part, M. Carnot, qui tenait du reste très convenablement sa place, était le petit-fils d'un membre du tribunal révolutionnaire qui a fait périr en un jour onze des nôtres.

— Alors, Basin, pourquoi alliez-vous dîner toutes les semaines à Chantilly ? Le duc d'Aumale n'était pas moins petit-fils d'un membre du tribunal révolutionnaire, avec cette différence que Carnot était un brave homme et Philippe-Égalité une affreuse canaille.

— Je m'excuse d'interrompre pour vous dire que j'ai envoyé la photographie, dit Swann. Je ne comprends pas qu'on ne vous l'ait pas donnée.

— Ça ne m'étonne qu'à moitié, dit la duchesse. Mes domestiques ne me disent que ce qu'ils jugent à propos. Ils n'aiment probablement pas l'Ordre de Saint-Jean. Et elle sonna.

— Vous savez, Oriane, que quand j'allais dîner à Chantilly, c'était sans enthousiasme.

— Sans enthousiasme, mais avec chemise de nuit pour si le prince vous demandait de rester à coucher, ce qu'il faisait d'ailleurs rarement, en parfait mufle qu'il était, comme tous les Orléans... Savez-vous avec qui nous dînons chez Mme de Saint-Euverte? demanda Mme de Guermantes à son mari.

— En dehors des convives que vous savez, il y aura, invité de la dernière heure, le frère du roi Théodose.

A cette nouvelle les traits de la duchesse respirèrent le contentement et ses paroles l'ennui. « Ah! mon Dieu, encore des princes. »

— Mais celui-là est gentil et intelligent, dit Swann.

— Mais tout de même pas compètement, répondit la duchesse en ayant l'air de chercher ses mots pour donner plus de nouveauté à sa pensée. Avez-vous remarqué, parmi les princes, que les plus gentils ne le sont pas tout à fait? Mais si, je vous assure! Il faut toujours qu'ils aient une opinion sur tout. Alors comme ils n'en ont aucune, ils passent la première partie de leur vie à nous demander les nôtres, et la seconde à nous les resservir. Il faut absolument qu'ils disent que ceci a été bien joué, que cela a été moins bien joué. Il n'y a aucune différence. Tenez, ce petit Théodose Cadet (je ne me rappelle pas son nom) m'a demandé comment ça s'appelait, un motif d'orchestre. Je lui ai répondu, dit la duchesse les yeux brillants et en éclatant de rire de ses belles lèvres rouges : « Ça s'appelle un motif d'orchestre. » Hé bien! dans le fond, il n'était pas content. Ah! mon petit Charles, reprit Mme de Guermantes d'un air languissant, ce que ça peut être ennuyeux de dîner en ville! Il y a des soirs où on aimerait mieux mourir! Il est vrai que de mourir c'est peut-être tout aussi ennuyeux, puisqu'on ne sait pas ce que c'est.

Un laquais parut. C'était le jeune fiancé qui avait eu des raisons avec le concierge, jusqu'à ce que la duchesse, dans sa bonté, eût mis entre eux une paix apparente.

— Est-ce que je devrai prendre ce soir des nouvelles de M. le marquis d'Osmond? demanda-t-il.

— Mais jamais de la vie, rien avant demain matin! Je ne veux même pas que vous restiez ici ce soir. Son valet de pied, que vous connaissez, n'aurait qu'à venir vous donner des nouvelles et vous dire d'aller nous chercher. Sortez, allez où vous voudrez, faites la noce, découchez, mais je ne veux pas de vous ici avant demain matin.

Une joie immense déborda du visage du valet de pied. Il allait enfin pouvoir passer de longues heures avec sa promise qu'il ne pouvait quasiment plus voir depuis qu'à la suite d'une nouvelle scène avec le concierge, la duchesse lui avait gentiment expliqué qu'il valait mieux ne plus sortir pour éviter de nouveaux conflits. Il nageait, à la pensée d'avoir enfin sa soirée libre, dans un bonheur que la duchesse remarqua et comprit. Elle éprouva comme un serrement de cœur et une démangeaison de tous les membres à la vue de ce bonheur qu'on prenait à son insu, en se cachant d'elle, duquel elle était irritée et jalouse. « Non, Basin, qu'il reste ici, qu'il ne bouge pas de la maison, au contraire. »

— Mais, Oriane, c'est absurde, tout votre monde est là, vous aurez en plus à minuit l'habilleuse et le costumier pour notre redoute. Il ne peut servir à rien du tout, et comme seul il est ami avec le valet de pied de Mama, j'aime mille fois mieux l'expédier loin d'ici.

— Écoutez, Basin, laissez-moi, j'aurai justement quelque chose à lui faire dire dans la soirée, je ne sais au juste à quelle heure. Ne bougez surtout pas d'ici d'une minute, dit-elle au valet de pied désespéré.

S'il y avait tout le temps des querelles et si on restait peu chez la duchesse, la personne à qui il fallait attribuer cette guerre constante était bien inamovible, mais ce n'était pas le concierge ; sans doute pour le gros ouvrage, pour les martyres plus fatigants à infliger, pour les querelles qui finissent par les coups, la duchesse lui en confiait les lourds instruments ; d'ailleurs jouait-il son rôle sans soupçonner qu'on le lui eût confié. Comme les domestiques, il admirait la bonté de la duchesse ; et les valets de pied peu clairvoyants venaient, après leur départ, revoir souvent Françoise en disant que la maison du duc aurait été la meilleure place de Paris s'il n'y avait pas eu la loge. La duchesse jouait de la loge comme on joua longtemps du cléricalisme, de la franc-maçonnerie, du péril juif, etc. Un valet de pied entra.

— Pourquoi ne m'a-t-on pas monté le paquet que M. Swann a fait porter ? Mais à ce propos (vous savez que Mama est très malade, Charles), Jules, qui était allé prendre des nouvelles de M. le marquis d'Osmond, est-il revenu ?

— Il arrive à l'instant, Monsieur le duc. On s'attend d'un moment à l'autre à ce que M. le marquis ne passe.

— Ah! il est vivant, s'écria le duc avec un soupir de soulagement. On s'attend, on s'attend! Satan vous-même. Tant qu'il y a de la vie il y a de l'espoir, nous dit le duc d'un air joyeux. On me le peignait déjà comme mort et enterré. Dans huit jours il sera plus gaillard que moi.

— Ce sont les médecins qui ont dit qu'il ne passerait pas la soirée. L'un voulait revenir dans la nuit. Leur chef a dit que c'était inutile. M. le marquis devrait être mort ; il n'a survécu que grâce à des lavements d'huile camphrée.

— Taisez-vous, espèce d'idiot, cria le duc au comble de la colère. Qu'est-ce qui vous demande tout ça? Vous n'avez rien compris à ce qu'on vous a dit.

— Ce n'est pas à moi, c'est à Jules.

— Allez-vous vous taire? hurla le duc, et se tournant vers Swann : Quel bonheur qu'il soit vivant! Il va reprendre des forces peu à peu. Il est vivant après une crise pareille. C'est déjà une excellente chose. On ne peut pas tout demander à la fois. Ça ne doit pas être désagréable, un petit lavement d'huile camphrée, dit le duc, se frottant les mains. Il est vivant, qu'est-ce qu'on veut de plus? Après avoir passé par où il a passé, c'est déjà bien beau. Il est même à envier d'avoir un tempérament pareil. Ah! les malades, on a pour eux des petits soins qu'on ne prend pas pour nous. Il y a ce matin un bougre de cuisinier qui m'a fait un gigot à la sauce béarnaise, réussie à merveille, je le reconnais, mais justement à cause de cela, j'en ai tant pris que je l'ai encore sur l'estomac. Cela n'empêche qu'on ne viendra pas prendre de mes nouvelles comme de mon cher Amanien. On en prend même trop. Cela le fatigue. Il faut le laisser souffler. On le tue, cet homme, en envoyant tout le temps chez lui.

— Hé bien! dit la duchesse au valet de pied qui se retirait, j'avais demandé qu'on montât la photographie enveloppée que m'a envoyée M. Swann.

— Madame la duchesse, c'est si grand que je ne savais pas si ça passerait dans la porte. Nous l'avons laissé dans le vestibule. Est-ce que Madame la duchesse veut que je le monte?

— Hé bien! non, on aurait dû me le dire, mais si c'est si grand, je le verrai tout à l'heure en descendant.

— J'ai aussi oublié de dire à Madame la duchesse que Mme la comtesse Molé avait laissé ce matin une carte pour Madame la duchesse.

— Comment, ce matin? dit la duchesse d'un air mécontent et trouvant qu'une si jeune femme ne pouvait pas se permettre de laisser des cartes le matin.

— Vers dix heures, Madame la duchesse.

— Montrez-moi ces cartes.

— En tous cas, Oriane, quand vous dites que Marie a eu une drôle d'idée d'épouser Gilbert, reprit le duc qui revenait à sa conversation première, c'est vous qui avez une singulière façon d'écrire l'histoire. Si quelqu'un a été bête dans ce mariage, c'est Gilbert d'avoir justement épousé une si proche parente du roi des Belges, qui a usurpé le nom de Brabant qui est à nous. En un mot, nous sommes du même sang que les Hesse, et de la branche aînée. C'est toujours stupide de parler de soi, dit-il en s'adressant à moi, mais enfin quand nous sommes allés non seulement à Darmstadt, mais même à

Cassel et dans toute la Hesse électorale, les landgraves ont toujours tous aimablement affecté de nous céder le pas et la première place, comme étant de la branche aînée.

— Mais enfin, Basin, vous ne me raconterez pas que cette personne qui était major de tous les régiments de son pays, qu'on fiançait au roi de Suède...

— Oh! Oriane, c'est trop fort, on dirait que vous ne savez pas que le grand-père du roi de Suède cultivait la terre à Pau, quand depuis neuf cents ans nous tenions le haut du pavé dans toute l'Europe.

— Ça n'empêche pas que si on disait dans la rue : « Tiens, voilà le roi de Suède », tout le monde courrait pour le voir jusque sur la place de la Concorde, et si on dit : « Voilà M. de Guermantes », personne ne sait qui c'est.

— En voilà une raison!

— Du reste, je ne peux pas comprendre comment, du moment que le titre de duc de Brabant est passé dans la famille royale de Belgique, vous pouvez y prétendre.

Le valet de pied rentra avec la carte de la comtesse Molé, ou plutôt avec ce qu'elle avait laissé comme carte. Alléguant qu'elle n'en avait pas sur elle, elle avait tiré de sa poche une lettre qu'elle avait reçue, et, gardant le contenu, avait corné l'enveloppe qui portait le nom : La comtesse Molé. Comme l'enveloppe était assez grande, selon le format du papier à lettres qui était à la mode cette année-là, cette « carte », écrite à la main, se trouvait avoir presque deux fois la dimension d'une carte de visite ordinaire.

— C'est ce qu'on appelle la simplicité de Mme Molé, dit la duchesse avec ironie. Elle veut nous faire croire qu'elle n'avait pas de cartes et montrer son originalité. Mais nous connaissons tout ça, n'est-ce pas, mon petit Charles, nous sommes un peu trop vieux et assez originaux nous-mêmes pour apprendre l'esprit d'une petite dame qui sort depuis quatre ans. Elle est charmante, mais elle ne me semble pas avoir tout de même un volume suffisant pour s'imaginer qu'elle peut étonner le monde à si peu de frais que de laisser une enveloppe comme carte et de la laisser à dix heures du matin. Sa vieille mère souris lui montrera qu'elle en sait autant qu'elle sur ce chapitre-là.

Swann ne put s'empêcher de rire en pensant que la duchesse, qui était du reste un peu jalouse du succès de Mme Molé, trouverait bien dans « l'esprit des Guermantes » quelque réponse impertinente à l'égard de la visiteuse.

— Pour ce qui est du titre de duc de Brabant, je vous ai dit cent fois, Oriane..., reprit le duc, à qui la duchesse coupa la parole, sans écouter.

— Mais mon petit Charles, je m'ennuie après votre photographie.

— Ah! *extinctor draconis latrator Anubis*, dit Swann.

— Oui, c'est si joli ce que vous m'avez dit là-dessus en comparaison du Saint Georges de Venise. Mais je ne comprends pas pourquoi *Anubis.*

— Comment est celui qui est ancêtre de Babal? demanda M. de Guermantes.

— Vous voudriez voir sa baballe, dit Mme de Guermantes d'un air sec pour montrer qu'elle méprisait elle-même ce calembour. Je voudrais les voir tous, ajouta-t-elle.

— Écoutez, Charles, descendons en attendant que la voiture soit avancée, dit le duc, vous nous ferez votre visite dans le vestibule, parce que ma femme ne nous fichera pas la paix tant qu'elle n'aura pas vu votre photographie. Je suis moins impatient à vrai dire, ajouta-t-il d'un air de satisfaction. Je suis un homme calme, moi, mais elle nous ferait plutôt mourir.

— Je suis tout à fait de votre avis, Basin, dit la duchesse, allons dans le vestibule, nous savons au moins pourquoi nous descendons de votre cabinet, tandis que nous ne saurons jamais pourquoi nous descendons des comtes de Brabant.

— Je vous ai répété cent fois comment le titre était entré dans la maison de Hesse, dit le duc (pendant que nous allions voir la photographie et que je pensais à celles que Swann me rapportait à Combray), par le mariage d'un Brabant, en 1241, avec la fille du dernier landgrave de Thuringe et de Hesse, de sorte que c'est même plutôt le titre de prince de Hesse qui est entré dans la maison de Brabant, que celui de duc de Brabant dans la maison de Hesse. Vous vous rappelez du reste que notre cri de guerre était celui des ducs de Brabant : « Limbourg à qui l'a conquis », jusqu'à ce que nous ayons échangé les armes des Brabant contre celles des Guermantes, en quoi je trouve du reste que nous avons eu tort, et l'exemple des Gramont n'est pas pour me faire changer d'avis.

— Mais, répondit Mme de Guermantes, comme c'est le roi des Belges qui l'a conquis... Du reste, l'héritier de Belgique s'appelle le duc de Brabant.

— Mais, mon petit, ce que vous dites ne tient pas debout et pèche par la base. Vous savez aussi bien que moi qu'il y a des titres de prétention qui subsistent parfaitement si le territoire est occupé par un usurpateur. Par exemple, le roi d'Espagne se qualifie précisément de duc de Brabant, invoquant par-là une possession moins ancienne que la nôtre, mais plus ancienne que celle du roi des Belges. Il se dit aussi duc de Bourgogne, roi des Indes Occidentales et Orientales, duc de Milan. Or, il ne possède pas plus la Bourgogne, les Indes, ni le Brabant, que je ne possède moi-même ce dernier, ni que ne le possède le prince de Hesse. Le roi d'Espagne ne se proclame pas moins roi de Jérusalem, l'empereur d'Autriche également, et ils ne possèdent Jérusalem ni l'un ni l'autre.

Il s'arrêta un instant, gêné que le nom de Jérusalem ait pu embarrasser Swann, à cause des « affaires en cours », mais n'en continua que plus vite :

— Ce que vous dites là, vous pouvez le dire de tout. Nous avons été ducs d'Aumale, duché qui a passé aussi régulièrement dans la maison de France que Joinville et que Chevreuse dans la maison d'Albert. Nous n'élevons pas plus de revendications sur ces titres que sur celui de marquis de Noirmoutiers, qui fut nôtre et qui devint fort régulièrement l'apanage de la maison de La Trémoïlle, mais de ce que certaines cessions sont valables, il ne s'ensuit pas qu'elles le soient toutes. Par exemple, dit-il en se tournant vers moi, le fils de ma belle-sœur porte le titre de prince d'Agrigente, qui nous vient de Jeanne la Folle, comme aux La Trémoïlle celui de prince de Tarente. Or, Napoléon a donné ce titre de Tarente à un soldat qui pouvait d'ailleurs être un fort bon troupier, mais en cela l'Empereur a disposé de ce qui lui appartenait encore moins que Napoléon III en faisant un duc de Montmorency, puisque le Périgord avait au moins pour mère une Montmorency, tandis que le Tarente de Napoléon Ier n'avait de Tarente que la volonté de Napoléon qu'il le fût. Cela n'a pas empêché Chaix d'Est-Ange faisant allusion à votre oncle Condé, de demander au procureur impérial s'il avait été ramasser le titre de duc de Montmorency dans les fossés de Vincennes.

— Écoutez, Basin, je ne demande pas mieux que de vous suivre dans les fossés de Vincennes, et même à Tarente. Et à ce propos, mon petit Charles, c'est justement ce que je voulais vous dire pendant que vous me parliez de votre Saint Georges de Venise, c'est que nous avons l'intention, Basin et moi, de passer le printemps prochain en Italie et en Sicile. Si vous veniez avec nous, pensez ce que ce serait différent! Je ne parle pas seulement de la joie de vous voir, mais imaginez-vous, avec tout ce que vous m'avez souvent raconté sur les souvenirs de la conquête normande et les souvenirs antiques, imaginez-vous ce qu'un voyage comme ça deviendrait, fait avec vous! C'est-à-dire que même Basin, que dis-je, Gilbert! en profiteraient, parce que je sens que jusqu'aux prétentions à la couronne de Naples et toutes ces machines-là m'intéresseraient, si c'était expliqué par vous dans de vieilles églises romanes ou dans des petits villages perchés comme dans les tableaux de primitifs. Mais nous allons regarder votre photographie. Défaites l'enveloppe, dit la duchesse à un valet de pied.

— Mais, Oriane, pas ce soir! vous regarderez cela demain, implora le duc qui m'avait déjà adressé des signes d'épouvante en voyant l'immensité de la photographie.

— Mais ça m'amuse de voir cela avec Charles, dit la duchesse avec un sourire à la fois facticement concupiscent et finement psychologique, car, dans son désir d'être aimable pour Swann, elle parlait du plaisir qu'elle aurait à regarder cette photographie comme de celui qu'un malade sent qu'il aurait à manger une orange, ou comme si elle avait à la fois combiné une escapade avec des amis et renseigné un biographe sur des goûts flatteurs pour elle.

— Hé bien, il viendra vous voir exprès, déclara le duc, à qui sa femme dut céder. Vous passerez trois heures ensemble devant, si ça vous amuse, dit-il ironiquement. Mais où allez-vous mettre un joujou de cette dimension-là ?

— Mais dans ma chambre, je veux l'avoir sous les yeux.

— Ah! tant que vous voudrez, si elle est dans votre chambre, j'ai chance de ne la voir jamais, dit le duc, sans penser à la révélation qu'il faisait aussi étourdiment sur le caractère négatif de ses rapports conjugaux.

— Hé bien, vous déferez cela bien soigneusement, ordonna Mme de Guermantes au domestique (elle multipliait les recommandations par amabilité pour Swann). Vous n'abîmerez pas non plus l'enveloppe.

— Il faut même que nous respections l'enveloppe! me dit le duc à l'oreille en levant les bras au ciel. Mais, Swann, ajouta-t-il, moi qui ne suis qu'un pauvre mari bien prosaïque, ce que j'admire là-dedans c'est que vous ayez pu trouver une enveloppe d'une dimension pareille. Où avez-vous déniché cela ?

— C'est la maison de photogravures qui fait souvent ce genre d'expéditions. Mais c'est un mufle, car je vois qu'il a écrit dessus : « la duchesse de Guermantes » sans « Madame ».

— Je lui pardonne, dit distraitement la duchesse, qui, tout d'un coup paraissant frappée d'une idée qui l'égaya, réprima un léger sourire, mais revenant vite à Swann : Hé bien! vous ne dites pas si vous viendrez en Italie avec nous ?

— Madame, je crois bien que ce ne sera pas possible.

— Hé bien, Mme de Montmorency a plus de chance. Vous avez été avec elle à Venise et à Vicence. Elle m'a dit qu'avec vous on voyait des choses qu'on ne verrait jamais sans ça, dont personne n'a jamais parlé, que vous lui avez montré des choses inouïes, et, même dans les choses connues, qu'elle a pu comprendre des détails devant qui, sans vous, elle aurait passé vingt fois sans jamais les remarquer. Décidément elle a été plus favorisée que nous... Vous prendrez l'immense enveloppe des photographies de M. Swann, dit-elle au domestique, et vous irez la déposer, cornée de ma part, ce soir à dix heures et demie, chez Mme la comtesse Molé.

Swann éclata de rire.

— Je voudrais tout de même savoir, lui demanda Mme de Guermantes, comment, dix mois d'avance, vous pouvez savoir que ce sera impossible.

— Ma chère duchesse, je vous le dirai si vous y tenez, mais d'abord vous voyez que je suis très souffrant.

— Oui, mon petit Charles, je trouve que vous n'avez pas bonne mine du tout, je ne suis pas contente de votre teint, mais je ne vous demande pas cela pour dans huit jours, je vous demande cela pour dans dix mois. En dix mois on a le temps de se soigner, vous savez.

A ce moment un valet de pied vint annoncer que la voiture était avancée. « Allons, Oriane, à cheval », dit le duc qui piaffait déjà d'impatience depuis un moment, comme s'il avait été lui-même un des chevaux qui attendaient.

— Hé bien, en un mot la raison qui vous empêchera de venir en Italie ? questionna la duchesse en se levant pour prendre congé de nous.

— Mais, ma chère amie, c'est que je serai mort depuis plusieurs mois. D'après les médecins que j'ai consultés, à la fin de l'année, le mal que j'ai, et qui peut du reste m'emporter tout de suite, ne me laissera pas en tous les cas plus de trois ou quatre mois à vivre, et encore c'est un grand maximum, répondit Swann en souriant, tandis que le valet de pied ouvrait la porte vitrée du vestibule pour laisser passer la duchesse.

— Qu'est-ce que vous me dites là ? s'écria la duchesse en s'arrêtant une seconde dans sa marche vers la voiture et en levant ses beaux yeux bleus et mélancoliques, mais pleins d'incertitude. Placée pour la première fois de sa vie entre deux devoirs aussi différents que monter dans sa voiture pour aller dîner en ville, et témoigner de la pitié à un homme qui va mourir, elle ne voyait rien dans le code des convenances qui indiquât la jurisprudence à suivre et, ne sachant auquel donner la préférence, elle crut devoir faire semblant de ne pas croire que la seconde alternative eût à se poser, de façon à obéir à la première qui demandait en ce moment moins d'efforts, et pensa que la meilleure manière de résoudre le conflit était de le nier. « Vous voulez plaisanter ? » dit-elle à Swann.

— Ce serait une plaisanterie d'un goût charmant, répondit ironiquement Swann. Je ne sais pas pourquoi je vous dis cela, je ne vous avais pas parlé de ma maladie jusqu'ici. Mais comme vous me l'avez demandé et que maintenant je peux mourir d'un jour à l'autre... Mais surtout je ne veux pas que vous vous retardiez, vous dînez en ville, ajouta-t-il parce qu'il savait que, pour les autres, leurs propres obligations mondaines priment la mort d'un ami, et qu'il se mettait à leur place, grâce à sa politesse. Mais celle de la duchesse lui permettait aussi d'apercevoir confusément que le dîner où elle allait devait moins compter pour Swann que sa propre mort. Aussi, tout en continuant son chemin vers la voiture, baissa-t-elle les épaules en disant : « Ne vous occupez pas de ce dîner. Il n'a aucune importance! » Mais ces mots mirent de mauvaise humeur le duc qui s'écria : « Voyons, Oriane, ne restez pas à bavarder comme cela et à échanger vos jérémiades avec Swann, vous savez bien pourtant que Mme de Saint-Euverte tient à ce qu'on se mette à table à huit heures tapant. Il faut savoir ce que vous voulez, voilà bien cinq minutes que vos chevaux attendent. Je vous demande pardon, Charles, dit-il en se tournant vers Swann, mais il est huit heures moins dix. Oriane est toujours en retard, il nous faut plus de cinq minutes pour aller chez la mère Saint-Euverte. »

Mme de Guermantes s'avança décidément vers la voiture et redit un dernier adieu à Swann. « Vous savez, nous reparlerons de cela, je ne crois pas un mot de ce que vous dites, mais il faut en parler ensemble. On vous aura bêtement effrayé, venez déjeuner, le jour que vous voudrez (pour Mme de Guermantes tout se résolvait toujours en déjeuners), vous me direz votre jour et votre heure », et relevant sa jupe rouge elle posa son pied sur le marchepied. Elle allait entrer en voiture, quand, voyant ce pied, le duc s'écria d'une voix terrible : « Oriane, qu'est-ce que vous alliez faire, malheureuse. Vous avez gardé vos souliers noirs! Avec une toilette rouge! Remontez vite mettre vos souliers rouges, ou bien, dit-il au valet de pied, dites tout de suite à la femme de chambre de Mme la duchesse de descendre des souliers rouges. »

— Mais, mon ami, répondit doucement la duchesse, gênée de voir que Swann, qui sortait avec moi mais avait voulu laisser passer la voiture devant nous, avait entendu, puisque nous sommes en retard...

— Mais non, nous avons tout le temps. Il n'est que moins dix, nous ne mettrons pas dix minutes pour aller au parc Monceau. Et puis enfin, qu'est-ce que vous voulez, il serait huit heures et demie ils patienteront, vous ne pouvez pourtant pas aller avec une robe rouge et des souliers noirs. D'ailleurs nous ne serons pas les derniers, allez, il y a les Sassenage, vous savez qu'ils n'arrivent jamais avant neuf heures moins vingt.

La duchesse remonta dans sa chambre.

— Hein, nous dit M. de Guermantes, les pauvres maris, on se moque bien d'eux, mais ils ont du bon tout de même. Sans moi, Oriane allait dîner en souliers noirs.

— Ce n'est pas laid, dit Swann, et j'avais remarqué les souliers noirs qui ne m'avaient nullement choqué.

— Je ne vous dis pas, répondit le duc, mais c'est plus élégant qu'ils soient de la même couleur que la robe. Et puis, soyez tranquille, elle n'aurait pas été plus tôt arrivée qu'elle s'en serait aperçue et c'est moi qui aurais été obligé de venir chercher les souliers. J'aurais dîné à neuf heures. Adieu, mes petits enfants, dit-il en nous repoussant doucement, allez-vous-en avant qu'Oriane ne redescende. Ce n'est pas qu'elle n'aime vous voir tous les deux. Au contraire, c'est qu'elle aime trop vous voir. Si elle vous trouve encore là, elle va se remettre à parler, elle est déjà très fatiguée, elle arrivera au dîner morte. Et puis je vous avouerai franchement que moi je meurs de faim. J'ai très mal déjeuné ce matin en descendant de train. Il y avait bien une sacrée sauce béarnaise, mais malgré cela, je ne serai pas fâché du tout, mais du tout, de me mettre à table. Huit heures moins cinq! Ah! les femmes! Elle va nous faire mal à l'estomac à tous les deux. Elle est bien moins solide qu'on ne croit.

Le duc n'était nullement gêné de parler des malaises de sa femme et des siens à un mourant, car les premiers, l'intéressant davantage, lui apparaissaient plus importants. Aussi fut-ce seulement par bonne éducation et gaillardise, qu'après nous avoir éconduits gentiment, il cria à la cantonade et d'une voix de stentor, de la porte, à Swann qui était déjà dans la cour :

— Et puis vous, ne vous laissez pas frapper par ces bêtises des médecins, que diable! Ce sont des ânes. Vous vous portez comme le Pont-Neuf. Vous nous enterrerez tous!

DU MÊME AUTEUR

Aux Éditions Gallimard

À LA RECHERCHE DU TEMPS PERDU, *roman :*

DU CÔTÉ DE CHEZ SWANN.
À L'OMBRE DES JEUNES FILLES EN FLEURS.
LE CÔTÉ DE GUERMANTES.
SODOME ET GOMORRHE.
LA PRISONNIÈRE.
ALBERTINE DISPARUE.
LE TEMPS RETROUVÉ.

PASTICHES ET MÉLANGES.

LES PLAISIRS ET LES JOURS, *chroniques.*

CHRONIQUES.

MORCEAUX CHOISIS.

UN AMOUR DE SWANN, *roman.*

LETTRES À LA N.R.F.

JEAN SANTEUIL, *roman.*

CONTRE SAINTE-BEUVE *suivi de* NOUVEAUX MÉLANGES, *essai.*

LETTRES À REYNALDO HAHN.

TEXTES RETROUVÉS.

CORRESPONDANCE AVEC JACQUES RIVIÈRE.

LE CARNET DE 1908, *notes.*

L'INDIFFÉRENT, *nouvelle.*

POÈMES.

MATINÉE CHEZ LA PRINCESSE DE GUERMANTES, *récit inédit.*

Impression Bussière à Saint-Amand (Cher),
le 20 mai 1985.
Dépôt légal : mai 1985.
1er dépôt légal dans la collection : avril 1972.
Numéro d'imprimeur : 1387.
ISBN 2-07-036088-1./Imprimé en France.